ロシア万華鏡

社会・文学・芸術

沼野恭子

五柳叢書
109

五柳書院

ロシア万華鏡

社会・文学・芸術

カバー作品　エリク・ブラートフ
「自由は自由」
Freedom is Freedom Ⅱ
2000―01年／200×200㎝／キャンバス油彩

目次

第一章　社会編

第二章　文学編

第三章　芸術編

第一章　社会編

二二のプロムナード

きみはどこにいるの？

二〇一六年の三月、セルビアの首都ベオグラードを訪れた。ドナウ川とサヴァ川が出会う、バルカン半島の「要衝の地」に位置する美しい町である。

あまり知られていないかもしれないが、この町では多くの学生が熱心に日本語を学んでいる。私が勤めている大学は留学生を受け入れたり日本語教師を派遣したりと、これまでもベオグラード大学との交流を重ねてきたが、今回の訪問は交流の輪をさらに広げ、中欧の日本語教育ネットワークを築くべく、「東京外国語大学グローバル・ジャパン・オフィス」を設置させていただくのが目的だった。

ベオグラードといえば、カレメグダン城址公園が有名だ。二本の川を見おろすこの小高い丘には、はるか昔ローマ帝国の頃すでに要塞が作られていたと聞くが、それはもう残っていない。幾度もオスマン帝国やハプスブルグ帝国の支配を受け、破壊と増築を繰り返したあげく、かつての要塞が現在のような形に整えられたのは一八世紀末だという。広大な公園の凛としたたたずまいは、数々の戦乱をかいくぐってきた「悠久の時」の厚みを伝えてくれる。

私はひとりの人のことを思い出していた。八年ほど前、国際翻訳者会議に参加するため初めてベオグラードに行ったときのこと、英語圏の文芸翻訳書がいかに少ないかを訴えるアメリカの翻訳者や、詩の翻訳の難しさを楽しげに語るフランスの研究者らに交じって、サバーフ・ハッラートゥ・ズウェーンというレバノンの文芸批評家・詩人がフランス語で書いた自らの詩をアラビア語に「自己翻訳」した体験を、英語で語っていた。どちらからともなく誘い合い、カレメグダン公園を一緒に散策した。好奇心にあふれ、日本のことを何でも知りたがった人懐こいサバーフ。帰国当日にパスポートが手元にないことに気づき慌てふためいていた私を慰め、ホテルのフロントに預けたままだったことを思い出させてくれた優しいサバーフ。

その後、東日本大震災が起こったとき、彼女は我がことのように案ずるメールを送ってくれた。「日本の人たちのことがとても心配です。原発の放射能について悪いニュースをたくさん耳にします。あなたは無事なの？　ご家族は大丈夫？」と。

二〇一五年一一月にベイルートとパリでテロが起きたとき、今度は私が安否を問うメールを送る番になった。でも、彼女宛のメールは「不達」で戻ってきてしまった……。アドレスを変えただけなのだろうか。無事でいるだろうか。チェーホフの短編『中二階のある家』のフレーズ「ミシュス、きみはどこにいるの？」が頭をよぎる。

そしてサバーフの手がかりを探し続けていたら、つい最近ベイルートのオリエント研究所のサイトで衝撃的な記事に出会った。二〇一四年、五九歳で逝去したという追悼文だった。「彼女は何カ国語も操れる驚くべき才能の詩人だった。アラビア語で詩集を出し、フランス語とスペイン語とアラビア語でレバノンの現代詩アンソロジーを編んだ」。

まるでドナウ川とサヴァ川のように、ベオグラードで偶然出会った私たち。ほんの数回しか話したことがないのに、すっかり意気投合した。今は詩人サバーフの残した詩を読みたい。もう会えないのなら、せめて詩の中で彼女の声を聞きたい。

大砲とミューズ

気象庁によると、今年（二〇一六年）も梅雨が明けたら猛暑になるという。何だか年々ますます夏の気温が上昇していくような気がする。でも、今年の夏がどんなに暑くなろうと、私にとっては去年の夏ほど熱いはずはないと思う。なぜなら、私は去年「生涯で最も暑い夏」を経験してしまったからだ。

二〇一五年八月。組織委員のひとりとして何カ月ものあいだ仲間たちと準備に携わった大規模な学会が、かんかん照りの千葉県幕張で六日間にわたって繰り広げられた。旧ソ連・中欧・東欧の文化、芸術、歴史、社会、経済、国際関係などを専門とする研究者が文字どおり世界各地から集まり、研究成果を報告し議論しあった。五年に一度の国際会議だから、言ってみればロシア・東欧研究のオリンピックである。参加者は一三〇〇名にものぼった。会場の準備からプログラムの作成、資金集め、宿泊施設の確保、熱中症対策、茶会によるおもてなしまで、会議運営に私たちは汗まみれだった。

そこで私自身が最も深く関わったのは「スラヴ文学は国境を越えて」と題する文学シンポジウムだった。二〇一四年以来ウクライナ危機が深刻化していたため、スラヴ世界の作家たちが社会とどのように向きあっているかを問う内容にしようということで、登壇者として、『ウクライナ日記』(吉岡ゆき訳、作品社)を書いたロシア語作家アンドレイ・クルコフをキエフから、ロシア語・ドイツ語作家ミハイル・シーシキンをスイスから、クロアチア語・英語作家ドゥブラフカ・ウグレシッチをアムステルダムから、日本語・ドイツ語作家の多和田葉子をベルリンから招いた。いずれも国境を越え言語をまたいで国際的な活躍をしている作家たちである。第一線の多彩な顔ぶれが一堂に会したものであった。

時空を超越した叙情的な愛の書簡小説『手紙』(奈倉有里訳、新潮社)によって日本でも知られるシーシキンは、作品の中ではけっして直接政治に触れることはないが、シンポジウムでは作家の役割について語った。「作家はロシアの国家体制を変えられないが、それでもできることをしなければならない。それは沈黙しないこと。黙ったら、それは今起きていることへの賛同を意味してしまう。驚きに目を見張る世界を前にして故国が自殺しようとしているというのに、黙っているわけにはいかない」。

じつはシンポジウム主催者として、「大砲がうなりをあげる時ミューズは沈黙する」というラテン語の警句をもじって、「大砲がうなりをあげる時でもミューズは沈黙しない（戦乱の世でも芸術家は口を閉ざさない）」というメッセージを掲げていたので、シーシキンの発言はぴったりだった。

多和田さんのユーモアあふれるコメントも素晴らしかった。ウクライナ問題についてドイツの雑誌や新聞に書かれる記事は「トイレの水を流すようにどんどん流れ、あとには不満と不安が残るだけ」だけれど、シーシキンやクルコフの言葉は正反対で「読んだ記憶が鮮明に残る」。今求められているのがまさに、人の心を揺さぶり記憶に刻まれる「文学の言葉」なのだ、ということをあらためて痛感させられた。

作家たちの言葉は高邁で力強く、興奮と熱気に包まれた真夏の夕べは熱かった。

運命のひとこと

今年（二〇一六年）五月、ＮＨＫラジオのロシア語放送「ラジオ・ジャパン」が戦後放送を開始してから六〇周年を迎えるとのことで、それを記念する特別番組のためのインタビューを受けた。じつは私は大学を卒業した後ほんの数年の間だが、このラジオ・ジャパンでディレクターをしていた。インタビューでは、その時のエピソードや思い出を話してほしいということだった。

今も大枠は変わっていないと思うが、当時、海外のロシア語リスナーに向けて、ニュースや解説、音楽番組、日本語講座などの他に、日露間の文化交流をトピックにした番組を流していた。私も、ロシアのチョウザメ養殖について研究している東海大学の先生に話を伺ったり、日本でドストエフスキーがどのように読まれてきたかの受容史をたどったり、重いオープンリールデッキを肩に担いでロシア人アナウンサーと博多どんたくを取材しに行ったりするなど、いろいろな番組の制作に参加した。

何かというと前面に押し出されてくる北方領土問題に阻まれてロシア文化の紹介や交流がなかなか進まないことにもどかしさを感じていた私は、ロシア文化と日本文化の思いがけない遭遇や興味深い関係について少しでも紹介したいと、この番組作りに情熱を注いでいた。新人ディレクターだったためか、どの取材もそれぞれ面白く勉強になることばかりだったが、中でも強く印象に残っているのは黒澤明監督と人類学者の加藤九祚先生にインタビューしたことである。

御殿場の別荘に黒澤監督を訪ねた時は、ロシア映画について伺った。黒澤監督はアンドレイ・タルコフスキーやニキータ・ミハルコフら現代ロシアの映画監督をとても高く評価していて、とりわけタルコフスキー作品は「雨上がりの草の描写がみずみずしくて素晴らしい」と具体的なシーンをあげて絶賛していたのを覚えている。さすが北海道に舞台を移してドストエフスキーの『白痴』を映画化した監督だけあって、ロシア文学にも造詣が深かった。

国立民族学博物館に加藤先生を訪ねたのは、大佛次郎賞を受賞された本『天の蛇』(河出書房新社)に心を打たれたからだった。日本に長く住み、アイヌ語や宮古方言の優れた研究をしたニコライ・ネフスキーという悲劇の日本研究者の評伝である。ひとしきりネフスキーの話やご自身の幅広い活動について話していただいた後、雑談をしていた時ふと、先生が「妻は私と一緒にシベリアや中央アジアなどあちこち回るうちに服飾の勉強をして、ついに研究者になって本まで出したんですよ。あなたも研究者になったらどうですか?」と言われた。後で調べたら、奥様の加藤定子さんは古代中央アジアの服飾史の専門家であった。

研究者になる——それはNHKに入社したばかりの私にとってあまりに意外なひとことだったが、その蜜のように甘い誘惑的な響きは長く耳に残った。やがて回り道をしたあげく研究者のはしくれになったのは、加藤先生の言葉がきっかけだったのだろうか。

昨年ある学会の懇親会で先生に何十年ぶりかでお目にかかったので、思いきってこの話をしてみたら、先生は「そんなこと、ありましたかねえ」とにこにこ笑っていらした。

奇跡について

つい先頃、ニューヨークに行ってきた。そこで考えることになったのは、「奇跡」についてだった。

賑わう街を歩いていたら、思いのほかたくさんの物乞いの人の姿が目についた。たいていじっと座っていて、メッセージを書いた段ボールを自分の前に掲げている。そこに「Need a Miracle（奇跡が必要）」というフレーズがあるのを最初に見たときは、アメリカ社会の抱える格差問題を考えるより先に、なんて言葉のセンスがいいのだろうと思った。ところが、あっちでもこっちでも同じフレーズを見かけるではないか。物乞いをするときの英語の決まった言い方なのだろうか。いったいどんな奇跡を待ち望んでいるのだろうと思いを馳せる。

そう言えば、一九九六年にノーベル賞を受賞したポーランドの詩人ヴィスワヴァ・シンボルスカが「奇跡の市」という詩でこう語っている。

「平凡な奇跡は／平凡な奇跡がたくさん起こること。／普通の奇跡は／夜の静けさの中で／見えない犬たちが吠えること。／たくさんある奇跡のひとつは／小さく軽やかな雲なのに／大きく重い月を隠せること（……）／ただ見回せばそこにある奇跡は／世界がどこにでもあること」

どうかマンハッタンの街路で物乞いをしている人たちに、平凡な奇跡がたくさん起こりますように。

ロシアの作家リュドミラ・ウリツカヤには「キャベツの奇跡」という短編がある。一九四九年のモスクワが舞台なので、飽食の現代アメリカとは違い、背景にあるのは物資の乏しい戦後ソ連の厳しい現実だ。雪の降る日、遠い親戚のおばあさんの家に引き取られた戦争孤児の幼い姉妹がキャベツを買いに行かされる。保存食の塩漬けキャベツを作るためだ。ところが、ポケットの中で握りしめていたはずの一〇ルーブル紙幣をいつのまにか落としてしまう。ふたりはおばあさんの家から追い出されるのではないかと心配でたまらなくなる。そのとき、山のようにキャベツを積んだトラックが猛スピードで走ってきて、ふたりの目の前で急旋回したはずみにキャベツを二つぽとんと落として去っていくのだ。

そんなことはあり得ない、おとぎ話にすぎないと思われるかもしれない。でも、ウリツカヤの紡ぐ物語の圧倒的なリアリティにより、読者は愛らしい姉妹の身に起こった奇跡を「本当のこと」として、ごく自然に受け入れることができる。

世界を見回してみれば、第二次世界大戦の後もあちこちで戦争が起きている。自国の領域で戦うだけでなく、他人のところにまで出向いて戦闘を繰り広げる国もある。そんな情勢のなか、七〇年もの長きにわたって日本が戦争をすることも戦争に加担することもなく平和国家として存在してきたことは、まさに奇跡なのではあるまいか。

たとえば私たちが、そよ風の囁きにときめきを感じたり、他人の何げない思いやりに心動かされたり、風変わりな意見でも自由に口にしたり読んだりできるのは、平穏な暮らしという奇跡があってこそ。

しかしそんな単純なことになかなか気づかないのは、平和は健康のようなもので、普段は当たり前にしか思っていないからだ。失ったとき初めて、その真価がわかるのである。失ってから後悔しても、もう遅いのに。

モスクワのシャーマン

モスクワのポタポフスキー横丁の地下に、二〇一二年まで「プロジェクト・オギ」という伝説的な文学カフェがあった。書店が併設されていて文芸書・人文書の品ぞろえもよく、手頃な値段で美味しい料理も食べられた。でも最大の魅力は、詩の夕べ、コンサート、展覧会といったさまざまな催しが常時おこなわれていたこと。文学イベントの常連はレフ・ルビンシュテインやセルゲイ・ガンドレフスキーといったロシアの文壇で名の知られた詩人や作家たちだったから、オギはモスクワの知的スポットの一つになっていた。

何度かここを訪れたことがある。しかし、二〇一一年秋、小雨がぱらつく肌寒い日のことは忘れられない。「シャーマン」を名のるヴェーラ・サージナのライブに友人と行ったのだ。早めに出かけて、まずはビーツの千切りにキノコ炒めを和えたサラダ、ボルシチ、ワインで腹ごしらえをした。シャーマンってどんな人なのだろうと期待でわくわくしていると、ひょっこり知り合いの日本人がロシアの前衛音楽家セルゲイ・レートフとやってきたので驚いた。

やがてステージにサージナが登場した。風変わりな赤いターバンのようなものを頭に被り、ラメ入りの黒っぽいロングドレスを着ている。ロシアの民族楽器バヤン（ボタン式アコーディオン）やバラライカ（三弦の弦楽器）を弾きながら、美しく澄んだ高い声と、ユニークな発声法の野性的な低い声を使い分けて次々に歌を披露していく。目をつぶって自分だけの世界に浸っているように見えるのは、もうトランス状態なのだろうか。共演のギタリストやパーカッション奏者が入れ代わり立ち代わり現れ、先ほどまで私たちと話をしていたレートフもステージでサックスやフルートを吹いている。

サージナは一九六〇年にモスクワ郊外で生まれ、モスクワ大学心理学部を卒業した後、長く病院に勤めたが、一九八〇年代後半より音楽パフォーマンスや絵画展への出品を始めるようになった。詩集も出しているというから多彩な才能の持ち主である。もともと科学によらず呪術で人の病を癒すことに関心があったらしく、アメリカに行ってネイティヴ・アメリカンのシャーマンに教えを乞い、シャーマニズムの伝統が色濃く残るシベリア南部のトゥヴァ共和国でも修行を積んで、死者の霊と交信できるようになったという。

「天に向かって祈ることを私に教えてくれたのはネイティヴ・アメリカンやトゥヴァの大草原。オオカミのラジオに耳をすますことを教えてくれたのはモスクワ郊外の松林。深く瞑想的に歌うことを教えてくれたのはクリミアの海」と彼女は語っている。

いつまでも聴いていたくなるような妖しげな音の世界はとても快く、心も身体も癒されるような感覚を覚える。でも、それが現代モスクワのシャーマンのパフォーマンスによる作用なのか、それとも音楽が持つヒーリングの力によるものなのかはわからない。

ライブが終わってからもぐずぐずと話しこんでいた私たちは、サージナのCDを購入し、お宝を手に入れたような高揚した気分でオギを後にした。地下鉄の最終電車になんとか間に合い、出口のシャッターが閉められそうになるところを間一髪、地上に脱出したのだった。

ブライトンビーチ再訪

ブライトンビーチは三〇年ほど前アメリカに住んでいたときに一度、訪れたことがある。その時は亡命ロシア語作家エフライム・セヴェラに会うのが目的だった。でも、今回はこれといった目的があったわけではない。だからこそなのかもしれない、記憶のかなたから前回の印象が蘇り、たえず二重露出のように、目の前の風景に重なっていたのは。

ニューヨーク・マンハッタンから南に延びる地下鉄で三〇分も行くと、電車は途中から地上に出て、やがてブルックリンの南端に位置するブライトンビーチに着く。ホームに降り立つと、線路から直角に伸びるブライトンビーチ・アヴェニューの先に小さく海が見えた。遠くからでも、夏の容赦ない太陽が照りつけ、海がきらめいているのがわかる。

ここは、一九七〇年代以降にソ連から移住してきたユダヤ人たちがつくった町で、看板は今も英語・ロシア語の併記、聞こえてくる会話もロシア語が多い。売店で売られているのも、半分はロシア語の新聞や雑誌である。昔立ち寄った「黒海」という名の書店を探したが、今はもう土産物店になっているという。三〇年前「黒海」にはセヴェラの本が並び、著者はこのあたりの名士だった。砂浜に沿って続くボードウォークをセヴェラと歩いていたら、行き交う人たちがみな彼に尊敬と親愛のこもった挨拶をしてきたことを思い出す。

それもそのはず、ベラルーシ出身のセヴェラはモスクワで、映画監督・脚本家として活躍していたのに、一九七一年イスラエルへの移住許可を求めて、当時としては考えられない「暴挙」に出た。仲間たちと最高会議ビルの前で座り込みをしたのだ。一五年の監獄暮らしを覚悟したというが、時代の運が味方して国外追放になった。だからセヴェラはユダヤ人たちにとって、「鉄のカーテンを突破した英雄」だったのである。

彼は亡命してから小説を書き始め、『傷痍軍人横丁の伝説』で作家として知られるようになった。『トヨタ・カローラ』という長編があったので読んでみたら、「彼」と「彼女」と「トヨタ・カローラ」の三者を語り手にした、ロードムービーを思わせる風変わりな物語だった。セヴェラがブライトンビーチで過ごしたのは約一〇年。その後あちこち放浪したあげく、一九九〇年にロシアに戻ったが、ブライトンビーチで話されているロシア語と英語とイディッシュ語とヘブライ語などが混じった「混成共通語《クレオール》」は創作の大事な要素の一つとなった。そして、二〇一〇年にモスクワで亡くなった。

海水浴客で賑わう現在のブライトンビーチは、旧ソ連（とくに中央アジアやコーカサス）からやってくるさまざまな民族の人たちで多様化しているように見える。あくまでロシア語コミュニティではあるのだが、昔よりユダヤ色は薄まっているのではないかと思う。

三〇年前セヴェラに会ったあの頃、留学のためアメリカに行った連れあいも、仕事を辞めて後から合流した私も、いつ日本に帰れるかわからない不安を抱え、未来の可能性だけを頼りに異郷で暮していた。その点で、私たちは少しだけ亡命者・移民に似ていた。そしてマリーナ・ツヴェターエワの言葉「詩人とはユダヤ人のこと」にあやかって言えば、文学に携わる今の私たちもやはりユダヤ人に似ているのかもしれない。

平和への鍵

ちょっとしたきっかけで、高橋ブランカさんという日本に住んでいるセルビア人と知り合った。小説も書けば、演技もするし、芸術的な写真も撮るという多才なアーティストである。昨年

（二〇一五年）二月、彼女が横浜でパフォーマンスをするというので見に行った。図書室を兼ねたカフェを舞台に見立て、白い衣装のブランカさんがもうひとりの女性と客席を挟んで反対側の壁際に立ち、ときおり場所を交換しては朗読する。飛び交う言葉は、日本語、ロシア語、セルビア語、スペイン語、英語。プロジェクタに字幕が写し出される。

それは多言語劇団「空《うつぼ》」による公演『リューシストラテ』（岸本桂子演出）で、古代ギリシャの喜劇作家アリストパネスの『女の平和』を現代風にアレンジした朗読劇だった。リューシストラテとはヒロインの名前だが、「軍隊を解散させる女」という意味があるそうだ。物語はリューシストラテがアテネとスパルタの男たちの間で続いている戦争を止めさせるべく双方の女たちに呼びかけて、セックス・ストライキをするというもの。今から二四〇〇年も前の、なんと放胆な思いつきだろう！

公演では女たちの語りが、英語→日本語、日本語→英語、あるいはロシア語→英語→日本語の順に披露され、カノンのように少しずつずらして重ねられたり、セルビアの詩が読まれたり、現代リベリアの平和運動家リーマ・ボウイーの言葉が差し挟まれたりした。ちなみにボウイーは非暴力の平和運動を展開し、実際にセックス・ストライキを指揮したこともあり、二〇一一年にノーベル平和賞を受賞した実在の人物だ。シンプルで音楽的な構成も、実験的な多言語の試みも面白かったし、ブランカさんの語学力にも驚嘆した。

それにしても、戦争を止めないならセックスに応じない——それが古代ギリシャでも現代リベリアでも、女に残された平和への「最後の手段」なのだとしたら、人類はまるで進歩していないことになる。とはいえ、少なくとも現代では「男＝戦争、女＝平和」と単純に図式化することはできないだろう。心から平和を願っている男だってたくさんいれば、逆に女がいつも平和愛好家であるとは限らない。それどころか極めて好戦的な女がいることは、昨今の日本の政治を見ていれば明らかである（こういう女性たちにはどうか、「活躍」する機会がないよう願いたいものだ）。

ジェンダーによる区分が有効でないとすると、いったいどういう人が平和主義者でどういう人が好戦的になるのか、その分かれ目は何なのだろうか。おそらく戦争をしたがる人というのは男であれ女であれ、けっして自分自身が血を流したり悲惨な目に遭ったりする場面を想像できないのではないか。あくまでも兵士や軍隊を意のままに操る指揮官としての自分の姿しか思い描けないとしたら、それは「想像力」が欠如しているということである。

そういえば、ロシアの作家ザミャーチンに独裁国家を描いた『われら』というディストピア小説がある。何もかも管理されたその全体主義国家では、自由な考えを持つ反逆者はむりやり手術で体制順応者にさせられてしまうのだが、手術で摘出されるものがまさに「想像力」だ。いみじくもザミャーチンは、想像力こそが自由への扉、ひいては平和への鍵だと予言していたように思える。

コーラかクワスか

ソ連時代に「ソッツアート」と呼ばれる非公式芸術があった。社会主義国家のイデオロギーをパロディにするポストモダン的芸術手法のことで、「社会主義リアリズム」に「ポップアート」をかけた造語である。

そのソッツアートの概念をよく伝える作品にアレクサンドル・コソラーポフというアーティストの『レーニン　コカ・コーラ』（一九八〇年）がある。赤地にレーニンの横顔とコカ・コーラのロゴが並べてあり、「それは本物。レーニン」と英語で書いてある。ソ連社会のいたる所でお目にかかったレーニンの肖像。コソラーポフは、西側の大衆消費文化の象徴（コーラ）とソ連に溢れかえっていたイデオロギーの象徴（レーニン）を対置させることで、社会主義イデオロギーの権威を相対化したのである。ここには痛烈なアイロニーが感じられる。

コーラは一九八〇年のモスクワ・オリンピックに向けて、ソ連で製造を開始した。若者が西側文化への憧れや好奇心から飛びついたため、アメリカ発祥の炭酸飲料はソ連社会に浸透していった。

一方、ロシアの食文化には古来より「クワス」という、ライ麦で作る飲み物がある。ライ麦の麦芽を発酵させるため、アルコール分も多少含まれる微炭酸飲料だ。ソ連時代には夏になるとタンクローリーが街でクワスを売っていたものだが、ソ連が崩壊すると、コーラやハンバーガー、ピザ、ハリウッド映画といった外国資本による大衆消費物資がロシアになだれこみ、クワスは影が薄くなってしまった。

ところがその後、振り子を揺り戻すかのように「古き良きロシア」に回帰する現象が生じ、ロシア正教や伝統的な風習、昔ながらの料理などが見直されるようになる。やがてある飲料メーカーが「ニコーラ」というペットボトル入りのクワスを売り出すと、クワスは再び人気を取り戻した。先ほどのソッツアート以上に面白いのは、「ニコーラ」の宣伝文句が「クワスはコーラじゃない、ニコーラを飲もう！」と謳っていることだ。ロシア語では「コーラじゃない」という部分が「ニコーラ」という発音になるため、クワスの銘柄「ニコーラ」と同じになり、言葉遊びを成しているのである。このメーカーの主張によると、コーラは化学的な物質が含まれていて健康によくないが、クワスは自然の原料を使い、昔ながらの製法で作っているから健康に良いという。現代文明の申し子のような人工的な飲み物と、レトロ感の漂う健康的な飲み物を対比しているのである。折しも最近のロシアで寿司ブームが続いているのも、健康志向が高まっているからに違いない。

ロシア政府はどうやら、アメリカ主導の多国籍グローバル企業の世界戦略に対抗する手段として、食糧の自給を積極的に推進していく方針のようで、遺伝子組み換え作物の輸入や栽培をほぼ全面的に禁止した。アメリカ製品の輸入を抑えて制裁に耐えようという国の思惑が、国民の「古き良きロシア」回帰と健康志向を取りこんだ形だ。ある意味で、テクノロジーの操作によるグローバリゼーションか、環境優先の地産地消かという価値観の対立にも見える。さて、日本はいったいどちらの道を選ぶべきだろうか。それとも、第三の選択肢があるのか。じっくり考えるべき時なのではなかろうか。

コソラーポフ
『レーニン　コカ・コーラ』1982年

ノブレス・オブリージュはお好き

ポーランドやロシアの知識人とつきあっていると、物腰に気品があり礼儀正しいので感嘆することがある。お年よりや弱い人の手助けをするよう、小さいときから叩き込まれているのだ。レディファーストと呼べるような光景に出くわすこともしょっちゅうだ。ドアを開けて先に通してくれる、席は譲ってくれる、コートは着せてくれる。

以前ワルシャワに住んでいたとき、全一二巻の分厚い百科事典を購入し、店員さんが紐で結わいてくれた束を両手に下げて歩いていたら、見知らぬ男性に「持ってあげましょう」と言われた。日本ではどんなに重いものを運んでいてもそんなふうに声をかけられたことのなかった私は、警戒してきっぱり断った。せっかく見つけた稀覯本を持っていかれてしまうのではないかと怖れたのだ。でも、ポーランド人の「騎士道精神」を知るにつれ、あの申し出は女性の手助けをしようというだけの、ごく自然な振る舞いだったと思うようになった。

また、こんなケースもあった。ロシアの著名な学者が来日し、シンポジウム会場までお供することになった。階段をのぼろうとしたとき「腕をとってもいいですか?」と聞かれたので、ご高齢だから私によりかかりたいのかと思い「どうぞ」と支えてあげようとした。ところが彼の意図は逆で、私を支えるために手を貸そうとしたのだった。それより前、アメリカでやはり女性に手を貸そうとしたら、「階段くらい自分でのぼれるからけっこうです」と断られてしまったという。フェミニストの立場からすると、女性を「弱い性」と見なすのは男女差別ということになる。

私自身は、必ずしもレディファーストの慣習に賛成しているわけではないが、少し修正を加えて、「女性を守る」ではなく「弱者を守る」という社会的モラルが日本に浸透してくれることを願っている。恵まれた境遇にある者だれもが弱者を助けることを、自らの当然の責務と考える風潮にならないものだろうか。これはヨーロッパで「ノブレス・オブリージュ」として定着している概念に近い。恵まれた身分に生まれた者には社会に何らかの奉仕・還元をする義務がある、という考えだ。

日本でもかなり通用するようになってきた、「企業の社会的責任（CSR）」とも関係していると思う。多様なステークホルダー（利害関係者）の社会的要請に応えることが今後ますます重要になり、社会貢献の比重が増していくはずだ。その際、重視すべきは「インテグリティ（誠実さ）」だろう。誠実さもなく金儲けをするのはもっての外だが、社会貢献をしているような体裁だけ繕っても、賢い消費者や良心的な投資家の支持は得られない。企業には誠実な姿勢で、率先して弱者に手を差し伸べてほしい。その意味で注目されるのが、ロート製薬、カルビー、カゴメ、エバラの四社が主導する「みちのく未来募金」の素晴らしい取り組みである。震災遺児を対象とした、返済不要の完全給付型奨学金だ。長期にわたるこの支援は社会貢献の手本ともいえる。

ノブレス・オブリージュを体現する人材を育てるという使命を負う大学も、うかうかしてはいられない。崇高な価値の創出をめざして、積極的に社会貢献をおこなうべきである。そういう方向性なら、大学が産業界と協同できる領域はいろいろあるのではなかろうか。

ボルシチの風味

ビーツをもらったので、久しぶりにボルシチを作ってみる。和名を「火焔菜《かえんさい》」というだけあって、ビーツは燃えるような、ルビーを思わせる美しい赤紫色をしている。俎板も手も真っ赤になるのを覚悟しなければならないが、独特の甘みがあり、ビタミンBが多く含まれているので健康によいとされ、ロシアでは昔から愛されてきた。

ボルシチはウクライナが本家本元だが、ロシア各地にも広まり、地域や家庭によって具材も作り方もさまざま。日本の雑煮のようなものと思えばいいだろう。雑煮に餅がつきものであるように、ボルシチに欠かせないのがビーツなのである。

ロシア革命前後、ワシーリイ・エロシェンコという盲目の詩人が日本に数年間滞在し、新宿中村屋の食客となっていた。この時エロシェンコが相馬愛蔵・黒光夫妻にボルシチの作り方を伝え、中村屋は一九二七年に販売を始めたという。ただし中村屋のホームページによると、「ビーツを使用せず、じっくり煮込んだトマトで赤みを出している」とのこと。本来ならビーツの入っていないスープをボルシチと呼ぶのはためらわれるところだが、日本でボルシチの名がこれほど知られているのは、元をたどればエロシェンコのおかげということになるかもしれない。

外国の料理を日本に紹介する場合、大きく分けて二通りのやり方が考えられる。日本の素材や好みに合わせてアレンジし日本風に「同化」させる方法と、本場の風味や作り方を「異質」なまま再現しようとする方法だ。さしずめ中村屋のボルシチは前者といったところか。

昨年、私は『世界を食べよう！』（東京外国語大学出版会）という本を編んだ。三〇名の専門家にそれぞれの研究領域の食習慣や料理の歴史などの食文化を紹介してもらったのだが、あえて日本のレシピの常識を破る「異質」なレシピにした。たとえば、ミャンマー料理のモヒンガーは寄進用の一〇〇人前レシピだし、アフリカ料理の鶏肉シチューのレシピはまず「鶏をつぶし、羽をむしって食べやすい大きさに切る」となっている。逆に、日本の料理が世界でどのように食べられているかというコラムでは、ロシアやウクライナで果物やチョコレートを使った甘い寿司やチーズ入りのカラフルな巻き寿司が人気を博しているという「同化」の例を紹介した。

じつは、受容の方法ということでいえば、外国文学を翻訳する際にも同じような現象が生じる。つまり、外国文学をわかりやすく日本風にアレンジする「同化」翻訳と、なるべく原作のニュアンスを生かす「異化」翻訳の二通りの方法があるということだ。受容の初期段階では前者が優勢でも、進化したら後者に移っていくというのが自然の流れだと思う。本当に他者を理解しようとしたら、自らの文化コードをずらして他者の立場に身を置くことが必要だからだ。最近の日本の読書界では「読みやすさ」を優先させた同化翻訳が称揚されているように見受けられるが、成熟した文化大国にとってより大事なのは、多少わかりにくくても異質な他者の文化を理解しようと努力し、それを寛容にありのまま受け入れていく姿勢ではないだろうか。

さて、そろそろボルシチができあがる頃合いだ。はたして本場の風味が再現できただろうか。

涙の島

ここ数年来、私が勤めている大学では、ロシア語を専攻している学生でベラルーシに短期・長期で留学する人が増えている。

ベラルーシはかつて旧ソ連を構成する一共和国だったが、ソ連が崩壊した時に独立国になった。日常的にはベラルーシ語よりロシア語を使う人のほうが多く、どちらも公用語になっている。首都ミンスクにある大学では、レベルの高いロシア語教育がおこなわれており、ベラルーシ留学を体験した学生たちに聞くと、治安がいい、物価が安い、生活のリズムがゆったりしているなど、なかなか評判がいい。

あるゼミ生が一年間のミンスク留学を終えて帰ってきたとき、卒業論文のテーマを「ベラルーシ文学における戦争表象」にしたいと申し出てきた。ベラルーシ人の友だちに「あなたたち日本人留学生はロシア語を勉強する目的でミンスクに来るのだから仕方ないけれど、ベラルーシのことにちっとも興味を持ってくれないのが残念」と言われ、たしかにそうだと反省したのだといぅ。彼女は、ベラルーシの作家アレシ・アダモヴィチの小説『ハティニ物語』を卒論で取り上げることにした。

第二次世界大戦では、三人に一人が犠牲になったという甚大な被害のあったベラルーシ。ナチス・ドイツ軍によって六〇〇以上もの村が丸ごと焼き払われ、子供を含む無数の村人たちが虐殺された。ハティニ村はそうした凄惨な出来事の記憶とトラウマの象徴である。ベラルーシと正面から向き合ったら、必ずこうした戦争の問題にぶつかることになる。アダモヴィチのこの小説をもとに作られた映画がエレム・クリモフ監督の『来たりて見よ（邦題は『炎６２８』）』だが、あまりに残酷なシーンが多く、私は半ば手で目を覆っていなければ見ることができない。

先日初めてミンスクに行く機会があり、大祖国戦争（第二次世界大戦）博物館を訪れた。戦車や大砲、戦闘機、さまざまな遺留品が展示される中、この映画がモニターに映し出されていたが、何だかそのまわりにだけ特別な空気が流れているような気がした。思わず身体がこわばり、アウシュヴィッツの強制収容所で髪の毛の山を目にした時と同じような戦慄が走る。

戦争博物館を出て、スヴィスロチ川の人工島「涙の島」に行くと、そこにはアフガン戦争（一九七九―八九）で亡くなったベラルーシ人に捧げられたモニュメントがある。礼拝堂をかたどった慰霊碑は息子を亡くした母親たちの群像を囲い、燭台や息子の写真や聖像画を手にした母たちが永遠の悲しみにくれている。アフガンに送られた多くの若い兵士たちは武器の使い方も習得しないうちに異国で殺されたという。

群像の母親たちの姿は、その神々しさも手伝って、おのずと聖母マリアと重なり、私は、息子を監獄に囚われたロシアの詩人アンナ・アフマートワの畢生の大作『レクイエム』を思い出していた。「マグダラの女はのたうち泣き／愛する弟子は身体をこわばらせた／母が黙して立らすくむ方を／見ようとする者はひとりもいなかった」。

第二次大戦とアフガン戦争。枯れることのない涙を思わせるこの小さな島の石碑には、「自分の大地でも異郷の大地でも悪が起こりませんように」と刻まれている。

ロシアの浮世絵

今ペテルブルグのロシア美術館で、アンナ・オストロウーモワ＝レベジェワ（一八七一—一九五五）という画家・彫刻家の展覧会が開かれている。時間があったら（羽があったら？）飛んでいきたいところだ。

レベジェワは、二〇世紀初頭のロシアの首都ペテルブルグの美しい景観、ネヴァ川や運河や公園の静謐なたたずまいを木版画にして後世に伝えた才能ある芸術家で、日本の浮世絵を愛し、集めていたことでも知られる。今回の展覧会の特徴はレベジェワ自身の作品だけでなく、彼女の収集したロシアと日本の木版画コレクションも一緒に展示されているところにある。かねてよりレベジェワの日記を読んで、彼女が浮世絵にかなり心酔していた時期があったことは知っていたが、実際にどのような作品に接していたのか、どれくらい浮世絵を持っていたのかということはわからなかった。

じつは昔、修士論文のテーマを「二〇世紀初頭ロシアにおける日本文化への関心」とし、いろいろ調べていくうちに、ロシアにもジャポニスムと呼べるような現象があったのではないかと思うようになった。それはロシア文化史の中でもさまざまな芸術や文学がいっせいに花開いた「ロシア・ルネサンス」と呼ばれる絢爛たる時代にあたり、ロシア文化が非常に生産的であるとともに、世界のいろいろな文化を貪欲に、自由に取り入れていた時でもあった。

レベジェワが浮世絵に出会ったのもこの頃である。正確に言えば、一八九六年にキターエフという海軍将校の収集した浮世絵がロシアで初めて展覧会で披露されたとき、彼女は衝撃を受けた。何時間も浮世絵の前で過ごし、疲れると足を抱き寄せて床に座り（体育座り！）、細部までじっくり観察したという。「驚いたのは鋭いリアリズムで、様式と単純化、幻想と神秘の世界と隣り合っている」と絶賛している。

先日、ペテルブルグに滞在していた知人がわざわざレベジェワの展覧会に行って、カタログを買って日本に持ち帰ってくれた。それを見たら、彼女が歌麿の美人画、国貞の役者絵、国芳の武者絵、北斎の『富嶽三十六景』、『北斎漫画』広重の『名所江戸百景』など百点近い浮世絵を持っていたことがわかった。レベジェワは、キターエフ同様、本格的な浮世絵コレクターだったのである。

セルゲイ・キターエフ（一八六四―一九二七）は一九世紀後半に長くフリゲート艦に乗り組み、日本各地に寄港しては浮世絵を集めていたらしい。彼のコレクションを見るために日本の愛好家たちが船にやってきたが、その中に岡倉天心もいたというから面白い。キターエフは約七千点の浮世絵をロシアに持ち帰った。その大部分が現在、モスクワのプーシキン美術館にある。

二〇〇八年、私はプーシキン美術館で開かれたキターエフ・コレクション展を見に行った。友人でここの学芸員をしているアイヌーラ・ユスーポワさんに案内してもらい、浮世絵がロシアでいかに大切に保存されてきたかを自分の目で確かめることができた。日本人の私より何百倍も浮世絵に詳しい専門家のアイヌーラが情熱を込めて浮世絵について語る姿を見ていたら、まるでキターエフやレベジェワらの浮世絵への愛と執着を受け継ぎ、後世へとバトンタッチする聖火ランナーのように見えた。

昨年の三月半ば、同僚とウズベキスタンに行った。日本の桜に似たセイヨウミザクラがこぼれるほどに白い花をつけ、「ナヴズル」と呼ばれる春祭りの準備が進められている真っ最中だったので、首都のタシケントは華やいで見えた。

でも私たちの目的地はこのシルクロードの要衝ではなく、さらに飛行機で北西に二時間あまり飛んだ砂漠の町ヌクスだった。そこにイーゴリ・サヴィツキー（一九一五―八四）という伝説的な人物の名を冠した美術館があるのだ。彼は、当地のカラカルパクという民族の風俗や文物に惚れ込んだ画家で、タヒチに魅せられたゴーギャンになぞらえて「カラカルパクのゴーギャン」と呼ばれることもある。さらに、ソ連時代にはタブーだったアヴァンギャルド絵画を収集してヌクスに運び込み、一九六六年に美術館を譲り受けると、改修して自分のコレクションを展示した。統制の厳しかったソ連の時空間を砂漠に例えるなら、サヴィツキー美術館は文字どおりオアシスのような存在だったといえよう。

九万点を超える所蔵品には、カラカルパクスタンの民族衣装や伝統工芸品、一九二〇年代から三〇年代にかけての貴重なロシア・アヴァンギャルド絵画の他、ウズベキスタンに芽吹いたアヴァンギャルドのユニークな作品群、当時の主流だった「社会主義リアリズム」的な絵画など、さまざまなものが含まれている。いったいどうしてこれほどの収集ができたのか。それを探るため私たちはヌクスに行き、美術館のマリニカ・ババナザーロワ館長に話を聞いた。

幼い頃からサヴィツキーと家族ぐるみで接していたという館長は、二時間に及ぶロングインタビューで、彼の魅力や偉業についてたっぷり語ってくれた。ロシア貴族の家に生まれたが裕福ではなく、借金を抱えつつも、抜群の勘の良さとさまざまな幸運に助けられて彼が膨大なコレクションを築いていったプロセスは館長にとっても謎だという。おそらく首都から遠く離れたヌクスという「周縁」だったからこそうまくいったのだろう。「変人」と揶揄されても気にせず、公然と前衛絵画を買い付け、結果的には自分の思いどおりの文化事業を成就したサヴィツキー。情熱とパラドクスに満ちた彼の生きざまは、聞けば聞くほど奥が深く、多彩で興味が尽きない。

私たちが訪ねたとき、新館の建設が完成に近づいていた。旧館と新館は青と茶色のおしゃれなおそろいの建物で、オープンすればようやく所蔵品がもう少し展示できるようになる、とババナザーロワは喜んでいた。

ところが、その数カ月後、彼女が当局によって突然館長の職を解任されたというニュースが伝わってきた。詐欺と横領の疑いだという。サヴィツキーの生誕一〇〇周年という記念すべき年に、なんということだろう。ババナザーロワはサヴィツキーの遺志を受け継ぎ、美術館とコレクションを守ることに全力を傾け、サヴィツキー美術館を国際的に有名にした立役者だ。どう考えても、横領などするような人ではない。案の定、美術館関係者の大部分が処分を不当であると訴える署名運動に参加したが、今のところ事態は変わらないようだ。

サヴィツキーの起こした奇跡は、アラル海が干上がったように輝きを失っていくのだろうか。そうだとしたら、あまりに悲しい。

天空の妻たち

ロシアの小説を日本に紹介したり翻訳したりするのが仕事の一部なので、最新のロシア文学の動向にはふだんから注意している。たいていはロシア語ウェブサイトで新刊案内や書評をチェックし、気になる小説があると取り寄せる。

たとえば二〇一五年に話題になったのは、グゼリ・ヤーヒナという一九七七年生まれのタタール系の女性作家が書いた『ズレイハは目を開ける』という長編だ。ヤースナヤ・ポリャーナ賞とボリシャヤ・クニーガ賞という文学賞を二つながら受賞し、世界一六カ国語への翻訳が進行中だという。一九三〇年代の富農撲滅政策によりシベリアに強制移住させられたタタール人農婦ズレイハが主人公で、作者自身の祖母をモデルにしているとのこと。日本でも名前の知られている作家リュドミラ・ウリツカヤが序文を寄せ、「素晴らしいデビュー作だ。本物の文学ならではの質を備えており、まっすぐ心に響く」と絶賛している。こうなると、読まなければ、ということになる。

つい最近、別の方法で新しい作家を「発見」した。二〇一二年に制作された不思議な魅力のあるロシア映画を見る機会があり、調べていくうちに原作となった小説が面白そうだということがわかってきたのだ。邦題を『神聖なる一族24人の娘たち』というアレクセイ・フェドルチェンコ監督のこの映画、作家デニス・オソーキンの『牧地マリ人の天空の妻たち』という小説をもとに作られている（ふたりはすこぶる相性が良いらしく、ペアを組んでオソーキンの小説をフェドルチェンコが映画化した作品が他に二本もある）。

オソーキンは奇しくもヤーヒナと同じ一九七七年生まれ。もともと民俗学への関心が強かったようで、この小説では、ヴォルガ川流域に住むフィン＝ウゴル系民族の「牧地マリ人」の女性たちをめぐるフォークロア的・伝説的エピソードをオムニバス風に描いている。醜い森の精霊に横恋慕され夫を取られてしまう女。風を恋人にする女。初潮を迎えた少女が角笛を吹いて村人たちに知らせる風習。白樺を怒らせてはならないという言い伝え……。自然を崇拝するアニミズム的世界観は、キリスト教が取り入れられる以前のロシアにあった土着の多神教によく似ている。

マリ人は、自分たちの住む地域に一神教のキリスト教（ロシア正教）がもたらされても、さらに共産主義イデオロギーが覆いかぶさってきても、自分たち独自の伝承文化を守り通した。マリ語を話し、太古の昔から伝えられるままに自然を崇め、迷信を信じ、死者と交流してきたのだ。オソーキンは柳田國男のように、そうした独特の土着文化を愛しているのだろう。小説のタイトルにある「天空の妻たち」は、女性が「自然」と合体するという自然観を象徴的に表していて秀逸である。もっともオソーキンは民俗学者ではないので、マリ人の実際の風俗に依拠しつつも、作家として自らの想像力で補って小説を書いている。そうした現実と空想の混合、現世と死者の世界の混交こそ、幻想文学の面白いところである。

タタール人の歴史的悲劇を扱ったヤーヒナといい、牧地マリ人のフォークロアを取り入れたオソーキンといい、現代ロシア語文学の多様性は最近ますます奥が深くなっているように思われる。

トルストイとサモワール

一瞬耳を疑ったが、たしかにそう言っていた。「当機アエロフロート航空、成田発モスクワ行きはトルストイ号といいます」と。この時の旅はトルストイゆかりの地をめぐり、文学と料理の関係を考えるのが目的だったので、トルストイの名を冠した飛行機に乗り合わせるとは、何かの因縁としか思えなかった。

トルストイの領地ヤースナヤ・ポリャーナはモスクワから車で約三時間、広大な敷地全体が文化財保護区になっている。社会科見学だろうか、小学生くらいの子供たちが団体で来ている。贅沢を嫌ったトルストイらしく、貴族にしては質素な屋敷の台所に、当時使われていた鋳鉄製のレンジや鍋が展示されている。彼の好物はカラスムギで作る粥《カーシャ》。伝統的なロシア農民の食べものだ。ソフィヤ夫人が医師アンケに教わったというレモンパイも「アンケのパイ」と呼んで、トルストイは好んだという。

そういえば、トルストイに憧れた徳冨蘆花が一九〇六年ヤースナヤ・ポリャーナを訪れている。飛行機もない時代に片道三カ月もかけてトルストイに会いに行ったのだから、その思い入れたるや半端ではない。蘆花がトルストイの食客となっていた五日間、ふたりは一緒に水泳をしたり農業にいそしんだりしたというが、いったいどんなものを食べていたのだろう。一八八〇年代以降トルストイは菜食主義者になり、いっさい肉を口にしなかったはずなのだ。

モスクワ市内のハモヴニキにも「トルストイの家」博物館があり、食卓の様子が再現されている。白いクロスのかけられたテーブルにスープ鉢が二つ。大きいのは肉入りスープ用、小さいのは肉を入れない精進スープ用と説明が添えられていたのが印象に残っている。トルストイは家族全員に菜食主義を強要したわけではなく、娘たちと彼だけが精進スープを飲んでいたらしい。

ヤースナヤ・ポリャーナの屋敷にも、「トルストイの家」博物館にもサモワール（ロシア式湯沸かし器）がいくつもあった。じつはサモワール発祥の地といわれる町トゥーラは、ヤースナヤ・ポリャーナから一二キロしか離れていない。だからトルストイ家の人々が「地元産」のサモワールでお茶を飲むのを好んだとしても、何ら不思議ではない。

かつてロシアの日常生活に欠かせなかったのがサモワールだ。薪で湯を沸かしたら煙突を外して屋内に持ち込み、テーブルの真ん中に置く。ゆっくりおしゃべりしながら、サモワールから湯を注いで何杯もお茶をおかわりする。しだいにサモワールは単なる台所用品という枠を越えて一家団欒の要《かなめ》となり、客をもてなす時やお見合いの時の必需品になり、要するに人と人をつなぐ象徴的な存在となった。トルストイも「私はたくさんお茶を飲まなければならなかった。お茶がなくては仕事ができなかったからだ。お茶は心の奥底に眠っている可能性を引き出してくれる」と述べ、お茶に、喉の渇きを癒すという肉体的な働きだけでなく、精神的な作用もあることを認めている。

もっとも、家族団欒の役割を担っていたはずのサモワールも、残念ながらトルストイの最晩年にその威力を発揮することはなかった。遺産相続をめぐる問題に嫌気のさした八二歳のトルストイは家出し、アスタポヴォという小さな鉄道駅で一生を閉じることになったのである。

バイカル湖の伝説

以前、テレビのロシア語講座の講師をしていたことがあり、半年間のシリーズを二回担当した。

一回目は「モスクワ・ヴァーチャル・トリップ」というシリーズで、おしゃれなカフェやレストラン、街のキオスク、サーカスの舞台裏、フィギュアスケート学校、大聖堂、菜園付きセカンドハウス（ダーチャ）などをロケ班と取材して、モスクワの新しい息吹を伝えた。この時はほとんどすべてのロケ先に同行し、番組の素材を撮影する現場に立ち会った。

二回目のシリーズは「シベリア四都市紀行」と銘打って、ウラジオストク、ハバロフスク、ヤクーツク、イルクーツクを紹介した。私がロケに同行したのはイルクーツクとバイカル湖。そのイルクーツクで思いがけない出会いがあった。空いた時間にドラマ劇場で芝居を見た帰りがけ、ふと気づくと、今にもこちらに歩き出してきそうな様子のブロンズ像が立っている。劇作家アレクサンドル・ヴァンピーロフ（一九三七―七二）の記念碑だった。

かつて学生時代、ロシア語劇サークルに所属し、ヴァンピーロフの『六月の別れ』という青春恋愛ものを仲間たちと演じたのがきっかけで、ヴァンピーロフにはことのほか愛着を覚えていた。だから四半世紀の時を経てひょっこり現れた作者の像は、まるで突然訪ねてきてくれた旧友のように懐かしく感じられ、しばらくその場を動けなくなってしまった。それにしても、彼がイルクーツク出身だったことを忘れていたなんて、迂闊だった。作品を頻繁に上演しているゆかりの深いドラマ劇場ほど、ヴァンピーロフの記念碑にふさわしい場所も他にないのに。

ヴァンピーロフは短い生涯に七本の戯曲を書いた。『鴨猟』の主人公は自暴自棄で危うげなところがあり、閉塞感の立ち込める「停滞の時代」の申し子といえるようなキャラクターだが、ヴァンピーロフ自身にもこの主人公に似たところがあったのではないかと思う。バイカル湖に魚釣りに出かけた彼は、乗っていた舟がアンガラ川の水源近くで転覆したため、帰らぬ人となった。三七歳の誕生日の二日前のことである。

バイカル湖には古《いにしえ》より伝わる伝説がある。厳しい老父バイカルに三三六人の息子とアンガラという一人娘がいた。父の監視のもとで窮屈な思いをしていたアンガラはエニセイに恋をして父のもとから逃れ、怒った父は岩を投げつけたが、阻むことができなかったという。実際、バイカル湖には数百という川が流れ込んでいるが、一本だけ流れ出てエニセイ川と合流している川がある。それがアンガラ川だ。バイカルが投げたという岩も「シャーマンの岩」として観光名所になっている。

ヴァンピーロフもアンガラと同じく、息が詰まるような現実から逃れたかったのであるまいか。でも、厳格なバイカルは彼を自由にしてはくれなかった。ロケ班を残して帰途についた私は、湖畔の町リストヴャンカからイルクーツクに戻るタクシーの中で、そんな想像に身を任せた。外は雨。地図を広げると、その道路は他でもないアンガラ川沿いに北上していることに気づいた。はるか遠方でエニセイ川が待っているのだ。広大なシベリアを舞台にしたスケールの大きな伝説に一瞬くらくらと眩暈がしそうだった。

現代ロシアの聖者伝

今ロシアの文壇で最も注目を浴びている作家といえば、中世ロシア文学の研究者でもあるエヴゲーニー・ヴォドラスキン（一九六四年生まれ）だろう。今年（二〇一六年）九月にモスクワで開かれた翻訳者会議ではひっぱりだこだったという。ヴォドラスキンを一躍有名にした長編『ラヴル』はロシアの文学賞ボリシャヤ・クニーガ（大きな本）賞とヤースナヤ・ポリャーナ賞を受賞し、現在二〇カ国語に翻訳されている。すでにロシアだけでなく、国際的にも評価が高まっているということだろう。嬉しいことに、日本語訳も出版されている（日下部陽介訳、作品社）。

私は『文藝年鑑』（日本文藝家協会編）の「ロシア文学概観」で、この作品のことを二〇一三年の最大の収穫と紹介した。作者が博士号を持つ学者で、舞台が一五世紀、しかも主人公は聖人と聞くと、古臭くて教訓的で退屈そうだと思われてしまうかもしれないが、あにはからんや、説教めいたところはいっさいなく、主人公のユニークな人生の一つ一つの場面が目に浮かぶように生き生きと描かれていて、じつに面白い。ところどころに中世ロシア語が組み込まれているが、現代ロシア語のわかる読者にはおおよその意味が予測できる程度にとどめられており、文章は歯切れよく明快。中世の聖者伝の形を借りながら「時」を超えてその後の時代のエピソードが挿入され、手法はきわめて現代的だ。テーマの一つが、文字通り「いかに時間を超克するか」なのである。

また、大いなる愛の物語でもある。貴賤を問わず人々の病を治したり、痛みを和らげたりする神がかり的な能力を持つ「医者」アルセーニー。恋人だったウスチーナをお産の時に死なせてしまい、これを自分の罪と考えたアルセーニーは一生をかけてこの罪を償うため、あらゆる「善」

をウスチーナの名においておこなう。そして、聖愚者となってウスチンと名のり、エルサレムへの巡礼に出てアンヴローシーという名を与えられ、やがて最高位の聖人となってラヴルと呼ばれることになる。「聖愚者」とは、修行によって自らの肉体を痛めつけ奇矯な振る舞いをするも、ときに奇跡を起こすこともある者のことで、ロシアでは神に近い存在と見なされ、昔から大事にされてきた。

そういえばリュドミラ・ウリツカヤも二〇〇六年に、聖愚者ではないものの、イスラエルにカトリック教会を開き、ユダヤ人の神父となった人の波乱に富んだ生涯を、長編『通訳ダニエル・シュタイン』（前田和泉訳、新潮社）で描いている。主人公は宗派間の対立を憂え、人々を互いに理解させ、和解させようとする「義人」で、打算や消費至上主義とはまったく無縁の、限りない慈愛に満ちた魅力的な人物だ。

なぜヴォドラスキンやウリツカヤの描く「肯定的な主人公」の物語がこれほど高く評価され、読まれているのか。もちろん、どちらも小説としての完成度が高いことはいうまでもないし、背景に宗教への回帰という社会現象があるのもたしかだ。でも私には、滑稽なほど愚直な「人間らしさ」が求められているのではないかと思えてならない（陳腐な言葉になってしまうが）。昨今の世界があまりに人間性から遠のいてしまうことへの、文学の側からのささやかな抵抗なのではなかろうか。

ノーベル文学賞あれこれ

毎年一〇月初めになると、ノーベル文学賞のために身辺が少し慌ただしくなる。ロシアの作家が受賞した場合のコメントを新聞社に頼まれるからだ。たいていは何事もなく（つまりロシア語作家が受賞することなく）過ぎるのだが、去年（二〇一五年）の秋は勝手が違った。ベラルーシの作家スヴェトラーナ・アレクシエーヴィチが受賞したため、いくつかの新聞社からコメントを求められ、彼女の作品や受賞の意味について大急ぎで記事を書いた。その後も、ストックホルムでの記念講演を翻訳し、文芸誌にエッセイを書くことになった。

じつは同僚たちと進めている「ロシア・ウクライナ・ベラルーシの文学と社会」をテーマとする共同研究で、父がベラルーシ人、母がウクライナ人、執筆言語がロシア語というアレクシエーヴィチは最も重要な「研究対象」である。そのためもあって以前から彼女をぜひ日本に招待したいと交渉を続けていた。一度は快諾してもらったが、その後やりとりが途絶え、ノーベル賞を受賞してからは彼女が世界中からオファーを受けるようになり、来日の目処が立たなくなってしまった。

ノーベル文学賞が創設されたのは二〇世紀の始まった一九〇一年。第一回目は、レフ・トルストイが最有力候補だったと言われていた。しかし、徴兵制や私有制を否定する「過激な」立場がノーベル賞の趣旨にそぐわないとの理由で、トルストイは選ばれなかった。

ロシアの作家・詩人でノーベル文学賞を受賞した人は、イワン・ブーニン、ボリス・パステルナーク、ミハイル・ショーロホフ、アレクサンドル・ソルジェニーツィン、ヨシフ・ブロツキーの五人だ。一九三三年に亡命作家のブーニンが受賞した時は、ソ連の作家マクシム・ゴーリキーと賞を争ったという。ソ連文学と亡命文学の二つに分かれたロシア文学のどちらに軍配が上がるかが競われる格好になったわけだ。

一九五八年にはパステルナークへのノーベル文学賞授与が発表されたが、パステルナークはソ連当局により強制的に受賞の辞退を余儀なくされた。ソ連で禁止されていた長篇『ドクトル・ジヴァゴ』の原稿が西側の出版者に渡り、イタリアで出版されたことに対する一種の報復だったのだろう。

亡命詩人ブロツキーによる、一九八七年の受賞講演は素晴らしかった。彼はノーベル賞を与えられなかった優れた詩人たちに思いを馳せながら、「もし芸術が何かを教えてくれるとすれば、それはまさに人間存在の私的性格だ」と述べ、一人一人がかけがえのない唯一無二の「私人」であることを強調した。強権的な全体主義国家ではそれが不可能であることを示唆するものだ。

昨年の受賞講演では、アレクシエーヴィチもまた、たくさんの証言者たちを思いつつ、あたかもブロツキーの言を受け継ぐかのようにこう語った。「私が関心を持っているのは魂の歴史。少しずつ私的な社会主義の物語を集めてきた」と。市井の人々の私的な感情の領域に分け入って証言を取り、その生々しい声を伝えるのが彼女の一貫した姿勢である。

紆余曲折を経て、この一一月（二〇一六年）ようやくアレクシエーヴィチの来日が実現することになった。日本でどのようなメッセージを発してくれるのか、心から楽しみにしている。

牡丹灯籠とキャバレー

リュドミラ・ペトルシェフスカヤ（一九三八年生まれ）というロシアの作家はなんとも多才で、羨ましくなるほど自由奔放だ。

私的な思い出から始めるなら、こんなことがあった。かなり前、ある雑誌で現代ロシアの短編小説の翻訳を連載しないかという話をいただき、ペトルシェフスカヤの毒舌調の一人称小説『身内』を選んだところ、紙幅の関係で抄訳にしようということになった。ところがちょっとした行き違いがあり、作者から、抄訳の許可を与えた覚えはないと言われてしまった。

モスクワに行き、郊外にある作家専用の保養地ペレジェルキノに滞在していた彼女をおっかなびっくり訪ねた。でもいざ会ってみると、ペトルシェフスカヤはとてもチャーミングで、誤解が解けると話がはずみ、『牡丹灯籠』のロシア語訳が大好きでよく読むという話まで披露してくれた。

日本の怪談噺が好きというのは意外だった。当時、彼女は出口のない状況に置かれた自称「詩人」の暗く絶望的な状況を描いた長編『時は夜』（吉岡ゆき訳、群像社、一九九四年）の作者として知られていた。現実の否定的な側面を暴くダーク・リアリズムに与する作家と見られていて、幻想的な作品はあまり知られていなかったからである。

村上春樹編訳の恋愛小説アンソロジー『恋しくて』（中央公論新社、二〇一三年）に、ペトルシェフスカヤの短編が収録されたことがある。「薄暗い運命」という作品で、無神経で薄情な男と一夜をともにする女の話である。編者である村上春樹は解説で、「ものすごく短い話だが、暗澹とした事実が『どうだ、これでもか』と言わんばかりに、隅から隅までぎっしり詰め込まれている」と述べている。これも本当に無慈悲なまでに救いのない現実を扱っているのだ。

でもペトルシェフスカヤは、もともとは劇作家として知られ、自らも舞台で演じたり、歌ったりしていた。童話作家としても活躍している。アニメーション作家ユーリイ・ノルシュテインが作った伝説的な詩的アニメ『話の話』のシナリオを、作者と考案したのも彼女だ。絵本「子豚のピョートル」はその愛らしいイラストとともに、ロシアで大人気になっている。

幻想小説も大の得意だ。愛を求め、愛にもがき苦しむ魂が現世を突き抜けて死者の世界に近づき、生と死の境界領域をさすらったり、死者と出会ったりすることによって、生の意味や愛の本質を感得するというような物語が多いが、独特な後味の残る不思議な物語、ちょっと怖い怪談のようなピリ辛の掌編、甘い隠し味のお伽噺など、さまざまなニュアンスを持っている。ちなみに、そんな幻想的な短編を集めて編んだのが拙訳『私のいた場所』（河出書房新社、二〇一三年）である。

絵も描けば、歌もうたう。最近は、「キャバレー」と称するワンマンショーをおこなっている。ツバの広い派手な帽子をかぶり、黒いドレスを着て、自作のシャンソン風の歌を歌い、七六歳とは思えない声量で、驚くほど表現力に富んだ歌や語りで観客を魅了している。「私は相変わらず八歳の子供なの」と天真爛漫なペトルシェフスカヤ。彼女のコンサートに行って楽屋を訪ねたら、ペレジェルキノで会ったときのことをよく覚えていてくれた。創造力や歌唱力だけでなく、記憶力も尋常ではないのである。

自分らしさ、人間らしさ

女（男）ならこうしなければいけないとか、母親（父親）とはこうあるべきだ、といった性差による社会規範から、私たちはなかなか自由になれずに生きている。固定的な男女の役割分担を無意識のうちに刷り込まれている場合が多い。

ロシア語の教科書を作ったとき、外国語の教科書というのは気をつけないと、ステレオタイプな男女観を助長してしまうことに気がついた。というのも、教科書に載せる外国語の例文は繰り返し口にして覚えるためのものなので、学習者は知らないうちに例文の意味するところを外国語と一緒に身につける可能性が高いからだ。例を挙げよう。「イワンは将来、立派な弁護士になるでしょう」という文と「マリヤは料理が得意です」という文は、それぞれもちろんあり得る内容だが、同じページにこの二つの文が同時に載っていると、「男は社会的で女は家庭的だ」という暗黙の信号を発し、ジェンダーによる社会規範を擦ってしまうことになりかねない。こういう場合は逆にしてみるといい。「マリヤは将来、立派な弁護士になるでしょう」「イワンは料理が得意です」――これだって現実に大いにある話だ。

つい「アンナは美しい女性です」「ニコライは賢い少年です」などという例文を作ってしまうことがある。これも文章自体がいけないということではないが、女性に関しては何かというといつも容姿を、男性に関しては中身を話題にするとなると問題だ。「アンナは独創的な女性です」などとするのはどうだろうか。

私が大学を卒業した頃は、まだ男女雇用均等法がなかったので、企業の募集要項に「女子の応募可」と書かれていないと就職活動もできなかった。これは明らかに女性差別である。多くの日本企業はもったいないことに、能力のある女子を門前払いしていたのである。その頃に比べれば、今は少なくとも法的平等が確保された分、ジェンダーに関する意識も向上したといえるかもしれない。でも法律で縛られていない、目に見えない社会的な重圧は相変わらず強いように感じられる。

たとえば、このところ「イクメン」という言葉をよく耳にする。子供が生まれたら父親も母親も育児をするのが当たり前なのに、わざわざ新しい言葉をつくって父親を育児に「参加」させるよう仕向けないといけないのはなぜか。それだけ男性の育児従事率が低く、育児がまだまだ女性の仕事と見なされているからだろう。

男は「男らしく」強くなければいけないという通念もステレオタイプな規範で、心優しい男性にとっては抑圧的に作用するはずだ。ロシアの作家イワン・トゥルゲーネフが繰り返し描いたのが「強い女、弱い男」だった。ロシアはジェンダーの役割分担意識が日本より強いくらいなのに、一九世紀すでに男女の社会規範を逆さにした小説が書かれていたというのは興味深い。

二〇一三年にナイジェリアの作家チママンダ・ンゴズィ・アディーチェがアメリカのスピーチフォーラム（ＴＥＤ）で、子供の育て方を変えようと提言している。「男らしさという狭くて硬い檻」に男の子を閉じ込めてしまわないように育てようと。とても大事なことだ。「男らしさ」「女らしさ」ではなく、「自分らしさ」「人間らしさ」が問われる社会になるといいと思う。

身近な異文化摩擦

整理をするのが苦手だ。手紙、メモ、資料、本ですぐ机のまわりがごちゃごちゃになる。かつては物が少なくて綺麗だった研究室も、いつのまにか書類の山があちこちに出現して、どこに何があるのかわからなくなってきた。このままではいけないとわかっているのに整理ができない。

自分でも困っているのだが、夫にまで何とかしてくれといわれてしまう。私が書庫から本を持ちだすと元の場所に戻さないので、いざ使おうとする時になくて困るというのだ。彼は整理上手で、書類も本もきちんと分類して並べている。「ちゃんと整理しないと仕事の効率が下がる」という。本が見つからないと、決まって私に疑いがかけられる。彼が自分でどこかにやってしまったときでも私が疑われるので、理不尽だ。パートナーが同業者だと便利なこともたくさんあるが、本を共有しているのでこういうことがよく起きる。だいたい悪いのは私のほうだ。

結婚してしばらくは、歯の磨き方も違えば、洗濯物の干し方も違う。雑巾の絞り方からして違う。こんなに生活習慣の違う人はいないのではないかと思っていた。

ふたりとも東京出身だが、ときどき言葉遣いも違う。彼は「ご飯をよそる」という。私は「ご飯をよそう」が標準だと思っていたので正そうとするが、身についた癖はなかなか直せるものではない（直そうという意欲も感じられない）。

驚いたのは、「イチゴ」のイントネーションだ。私が当然のことのように「イ」の音を高くして発音していたら、それはおかしいと言われてしまった。「イ」は低くて「チ」から上げなければいけないというのだ。イントネーションは地方によって差があるが、たぶんそれが標準的なのだろう。私はいまだに「イチゴ」と口にするとき、どっちだったっけと考えてからでないといえない。

あるとき、夫が「今日はラオスのホッケを焼いた」というので、「ラオスでホッケが獲れるの？」と聞くと、「そりゃ獲れるでしょ」と答える。どうしてラオスについてそんなに詳しいのだろうと不思議に思っていたら、なんのことはない、ラウス（羅臼）のホッケだった。これはどちらの発音が悪かったのかわからない。はたから見たら、夫婦で漫才をしているように見えるだろう。ただし、互いに自分がツッコミで相手がボケだと思っているのだが。

こうして、連れ合いとは長年にわたって「身近な異文化摩擦」を繰り広げてきたわけだが、食べ物に関する違和感を埋めるのはいつまでたっても難しい。私はほとんど好き嫌いがなく何でも食べられるが、彼は嫌いなものがいろいろある。たまに招待されて高級な精進料理を振る舞われるようなときは、「あまり食べられるものがなかった」と残念そうに帰ってくる。

彼がとくに苦手なのはネギと酢の物である。だから我が家の食卓には、酢を使った料理がほとんど乗らない。肉ジャガに入っているタマネギを彼は横によけて、食べようとしない。でも考えてみると、じつは私の父もネギと酢の物が昔から食べられない。こんな取り合わせの、こんな変わった偶然があるだろうか。

さて美味しいタマネギをいただいたので、今夜は腕によりをかけて父や夫でも食べられるようなタマネギ料理を工夫してみようか。

新しい哲学

昨年（二〇一五年）ノーベル文学賞を受賞したベラルーシのロシア語作家スヴェトラーナ・アレクシエーヴィチが、先月来日した。世界中を飛びまわる多忙な日々の合間を縫っての短い滞在だったが、インタビューに答え、福島の被災地を訪れ、東京外国語大学で名誉博士号を受け、そして数々の感銘深い言葉を残して去った。

私は、招聘責任者の一人としてアレクシエーヴィチ訪日の準備に関われただけでなく、日本滞在中彼女と多くの時間をともにして、その穏やかで温かく、それでいて芯の通った人となりに接することができて、とても幸運だった。

長年にわたり人間と社会の関係を真摯に見つめ続け、戦争や原発事故をテーマにしてきた人だけに、知的好奇心が強く、切り込みが鋭い。日本に着いたその日に、「日本はどうして鎖国をしたのか」といきなり問われ、しどろもどろで答えると、今度は「どうしてヨーロッパの中でオランダだけが例外だったのか」と畳みかけてくる。福島で被災者の方々と接しているときも、相手をいたわりながら被害に遭ったときの感情を掴むために、静かな声で突っ込んだ質問を投げかけていた。

アレクシエーヴィチの作品はどれも、このようにして得られた何百という証言から成っており、それらは「ユートピアの声」というタイトルで五部作にまとめられた。その完結編にあたる『セカンドハンドの時代』には、ソ連崩壊後の「小さき人びと」の絶望や悲しみに満ちた声が縷々渦巻いている。弱肉強食の市場経済に適応できずに苦しむ人々の話が紹介され、共産主義というイデオロギーがどれほど強く人の心を呪縛していたかが示されている。彼女自身の父も、共産党の党員証を棺に入れて葬ってほしいと願うような、「ユートピアに魅せられた世代」の人だったという。

平等な世界を目指したはずの社会主義体制が瓦解した後、跋扈したのは成金で、社会に蔓延したのは拝金主義だった。年金制度は形骸化し、急速に格差が広がっていく。そして新たな社会像が模索されることもないまま、市場経済至上主義の軍事強国を目指す「セカンドハンド（使い古し）」の道を選んでしまった。

しかし、それはけっしてロシアに限った現象ではない。今や、人間の健康や環境をないがしろにしてでも金儲けができればそれでいいという風潮が世界中にはびこっている。でも私は、金儲けのためなら何を売ってもいいというわけはないと思う。武器や原発を輸出したり、射幸心を煽るカジノを作ったりして金儲けをするのは倫理的に間違っているのではないか。「道徳」を重んじるのであれば、今さえよければ未来はどうなってもいいという利己的な考えを捨てなければなるまい。

アレクシエーヴィチは「新しい哲学」が必要だといっていた。共産主義イデオロギーに後戻りするのでもなく、金儲けに走るのでもなく、宗教に救いを求めるのでもない、新しい哲学。哲学とはいってもさして難しいことを求めているのではない。彼女は著書『チェルノブイリの祈り』の中で書いている。「人間の命の意味、私たちが地上に存在することの意味」について知りたいのだ、と。そして、この本の副題を「未来の物語」としたのだった。

私たちはみな未来に対して責任がある。

モスクワのモグラ・カルチャー

来春（二〇〇七年）から始まるＮＨＫテレビ「ロシア語会話」の新シリーズのために、この九月、ディレクターやカメラマンとモスクワ・ロケに行ってきた。連日、街のあちこちでおこなわれた撮影に、初級会話やリポートの作者（三文シナリオライター！）として立ち会う。滞在中、一度も雨が降らず、ロシア語で「女の夏」と呼ばれる小春日和が続いたのは、運がよかった。それにしても今回あらためて感じたのは、モスクワのカルチャーを知るにはモグラになるべし、ということ。たった二週間のあいだに、三回も地下にモグラなければならなかったのである。

九月一三日、人気ロック・グループ「ナイト・スナイパー」を率いる女性ボーカリスト、ディアナ・アルベニナにインタビューすることになった。アルベニナが指定してきた場所は、クレムリンにほど近いクラブ「ドゥーマ」。

ニキーツキー横丁二番という住所だけを頼りに探しはじめたが、なかなか見つからない。その住所にはなぜか「モスクワ大学の敷地」と記された門があり、くぐって中をうろつき、何人かの人に聞いてようやくそれと思しき階段を下りていく。すると、地下洞窟の奥にワンダーランドが広がるように、忽然と店が姿を現した。表には何の看板もなかったのに、中に入ると、木目調のインテリアで整えられた快適な空間に、センスのいい音楽が流れ、いかにも常連といった人たちが会話を楽しんでいる。

しばらくするとアルベニナがやってきた。彼女はすぐれた文学・芸術活動に対して与えられる、ロシアの「トリウンフ賞」を二〇〇四年に受賞している。ただのロック歌手ではなく、詩集も出していることから「ロシア文化への貢献」が認められたのだろう。詩を書くとき、曲をつけて歌うテクストと、曲をつけない詩「反歌《アンチペースニャ》」とをはっきり区別する、と話していたのが印象的だった。

ほの暗い穴倉のようなカフェは、人を親密にさせるのだろうか。インタビューを終えると、「ロシアに留学したことはあるの?」と聞かれる。「私も日本語を勉強したいんだけれど、時間がなくて」というのも、まんざらリップサービスではない。宮沢和史の『島唄』を日本語とロシア語で半分ずつ歌ってロシアでヒットさせたのは、彼女なのだ。

にがい蜜とツナミ

CDのタイトル曲「ツナミ」ではこう繰りかえしている。抑えていた感情がしばらくして甦り爆発することを津波にたとえたという。

九月二二日、人気推理作家ボリス・アクーニンにドストエフスキーについてのインタビューをしたあと、少し時間があまったので、サモワールを買いに行こうと思いたつ。アクーニンがインターネットで調べてくれ、よさそうな店があるという。行き方が詳しく書いてあるページをプリントアウトしてもらい、その指示どおり、レーニン大通りから、なぜか鉱山大学のキャンパスに入る。

ところがしばらく行くと長い行列ができていて、行く手を阻まれてしまった。物不足のソ連時代とは違い、昨今のロシアではほとんど行列を見かけなくなったので、これは珍しいなどと変なことに感心したが、お目当ての店「トーチカ」は現れない。携帯で店に電話すると、行列を気にせず、ずんずん入ってこいといわれる。意を決し、コンサートを聴きに来たという人たちの長蛇の列を掻きわけながら半信半疑で建物に入り、薄暗い階段を下りていくと、そこはまさにコンサート会場。

切符もないのに中に入れてもらい、いわれるままに「スタッフ・オンリー」と書かれた重々しいドアを開けると、小さな部屋のガラスの陳列棚に、きらびやかなトゥーラ製のサモワールがいくつも並んでいた。どうしてコンサートホールの楽屋然としたところに土産物店があるのかはわからずじまいだったが、ともかくカブの形をした可愛いサモワールを手に入れる。かさばる箱を小脇に抱え、今度は行列を逆にたどって地下ラビリンスから外に這い出ると、陽光が目に柔らかく、獲物を捕まえて久しぶりに地上に顔を出したモグラになったような気がした。

九月二三日、文学カフェとして有名な「オギ」に行く。ここにも看板など一切ないので、ポタポフスキー横丁から勝手に門の中に入る。大きな黒いドアがあって、壁に小さくペンキで「オギ」と書いてあるだけの、知る人ぞ知る場所である。

またしても重いドアをぐいと押し開け、冥界に下っていくように階段を下りていくと、地下にひろびろとした空間が広がり、本屋さんとカフェがある。ロシアでの村上春樹人気の火付け役となった翻訳者ドミートリイ・コワレーニンが、近くここで「新しい日本の名士、俵万智を紹介する」との予告が貼りだしてあった。「オギ」では詩人たちの朗読を楽しむことも、美味しくて手頃な値段の料理に舌鼓を打つこともできる。

本屋で、最近ひそかに注目しているエヴゲーニイ・グリシコヴェツの短編集を見つけた。ほくほくして、さっそくカフェでハーブティを飲みながら読む。グリシコヴェツは、モスクワで『犬を食った話』という一人芝居を演じてその才能を披露したあと、小説を書いてさらに高い評価を得るようになったマルチ・タレントだ。シベリアで過ごした少年時代をノスタルジックに描いた『川』が、私はとりわけ気に入っている。

こんなふうに、地上の日常生活とは別に、地下の不思議空間でカルチャーが息づいているところに、モスクワの魅力がある。口コミでその存在が知られ、選ばれた人々に支えられている、文字通りのアングラ文化。それを楽しむには、モグラ的な嗅覚と、看板がなくてもめげない根性と、重いドアを思いきりよく開ける腕力が必要だということを付け加えておこう。

美女と詐欺師

二〇〇八年三月後半、文学と食文化の取材のため、フォトジャーナリストの大村次郷さんとロシアに行った。

行きの飛行機が「トルストイ号」、帰りが「ドストエフスキー号」だった。作り話ではない。本当にアエロフロートの機内アナウンスがそう言っていたのである。はたして日本の航空会社が飛行機に、「夏目漱石号」だの「志賀直哉号」だのと名前をつけるだろうか。まずありそうに思えない。

でもそれはともかく、飛行機の名前が縁起よかったのか、楽しい文学の旅になった。トルストイの領地ヤースナヤ・ポリャーナに行ってお墓参りをし、トゥルゲーネフの領地スパスコエ＝ルトヴィノヴォにも足を伸ばした。モスクワでは、ロシア料理店「オブローモフ」でウサギやスズキの料理に舌鼓を打ち（言うまでもなく店の名は、ゴンチャロフの代表作『オブローモフ』にちなんでいる）、ユーゴザーパド劇場ではゴーゴリの喜劇『結婚』を堪能した。

このほか、伝説的なシェフが設立したという食文化博物館に行ったり、人気作家リュドミラ・ウリツカヤを自宅に訪ねたり、何軒ものカフェをはしごしながら「ロシアの喫茶風景」を撮影したのだから、短い滞在期間でかなり精力的に動きまわったほうだろう。最近はスポーツジムに通うのもやめ、体はなまっているはずなのだが、ロシアに行くとよく歩くうえ、必要に迫られて（?）料理もいろいろ試してみるので、よく食べる。どうやら「健啖」の日常が私には合っているらしい。

今回の旅では大きな収穫が二つあった。一つは、トゥーラという町のレストラン「オスタプ」の料理で、これには文字どおり舌を巻いた。

トゥーラはモスクワから一六〇キロほど南にあり、ロシア式湯沸かし器「サモワール」の発祥の地といわれるところ。サモワール博物館目当てで訪れたのだが、こんな地方都市に（失礼！）こんな素晴らしい店があるとは、夢にも予想していなかった。しかも、店の名前がまた文学作品に由来している。オスタプといえば、オスタプ・ベンデルのこと、イリフとペトロフという二人組の作家が一九二〇年代に書いたユーモア悪漢小説『一二の椅子』に登場する主人公で、ロシア語では「詐欺師」の代名詞になっている。

私が注文したのは、「キノコの帝王」とも言われる白キノコのとろけるように柔らかいロシア風サラダ、ペリメニ入りのシーフード・スープ、仔牛のメンチカツに、香ばしいジャガイモとキノコのソテーだ。どれもこれも、悲鳴に近い歓声をあげながら食した。圧巻だったのは、友人の注文したボルシチ。一斤ほどもあろうかと思われる黒パンの上の部分を切って蓋にして開き、中をくりぬいてボルシチを入れてある。試食させてもらうと、スープがパン生地に染みこんで、中は柔らかいのに外側はぱりぱりという極上の食感だった。値段が少々高くても、これでは「詐欺」とは言えまい。

町の景観は大きな広告がなければ、ソ連時代とたいして代わり映えがなく、モスクワほど急速な発展を遂げていないように見受けられたが、こんなに美味しいレストランがあるのだから、トゥーラ侮るべからず、である。

もう一つの収穫は、モスクワの書店で見つけた短編アンソロジーだ。『主要文学賞受賞者』(ワグリウス、二〇〇七年)とタイトルは味気ないが、オリガ・スラヴニコワ、ドミートリイ・ブィコフ、アレクサンドル・カバコフ、ミハイル・シーシキンという、いずれも二〇〇六年にロシアの文学賞を受賞した「生きのいい」作家四人による作品集である。

数年前から私は、このうちの紅一点スラヴニコワ(一九五七年生まれ)に注目している。批評家としても舌鋒鋭く、精力的に活躍しているが、小説家としても一九九九年に長編『イヌの大きさになったトンボ』で母と娘の愛憎を取りあげて脚光を浴びて以来、数学者がコケティッシュな若い美女と結婚して振りまわされる『鏡の中にひとり』、ソ連体制が崩壊したことを知らずに共産主義社会の存続を信じる元諜報部員を描いた『不死』と、次々に話題作を送りだしてきた（『不死』は、ドイツで大ヒットした映画『グッバイ、レーニン』に設定が酷似していることが取り沙汰されたが、彼女の小説のほうが先に書かれている）。

そして二〇〇六年、超大作『２０１７』でついにロシア・ブッカー賞を受賞した。作者の故郷ウラル地方を舞台に、パーヴェル・バジョフの創作民話「石の花」を取りこみ、宝石職人クルィロフと謎めいた女性との恋愛や宝石探しのミステリーを絡ませたアンチユートピア小説である。

これらはいずれもかなり長い、読み応えのある作品で、作者の才能を十二分に感じさせるものだが、今回手に入れたアンソロジーのおかげで、長編ばかりでなく短編にも不思議な味わいがあることがわかった。

アンソロジーに収められた三編のうち、とくに「バシレフス」という作品が面白かった。主人公エルテリは動物の剝製を作る男。未亡人エリザヴェータ・ニコラエヴナに、飼い猫バシレフスが死んだら剝製にしてほしいと頼まれ、何度か家に通ううち、彼女に恋してしまう。エリザヴェータは若い女のようにも老婆のようにも見え、何人かの男を虜にしている。そのうちの一人は発狂寸前になる。やがてエリザヴェータはあっけなく交通事故で死んでしまい、エルテリは必死で猫を捜しだし、約束どおり剝製にする……。

なんとも不思議な物語だが、概要を書いていて、ふと「謎の美女に翻弄される男たち」という構図が、スラヴニコワのいくつかの作品に共通していることに気がついた。エリザヴェータはこんなふうに描かれている。

エルテリ自身も、エリザヴェータ・ニコラエヴナの内部になんだか形のない、どうしても満たされることのない空虚があるのに気づいていた。彼女が哀しげにほほえみ、不意にその空虚を覗きこませてくれると、大人の男で貴族でもあるエルテリは、まるで不可抗力か人間には不釣合いな自然現象を目にしたかのように、自分を小さく弱いものに感じるのだった。

エリザヴェータの存在の幻想性がこの作品に一種独特の魅力を与えており、ロシアの批評家がこぞって「ナボコフを思わせる」と形容する密度の濃い文体がそれを支えている。スラヴニコワの息の長い文章は、緻密な描写がたっぷり盛りこまれ、まるでバロックの細密画のようだ。

「美女と野獣」ならぬ「謎の美女エリザヴェータと詐欺師オスタプ」――二人の強烈な印象が、とうぶん頭から離れそうにない。

左の肩には悪魔がいる？

なんだか夢を見ているようだった。だいぶ前の話になるが、モスクワで友だちと話していたら突然、相手が横を向いて「プフ、プフ、プフ」と言ったからだ。唾を吐く真似である。小説の中でお目にかかることはあったが、なにしろ現実に見るのは初めてだったので、軽い既視感とともにときめきを感じてしまった。

ロシアには、うっかり将来について何かよいことを口走ったり成功を予言したりしたら、急いで左の肩越しに唾を三回吐く（真似をする）という習わしがある。意地悪な悪魔が先んじて悪さをしないようにするおまじないのようなものと思っていただければいいだろう（木でできたものを叩くというヴァリエーションもある）。悪魔は左肩にいるとされているので、左側に唾する。ちなみに右肩にいるのは守護天使。まちがえて、右を向いて天使に唾を吐きかけないよう気をつけなければいけない。

たとえば、チェーホフの戯曲『イワーノフ』にこんなセリフがある――「なんて嬉しいんでしょう！　あなたの顔をよく見せて。白鳥みたいに綺麗よ！　プフ、プフ、プフ……邪視されないようにしなくちゃ！」

「邪視」とは悪魔のよからぬ視線のこと。ロシア人は、何かよくないことが起きるのは悪魔に見入られるからだと考えるらしい。他にも、黒猫に横切られると不吉な前兆だとか、いったん家を出たら忘れ物を取りに戻ってはいけないとか、旅立つ前にしばらく座っていなければならないなどというのもある。

やはりチェーホフの戯曲『桜の園』には、パリに旅立つ貴婦人が「私、もう少しだけ座っていよう」と言う場面があるが、これは別れを惜しんでいるためというより、昔からのロシアの言い習わしにしたがったのだろう。

こうした「迷信」を信じる傾向はいまだに根強く残っている。モスクワのレバダ世論調査センターが二〇〇八年におこなった調査によると、ロシア人の六三パーセントが迷信を信じており、邪視や祟りを信じている人は六六パーセント、宗教上の奇跡を信じている人は三二パーセントいるという。

そういえば、来日コンサートをしたこともあるロシアの人気ロック歌手ユリヤ・サビチェワの歌にもこんな歌詞があった。♪今日はひとり大通りを歩きまわる。戻るのは不吉だと知っているから♪　ロシア人はあんがい迷信深いのである。

オネーギンとタチヤーナ　フランスとロシアの甘く切ない関係について

プーシキン美術館が「プーシキン」の名を冠することになったのは、詩人が亡くなって、〇〇年経った一九三七年。その当時も、そして現在も、ロシアではドストエフスキーやトルストイより詩人アレクサンドル・プーシキン（一七九九―一八三七）のほうがはるかに愛されている。プーシキンはロシアの近代文学を築いた文字どおりの国民詩人。代表作『エヴゲーニイ・オネーギン』のヒロイン、タチヤーナはロシア女性の理想像といわれているし、シンメトリックな悲恋を詩の形式で描いたこの驚嘆すべき韻文小説はロシア文学の至宝である。清純なタチヤーナが一目惚れする主人公オネーギンとはこういう男だ。

髪型は最新流行／装いはロンドンのダンディ風で／ついに社交界に出た。
フランス語を完璧に／話したり書いたりでき／軽やかにマズルカを踊り／お辞儀のし方もごく自然。

一九世紀ロシアの社交界では、フランス語を使いこなせることが大事な資質とされ、ヨーロッパとくにパリの最新モードがこぞって取り入れられた。ピョートル大帝が近代化＝西欧化政策を強力に推し進めて以来、ロシア貴族はずっとフランスに憧れ、ヨーロッパ文化の圧倒的な影響下にあったのである。

『エヴゲーニイ・オネーギン』は一八七八年にオペラ化されるが、作曲したチャイコフスキーは、洒落男オネーギンより慎ましいタチヤーナに愛着を感じていたらしく、タチヤーナがオネーギンに愛の手紙を書く場面は、切なくも美しいアリアが歌われる最大の「見せ場」になっている。原作では、彼女の手紙もフランス語で書かれ、それを語り手がロシア語に訳して読者に供するという設定である。

とはいえ、タチヤーナはけっして「フランスかぶれ」ではない。ロシアの伝統的な風習や文化を守る家庭に育った娘なのだ。オネーギンが首都ペテルブルクで舞踏会や芝居に明け暮れ、贅沢なフランス料理に舌鼓を打っていたのとは対照的に、タチヤーナはロシアの自然に囲まれた領地で昔ながらのブリヌィ（ロシア風クレープ）を食べ、クワス（ライ麦の微炭酸飲料）を飲んでいる。

ヨーロッパ的な華やかな都会とロシア的な素朴な農村。タチヤーナは貴族だが、心情としては後者に寄り添って生きていた。そうであれば、オネーギンをフランスの象徴、タチヤーナをロシアの象徴と捉えることができるだろう。タチヤーナは自分のほうからオネーギンにラヴレターを書く。

私はあなたを夢に見ました。
お姿は見えなくても、前から私にとって愛しい人でした。
あなたの素敵なまなざしに胸騒ぎがし、
心の中にはあなたの声が響いていました。
ずいぶん前から……。いいえ、あれは夢ではありませんでした！
あなたが入っていらした瞬間にわかりました。
身体じゅうがしびれたように熱くなって、
心の中でつぶやいたのです。この人だ、と。

さて、現実のロシアとフランスとの関係で面白いのは、二〇一三年の「プーシキン美術館展」で展示されたジャン＝オーギュスト・ドミニク・アングルの『聖杯の前の聖母』だ。ロシアの皇帝アレクサンドル二世がまだ皇太子だった一八四一年にローマを訪れ、アングル自身に依頼したものである。
ラファエロを思わせる聖母は視線を落とし、祈りのポーズをとっている。その聖母の背後に、

アングル『聖杯の前の聖母』1841 年

闇の中から浮かびあがるように描かれているのは、一三世紀のロシアの英雄で聖人に列せられたアレクサンドル・ネフスキー大公と三、四世紀のローマ帝国で「奇跡をなす人」と呼ばれたニコライ聖人。それぞれアレクサンドル皇太子およびその父ニコライ一世の同名の守護聖人である。絵を依頼したとき皇太子がこのふたりの聖人も描いてほしいと注文したという（ちなみに、ニコライ一世は自らプーシキンの「個人的な検閲官」を買って出て何かにつけ詩人を圧迫した悪名高い専制君主である）。

しかし、カトリックの聖母の背景にロシアの聖人を配したこの作品は、ロシアではあまり好まれなかった。ロシア正教では、聖像画《イコン》に描かれる聖母（生神女）はほとんどの場合目を伏せていないし、手もこのような形にはしない。もちろん画法も異なる。フランスの文物ならおよそ何でも享受していたとはいえ、正教のイコンに親しんでいたロシア人にとって、カトリックの聖母像はすんなり受け入れられるものではなかったようだ。

やがて一九世紀後半になると、今度はロシアの文化が価値あるものとしてフランスに紹介されるようになる。一八八六年にフランスの外交官ウージェーヌ・ヴォギュエが『ロシア小説』という書物を著してロシア文学をフランスに紹介し、トルストイ、トゥルゲーネフ、ドストエフスキー、チェーホフらの小説を非常に高く評価した。それがきっかけとなって、ヨーロッパはロシア文学を「発見」したのである。

食文化の分野でも一九世紀末、ロシアはフランスに影響を与えている。日本では「フルコース」といえば高級フランス料理店のイメージが強いため、料理が順番にゆっくり運ばれてくる給仕法はフランス由来と思いがちだが、もともとフランスでは豪快に盛りつけた大皿料理をすべて一度に食卓に並べる方法が一般的だった。それを「フランス式セルヴィス」と呼ぶ。それに対してロシアでは前菜、スープ、メイン料理などと食べる順番にしたがって一皿ずつ食卓に出していたので、「ロシア式セルヴィス」という。「ロシア式」は温かい料理を温かいうちに食べてもらおうという接客コンセプトをもとにしているが、一九世紀末、そのほうが合理的だと判断したユルバン・デュポワというフランス人シェフによってフランスにもたらされ、その後しだいに食卓の豪華さよりも料理そのものを重視する「ロシア式」がフランスに普及したといわれている。

ロシア文化のフランスへの影響という点で極めつけといえば、興行師セルゲイ・ディアギレフの率いるバレエ団「バレエ・リュス」が一九〇九年から二〇年間にわたってパリを魅了し続けたことだろう。ディアギレフが天才的な嗅覚で集めたこの超一流芸術家集団は、ダンサーのニジンスキー、カルサヴィナ、振付師フォーキン、マシーン、音楽家ストラヴィンスキー、プロコフィエフ、ドビュッシー、舞台装置や衣装を担当したゴンチャロワ、ラリオーノフ、バクスト、レーリヒ、ピカソら錚々たる顔ぶれだった。

バレエ・リュスは『春の祭典』や『火の鳥』などといった「エキゾティック」な演目や斬新な

舞台でフランス人を熱狂させ、ロシア・ブームを引き起こした。まるで、素朴な田舎娘タチヤーナを歯牙にもかけなかったオネーギンが何年か後に、社交界のスターとなっているタチヤーナに再会し、その華やかさと威厳に心打たれてたちまち恋をしてしまったように、「ヨーロッパの辺境」だと思っていたロシアにフランスは新しい魅力とエネルギーを見出してすっかり夢中になった。フランスとロシアの関係はどこまでもオネーギンとタチヤーナの関係に似ているのである(報われない愛なのかどうかは別にして)。

そして、今度はオネーギンがタチヤーナにラヴレターを書く。それを引用して締めくくりとしよう。

のべつあなたの姿を見て
どこにでもついていき、
微笑みや目の動きを
恋するこの目でとらえ、
あなたの話に長く耳を傾け、
あなたの完璧さを魂で理解し、
あなたを前にして苦しくて息もできなくなり、
青ざめ、消え入りそうになるとしたら……それこそこの上ない喜び!

ウズベキスタンの三不思議

中央アジアのウズベキスタンに、ロシア・アヴァンギャルドの素晴らしいコレクションを有する美術館がある。しかも所在地はタシケントやサマルカンドといった大都市ではなく、カラカルパクスタン自治共和国の首都ヌクス。環境問題のシンボルと化している「死せるアラル海」の南に位置する小さな町だ。いったいどうしてこんな辺境の地に忽然と一九六六年に、まるで蜃気楼のように美術館が現れたのだろうか。しかも社会主義リアリズムが唯一の公式芸術路線だったソ連時代に、なぜアヴァンギャルド作品を収集することができたのだろうか。

まずはこれがウズベキスタンの第一の不思議である。

じつは、真価を認められずに処分されたり忘却のかなたに追いやられかけたりしていた無数の絵画作品を滅亡の危機から救いだし、「文化の首都」モスクワから「砂漠の周縁」ヌクスへと運んだ男がいた。イーゴリ・サヴィツキー。美術館は彼の名を冠している。だれもがサヴィツキーのことを「熱狂者」と呼ぶが、絵画への彼のひたむきな情熱がなかったら、ロシアや中央アジアのアートの全体像はかなり歪なものになっていたのではないか。そんな思いを抱きつつ、サヴィツキーという驚くべきメセナの「魔力」に引き寄せられるようにしてヌクスに行き、美術館の館長に話を伺った。さまざまな幸運や偶然や善意が絡まりあって、美術館建設にこぎつけられたという。それでもやはりサヴィツキーの存在とその功績は、二〇世紀美術界にとって最も謎めいたパラドクスの一つであり、限りなく「奇跡」に近いような気がしてならない。

この旅で不思議に思った二つ目はウズベキスタンのお金である。タシケントのホテルに着いて両替をしたときはぎょっとした。三〇〇ドルを現地の「スム」に替えたら七五万三六〇〇スム。一〇〇〇スム札で七五三枚だったのだ！　普通の財布に入るような二次元の物体ではなく、文字通り三次元の直方体である。現地の人も、立体的な化粧ポーチのようなものに分厚い札束を入れて持ち歩いているみたいだ。不便なのは支払いをするときで、一〇〇〇スム札で三〇枚、四〇枚といった感じになる。紙幣を数えるのが下手な私には大変だった。

ウズベキスタンの人々はにこやかに笑っている人が多い。短い滞在だったので浅薄な一般化は慎まなければならないが、少なくともぎすぎすしたところがないように見受けられた。「報道の自由が制限されている独裁国家」で、民衆は「抑圧」されているのかと思っていたのに……。これが三つ目の不思議である。

そういえば、日本人留学生の間で「ウズ爺」と呼ばれている置物の土産物がある。中央アジア特有の帽子をかぶり、白い眉、白いヒゲのお爺さんをかたどった陶芸品で、スイカやウリを担いでいる者、伝統料理プロフの皿を持っている者などいるのだが、みな笑っている（七福神の布袋《ほてい》のようなものかもしれない）。バザールに、人の背丈の半分以上もある巨大なウズ爺が売られていて、その和やかな表情につられて買いたくなったが、スム紙幣を永遠に数えている自分の姿を想像して思いとどまったのであった。

ウズ爺

雨の回廊　イタリアの中のロシア

　ボローニャが回廊《ポルティコ》の張りめぐらされた都市だということは、自分の足で歩いてみて初めて実感した。こぢんまりした街なのに、聞くところによると回廊は全長三五キロにも及ぶという。

　背の高い円柱が立ちならび、幾重にもアーチが連なるなかを歩いていると、一瞬気の遠くなるような遠近法にからめとられそうになる。いつのまにか小雨が降りだし、高い天井にヒールの音がよけい大きく響きわたる。建物の内部でもなく、雨に濡れる外部でもない中間的な場所。いや、雨に包まれた内部でもあり、解放感に富む外部でもある両義的な空間ともいえる。それは中世の趣を大切に残しながらも、同時に現代的な芸術を愛するボローニャの人びとの姿勢に通じてはいないか。

　柱の陰からひょいとボローニャ大学の学生と思しき青年が現れて、通せんぼうをしかけてくる。ちょっと睨むふりをすると、人懐《ひとなつ》こそうに笑って道を譲ってくれた。卒業シーズンで、心が浮きたっているのだろう。

そうかと思えば、置物のように隅にうずくまっている白い鳩がいる。ちなみにイタリアでは、復活祭に鳩をかたどったお菓子「コロンバ」を食べるのが習いだという。酵母を使ったパン生地のケーキだ。不思議な白い鳩はまもなく巡ってくる復活祭に備えて、羽を休めているかのようにじっと動かない。

しばらく鳩と根くらべした後、書店に行き、どんなロシア文学の作品がイタリアで翻訳されているか見てまわる。私的なスキャンダルや極端な政治思想で何かと話題を振りまいているエドゥアルド・リモーノフの長編や、彼を師とあおぐ若手作家ザハール・プリレーピンの短編集のイタリア語訳を見つける。イタリアではリモーノフの人気が高いのか、現代ロシア文学の最先端を切り開いているウラジーミル・ソローキンとヴィクトル・エロフェーエフに、このリモーノフを合わせた三人のイタリア語アンソロジーが平積みになっている。その一方で、ユダヤ人カトリック神父の生涯を描いたリュドミラ・ウリツカヤの大著『通訳ダニエル・シュタイン』のイタリア語訳も書棚にあった。エレーナ・コスチュコーヴィチの解説付きだ。

じつは「ボローニャに来るならぜひうちに遊びに来て。ボローニャからミラノまで電車でたった一時間だから」と誘ってくれたのがこのリャーリャ（エレーナの愛称）・コスチュコーヴィチ。ミラノ在住のロシア人イタリア文学者である。偶然にもウリツカヤが遊びに来て泊まっているというではないか。

高速列車ユーロスターに揺られミラノ中央駅に着き、迎えに来てくれた二人とひとしきり再会を喜びあってから、一緒にミラノで最も古いという聖アンブロージョ聖堂に行く。リャーリャがミラノの守護聖人アンブロージョの逸話から聖堂の建築様式にいたるまで、立て板に水のごとく解説してくれる。ここにも、中庭を囲むようにして回廊がめぐらされていた。

中に入ると、折しも中央の祭壇で、第二次世界大戦時にソ連で命を落としたイタリア人のための礼拝が厳かにおこなわれている。それを知ったウリツカヤはにわかに神妙な面持ちになり、「私はどうしても教会を芸術と割り切って突き放して考えることができない。とくにこういう礼拝をしているのには胸を打たれる」と囁くように言った。キリスト教の諸宗派を統合しようと夢見た実在の神父をモデルに壮大な物語を書いたウリツカヤは自身、正教の伝統に根ざすロシア文化に身を置き、ユダヤ文化にコミットしつつ、カトリックにも深い関心を寄せているのである。

聖堂で粛然としたひとときを過ごしてから、私たちはリャーリャの家に行った。広々としたモダンなアパートで、どの部屋も明るく、どの本棚にも大量のロシアの本が詰まっている。モスクワ大学でイタリア文学を専攻した彼女は、一九八八年にウンベルト・エーコの『薔薇の名前』をロシア語に訳して一躍有名になった。以後エーコのロシア語訳者として活躍するかたわら、ミラノに居を構え、現代ロシアの作家たちの著作権をきっちり管理し、各国語に訳されるべく斡旋するエージェントとしても辣腕をふるってきた。だから、ウリツカヤとリャーリャと私は、原作者・エージェント・日本語訳者という関係でもある。

長らく彼女とはメールで仕事上のやりとりをしていたが、数年前モスクワの翻訳者会議で初めて顔を合わせた。このときは二人とも翻訳者として。透き通るような空色の大きな瞳が印象的で、思い描いていたとおり、頭の切れる「かっこいい」人だった。彼女は『食べ物——イタリアの幸せ』というイタリア食文化の本をロシアで出版し、これも高い評価を受けている。最近は、エージェントの仕事をバルセロナ在住の別のロシア人におおよそ任せ、ミラノ大学の講師も辞めて、執筆の比重を増やしているという。芸術家だった祖父を題材にした自伝的小説を書いているらしい。

雨が降りだしたが、そう遠くないというので、リャーリャに送ってもらって駅まで歩くことにした。石畳のあちこちに水たまりができて歩きにくい。肩をよせあったり、水たまりを避けてちょっと離れたりしながら、ほとんど同い年の私たちは、この年代の女が抱える共通の悩みを語りあい、以前にもまして親しくなった。

ボローニャに戻る列車に乗ってから、もしボローニャの回廊を彼女と歩いていたら話の内容は違っていただろうかと考えた。街の雰囲気が会話の方向を決定づけることもあるだろう。回廊にはもっと神秘的で両義的な話が似合うような気がする。

そして、雨に濡れずに歩けるボローニャの回廊がもう懐かしく思えるのだった。

ロシアに精進料理?　変わる言葉、蘇る言葉

ひょんなことから、ロシア文学と食文化のあやしくも美味しい関係をテーマにした本を書くことになり、二〇〇八年三月後半ロシアへ取材に行ってきた。豊かな石油資源を背景に高度経済成長を続けるロシア社会はいま劇的な変化をとげており、その変わりゆくさまは文学にも食生活にも、そして言葉にもさまざまな形で現れている。

今回面白かったのは、レストランのメニューだった。ロシアを訪れたのが、ちょうど正教会の「大斎《おおものいみ》」といわれる節制の時期にあたっていたため、他の時節には見られない精進料理用メニューがあちこちでお目見えしていたのである。

ロシアに精進料理?

驚かれるかもしれないが、一九世紀のロシア文学を読めば、今は斎戒期だから肉なしのパイを

食べる、などといった描写がときおり出てくるとおり、ロシアでは古来より、正教の定める「斎」つまりキリストの受難を忍んで肉や卵などを食べずに過ごすという慣習が二〇世紀の初め頃まで保たれていたのである。ところがロシア革命後、「宗教はアヘン」とする社会主義政権によって宗教が弾圧されるようになり、精進料理も表舞台からほとんど姿を消してしまった。振り子が大きく揺り戻ってくるかのように、ソ連が崩壊すると、宗教はふたたび活気づき、それに伴って最近、斎の慣習もにわかに蘇ってきているようである。

精進料理はおおかた野菜やキノコ類から成る。「コフェマニア」というモスクワで人気の店は、料理だけでなく、コーヒーにも牛乳ではなく豆乳を用いるという徹底ぶり。しかもこの店には、古《いにしえ》のお茶 **сбитень**《ズビーチェニ》 まであった。これは、お茶や砂糖が伝わる以前にロシアで飲まれていたもので、香草、蜂蜜、糖蜜で作るハーブティだ。現代風にアレンジされた「コフェマニア」のズビーチェニは、ミントにレモン、ライムがたっぷり入っていて、驚くほど美味しかった。

このように、現在のロシアには古いものへのノスタルジックな関心が広まっており、当然のことながら、それをあらわす言葉が蘇ってきている。食関連でいうと、たとえば **трапеза**《トラペザ》 という言葉がよく使われるようになった。本来は修道院の食事や食卓を表す言葉だが、ふつうの「食事」の意味でも用いられ、やや古めかしい感触がある。ぴったりした訳語は見つからないが、あえて言えば「食膳」「餉《げ》」などに近いだろうか。

трактир《トラクチール》 という語も最近よく見かけるが、元は街道沿いの飲食店を兼ねた旅館をあらわして

ъのついている看板

いた。「旅籠《はたご》」といったところか。一九九六年、モスクワに第一号店をオープンしてからチェーン店をどんどん増やしている「ヨールキ・パールキ」は伝統的な、どちらかというと庶民的なロシア料理が手頃な値段で食べられるとあって人気だが、ここは「レストラン」をあらわす一般的な名詞 **ресторан**《リスタラーン》 ではなく、廃語同然だった「トラクチール」を名のっている。

いっぽう、一八、一九世紀ロシア貴族の食卓を再現している高級ロシア料理店「カフェ・プーシキン」では、メニューの表記が当時の雰囲気を伝えている。ロシア革命（一九一七年）で改められるより前に使われていた旧正字法にしたがって、硬子音で終わる語の最後に硬音記号（ъ）を添えてあるのだ。この記号が名詞の最後についていると、それだけでレトロ感が出るわけだが、今回の滞在中にモスクワ南西部で、アイスクリームを売るごくありふれたキオスクに

Русский Холодъ（ロシアの冷たいもの）という看板があり、ここにも硬音記号を見つけた。

ロシアに以前存在していたものが復活したのなら、古い言葉や言いまわしが現代ロシア語に戻ってくればいいわけだが、新しいものが流入してきた場合はそうはいかない。近年ビジネス関連用語やコンピュータ用語は英語の音をそのままキリル文字にし、いわゆる外来語として使っているケースが圧倒的に多い。たとえば、「ウェブ」は **веб**《ヴェブ》、「ブログ」は **блог**《ブロク》、「マネージャー」は **менеджер**《メネジェル》といった具合だ。数えあげたらキリがない。

そういえば、レストランで「ビジネス・ランチ」**бизнес-ланч**《ビズネス・ランチ》という言葉をよく目にするようになった。以前のように長い時間かけずに、料理が素早く運ばれてくるランチで、時間のない人にはもってこいだ。今回たまたま入ったレストランでビジネス・ランチを頼むと、サラダにもスープにもメイン料理にも「日替わり精進」があった。ビジネス・ランチでも斎戒を守れるというわけである。

こうなってくると、ロシアの家庭でどれくらい斎が守られ、精進料理が作られているのか知りたくなる。また一つ課題ができてしまった。

「絵に描いた餅」は食べられない　ロシアの料理書の変遷

ロシアで「料理書」と呼べるような書物が現れたのはようやく一八世紀末になってからのこと。モスクワの検事を務めていたセルゲイ・ドゥルコフツェフ（一七三二―一八六）の一七七九年にモスクワ大学印刷所より刊行した『簡略料理雑記』が、現存する最も古いロシア料理の本と考えられている。概してロシアでは、小説や詩にしても、評論やエッセイにしても、あまり食文化を取りあげない傾向にあり、つい最近まで、食べ物に対して「蔑視」とまではいかなくても「軽視」する風潮が続いてきたのだ。

しかも一八世紀といえば、ロシア貴族たちはフランス文化を崇め自国の文化を貶める傾向にあり、食文化にいたってはその際たるものだったため、この本もそうした社会情勢を反映して、ロシア料理のレシピはほんの「おまけ」のように添えられていただけだった。そもそも料理に関する本を出版するという発想からして、フランスの模倣だったようだ。

とはいえ、ドゥルコフツェフの本にまがりなりにもロシア料理の記載があることは重要で、ロシアにおける料理書の歴史の先鞭をつけることになった。そのあとを引き継ぐようにして一八世紀末から一九世紀初頭に、文学者のワシーリイ・リョーフシン（一七四六―一八二六）が料理辞典を書いたり、レシピ集を出版したりした。ナポレオン戦争により愛国的な風潮が強まったこともあって、ロシア料理への関心が高まったのだろう。ところが、一八一六年に刊行した『ロシアの厨房』で、当のリョーフシンは「ロシア料理に関する知識はほとんどすっかり消え失せてしまった」「記憶に残っているものをかき集められるだけで満足しなければならない、なぜならロシア料理の歴史は一度も記録されたことがないからだ」と述べている。[1] フランス志向の強かった都会の貴族たちは西欧風の食文化を採り入れて久しかったので、地方豪族や農民たちの営むロシア古来の食生活とは大きく隔たってしまったのだった。

一八六一年、クールスクという地方都市でエレーナ・モロホヴェツ（一八三一―一九一八）が『若い主婦への贈り物、あるいは家計の支出を少なくする方法』と題する料理書を出版した。以後、ロシア革命まで三〇回近くも版を重ね、ロシアで最も影響力のある人気料理書となった。初版では一五〇〇ほどだったレシピがしだいに増え、最終的には四〇〇〇以上にもなったというが、そのすべてに、食材を無駄なく使って賢く家計を切り盛りすべしというコンセプトが貫かれている。著者は建築家の妻で、この料理書の他には何も残していない。良妻賢母を想定した実用的な手引き書だという意味で、一六世紀の家父長的な価値観にもとづいた『ドモストロイ（家庭訓）』と共通したところがあるといえるだろう。『ドモストロイ』はいわゆる料理書ではないが、やはり賢い家政に関する指南書だったからだ。

このようにモロホヴェッツの料理書は保守的・伝統的な志向を持っていたうえ、『ドモストロイ』と同じく裕福な家庭を主な対象としていたため、ロシア革命が起きると「ブルジョワ的」であるとして批判されるようになる。やがてスターリン時代の一九三九年、科学者の知恵とイデオロギーの総力をあげてソ連医学アカデミー栄養研究所が編纂した『美味しくて健康によい食べ物の本』が出版された。出版所は食料品工業省。以後、ソ連が崩壊するまで、食文化に関するソ連でほとんど唯一の書物として何度も版を重ね、そのたびに何十万部が飛ぶように売れたという。ここには、合理的な食生活や栄養、食品についての詳しい説明があり、さまざまな料理のレシピが掲載されている。

各版はそのときどきの政治情勢やイデオロギーを反映して内容の異なる部分もあるが、国民の食事を「国家事業」として位置づけ、女性を家事労働から解放し、男性と「平等に」労働市場に送ることを念頭に、できる限り「科学的」「合理的」に料理を捉えようという姿勢に変わりはない。しかし慢性的な物不足が続き、食材を思うように手に入れられない日常生活にあっては、これらのレシピは文字どおり「絵に描いた餅」にすぎなかった。その意味で『美味しくて健康によい食べ物の本』は、現実からかけ離れたユートピアの料理書ということになるだろう。

一九八〇年代、ロシアの食文化の分野に驚くべき研究者が現れた。ヴィリヤム・ポフリョプキン（一九二三―二〇〇〇）である。本来の専門はスカンジナビアの歴史研究だが、お茶やウォッカの歴史に始まり、旧ソ連の民族料理、料理技術、さまざまなロシア料理のレシピなど、精力的に料理書を書き、食への人々の関心を著しく高める役割を果たした。折しもイデオロギーの呪縛はなくなり、市場には、値段は高いもののたいていの商品・食料品が並ぶようになって、レシピは現実に料理をつくるためのものとなった。

こうしてついに本格的なロシア食文化研究が緒につき、いまや書店には料理書があふれんばかりだ。美しいカラー写真のふんだんに使われた料理書が目立ち、名の通った文化人の料理に関する本もよりどりみどり。ポフリョプキンは、ロシア文化における「食」の地位をドラスティックに引き上げた立役者となった。ロシアでは現在、彼の後継者となるべき食通のロシア料理研究家の出現が待ち望まれている。

注

(1) ポフリョプキンV・V・『料理大百科、ポフリョプキンの全レシピ』(モスクワ、二〇〇三年)より引用、二八八ページ。

消えたサモワール

サモワールのある喫茶風景

ロシアにお茶が伝えられたのは一七世紀前半。モンゴルのアルティ汗《ハン》が一六三八年、ロシア皇帝ミハイル・フォードロヴィチに中国茶を献上したのが始まりだといわれている。最初は高価で珍しい飲み物だったお茶は徐々にロシア社会に浸透し、いつのまにか（遅くとも一九世紀には）もう貴族から農民まで、ロシア人はお茶がなくては一日も過ごせないほどのお茶好きになっていた。

ロシアでは伝統的に、「サモワール」という道具を用いて湯を沸かし、食事の後あるいは食事と食事の間に（ときに何杯も！）お茶を飲んだ。サモワールとは、一八世紀後半から出回るようになった金属製の湯沸かし器のこと。ごく一般的な円筒型のものから、梨型、花瓶型、卵型、球形、馬車型など形はさまざまで、毎日使うもの、装飾用の高価なもの、お客用、旅行用と用途によってもいろいろな種類があった。

ところが、かつてロシアの喫茶風景に付き物だったサモワールは、電気ポットの普及にともない次第に使われなくなり、最近ではせいぜい土産物として売られているところを目にする程度になっている。せわしない近代都市型の生活には向いていないのだろう。今春（二〇〇八年）ロシアで取材をして明らかになったのは、「発祥の地」といわれるトゥーラにおいてすら、サモワールは日常的にほとんど使われておらず、博物館に展示品として並べられているだけだということ、そして現代ロシアでサモワールが実用的に使われる最もふさわしい場所があるとすれば、それはダーチャ（ふつう郊外にある菜園付きセカンドハウスのこと）だということである。

現代の喫茶事情については後に述べるとして、まずは一九世紀、サモワールがロシア人の生活にとっていかに大事な意味を持つ、かけがえのないものだったかということを文学や美術で見てみよう。一八四〇年前後に書かれたニコライ・ゴーゴリの短編『外套』では、主人公が新調した外套を着て、上司の家のパーティに呼ばれて行ったときの場面にこうある。

アカーキイ・アカーキエヴィチが玄関の間《ま》に入ると、床にずらりとオーバーシューズが並んでいた。それらに囲まれるような格好でサモワールが真ん中に鎮座しており、しゅっしゅっと音を立て、もくもくと湯気をあげている。

大勢の客にいつでもお茶を提供できるよう、玄関の控え部屋で出番を待つサモワールの姿である。ここからも読みとれるように、サモワールは単なる台所用具であるだけでなく、客をもてなすことに最上の喜びを感じるロシア人の心情を表すもの、ホスピタリティの象徴であった。

本来のサモワールは真ん中に筒状の煙突があり、そのまわりに水を入れ、下に炭火を置いて湯を沸かす仕組みになっている。火をおこすとき、煙突の上から長靴を片方さかさまにして「ふいご」のように空気を送りこんだというから面白い。煙が出るため、火をおこす際には屋外に出し、煙突を足して長くする。湯が沸いたら煙突部分をはずして、サモワール本体を室内に持ちこみ、濃く煮出した紅茶を入れたティーポットを載せる。

現在、土産物として店で売られているサモワールはほとんどがコンセント付きの電気ポットだが、かつての貴族や高官の屋敷では、サモワールを炭火で沸かしてテーブルに載せるところまでは従僕や小間使いの役割だった。

サモワールの象徴するもの

サモワールが湯沸かし器でありながら湯沸かし器以上の意味を持っていたことは、フョードル・ドストエフスキーの作品からも窺い知ることができる。一八七〇年代半ばに書かれた長編『未成年』には、次のような一節がある。

大変な惨事や不幸に見舞われたとき、とくにそれが痛ましく思いもかけないような常軌を逸した惨事や不幸である場合、サモワールはどうしてもなくてはならない、ロシア独特の必需品である。

危機的な状況に陥ったとき、人を落ち着かせ、日常の世界に連れ戻してくれるもの――ドストエフスキーはサモワールにそうした癒しの効果を見ていたのだろう。かつてお茶が薬の機能を果たしていたことを思い起こせば、それはあながち突飛な空想とも言えまい。人を冷静にしてくつろがせる鎮静剤のような「治癒作用」と、話をはずませ心を高ぶらせる興奮剤のような「活性化作用」。その両方を兼ね備えたサモワールは、まさにロシア人の国民性を象徴するかのような喫茶用具だったとも言えよう。

また、サモワールは家庭の団欒と心配りを体現するものでもあった。サモワールのお茶をカップに注いで家族の者たちに出すというのは、一家の主婦の大事な役目であり、「光栄」なことでさえあった。レフ・トルストイの長編『家庭の幸福』(一八五九年)には、結婚したばかりの新妻が「私はあまりに若くて軽はずみだから、まだサモワールの蛇口をひねってお茶を配る光栄に浴するわけにはいかない」と考える場面がある。濃く煮出しておいたお茶をポットからカップに適量注ぎ分け、サモワールについている蛇口をひねって熱い湯を足し入れ、好みの濃さにするというのがロシア式紅茶の淹れ方だから、主婦は家族ひとりひとりのお茶の好みを熟知して、采配を振るわなければならないのである。

お茶の飲み方

好みといえば、お茶の飲み方もおおらかで自由だ。お茶にはたいてい砂糖やジャムや蜂蜜などが添えられるが、砂糖はお茶に入れてもいいし、かじってもかまわない。今では、砂糖をかじりながら紅茶を飲む人にはほとんどお目にかからなくなったが、数年前、アンドレイ・クルコフという現代ロシア語作家の小説『ペンギンの憂鬱』（一九九六年）を訳していたら、こんな場面に出会った。主人公がある老人の家でお茶を出されたところだ。

緑茶だった。老人は湯呑みで茶を出してくれ、その横に、どこから取りだしたのか、砕いた砂糖の入った箱を置いた。こんな砂糖は古い映画でしか見たことがない。

ヴィクトルは砂糖をひとかけら取ると、がりっとかじって緑茶を飲みはじめた。

緑茶を飲むのに砂糖をかじりながらとは、日本人の感覚からするとかなり奇異に感じられるが、ロシア語には「砂糖をかじりながら вприкуску」ということばがあるほどだから、こうして砂糖をかじってはお茶を飲み、飲んではかじるという飲み方をしていた人が少なからずいたと

クストージエフ『モスクワの居酒屋』1916 年

いうことなのだろう。ちなみに、「砂糖を眺めながら вприглядку」という面白いことばもある。これは砂糖なしで飲むときのおどけた表現だ。

いつだったか、ロシアの友人とこの話をしていたとき、彼女が「砂糖を思い浮かべながら」という表現もなくちゃね、と笑いながらいったことを思いだす。ソ連時代、慢性的な物不足が続き、砂糖を買いたくても買えない（眺めることもままならない）時期があったことを念頭に置いたアイロニーである。

それはさておき、日本で「ロシアン・ティー」というと、紅茶の中にジャムを入れるものといった固定観念があるようだが、実際には、ジャムや蜂蜜をお茶に入れる人はあまりいない。小皿に取りスプーンですくって一口食べ、お茶はお茶で別に啜るほうが多いようである。

お茶が熱すぎるときは、カップから受け皿に注いで冷まし、受け皿に口をつけて飲んでも構わない。一九世紀末から二〇世紀初頭にかけて活躍した画家ボリス・クストージエフの『お茶を飲む商人の妻』（一九一八年）（二九五ページ参照）には、屋外にしつらえられたテーブルにサモワールが置かれ、商人の妻が受け皿からお茶を飲もうとしているところが描かれている。

磨きあげられた立派なサモワールがスイカやリンゴやブドウなどとともに、満ち足りた贅沢な生活を物語っている（もちろん後世に生きる私たちは、この絵が描かれた前年にロシア革命が起こり、やがて富裕階級の存在自体が認められなくなることを知っているが）。クストージエフは他にも『モスクワの居酒屋』という作品（一九一六）で、客の多くが受け皿からお茶を飲んでいる居酒屋の情景を描いている。

現代ではこういう飲み方をする人は滅多にいない。いたとしても、かなり年配のロシア人だけだ。このように、二〇世紀初めまでは広く見受けられた飲み方やサモワールは一世紀を経た現在、「過去の遺物」としてロシアの(少なくとも都市部の)日常から姿を消してしまったようである。

お茶以前の飲み物

それではお茶が普及する以前、ロシア人はいったい何を飲んでいたのだろうか? およそ千年前に現れたといわれ、紅茶にその地位を奪われるまでずっとロシア人の「国民的飲料」として愛されていたのは、「ズビーチェニ」と呼ばれる飲み物である。コワリョフとモギーリヌィの著書『ロシア料理——伝統と風習』(モスクワ、一九九〇年)によると、少なくとも一二世紀に「スラヴ人に広く嗜《たしな》まれているもの」として『年代記』に言及されているという。湯に蜂蜜や糖蜜を入れて沸騰させ、チョウジ、シナモン、カルダモン、ミントなどのハーブを入れて、もう一度煮立たせて作るので「蜂蜜湯」とも訳される。

ズビーチェニには、ワインを入れるものと入れないものがあったが、街なかではワインを入れない熱いズビーチェニを売る人が歩いていたという。「ブーブリク」という輪型パンをいくつも

木版画『モスクワのズビーチェニ売りと書籍行商人』

紐に通してぶらさげ、ズビーチェニの入ったヤカンのようなものを手にした売り子の姿が、一九世紀の木版画《ルボーク》『モスクワのズビーチェニ売りと書籍行商人』に残っている（このズビーチェニの容器がサモワールの前身だといわれている）。

昔からロシアでは蜂蜜がたいへん好まれ、蜂蜜を水で薄めて発酵させる「蜜酒」もよく飲まれていた。ロシアの昔話は「私もそこにいて、蜜酒を飲もうとしたら、口ひげをつたわって流れてしまい、口には入らなかった」という滑稽な決まり文句で終わるものが多いが、これなどはロシア人がいかに蜂蜜を好んだかを示す証拠といえるだろう。

ライバルはコーヒー

さて、ズビーチェニに取ってかわったお茶は、以後ずっと圧倒的な人気を誇るロシアの国民的な飲み物であり続け、今なおたいへん愛されている。

最近では経済的に豊かになり、消費水準が上がってきたこともあって、お茶の種類も豊富になり、いろいろなお茶の飲める喫茶店も増えてきた。中でもめだつ動きとして、この数年来続いている日本食ブームの影響もあるのか、緑茶がかなり浸透してきていることを指摘しておきたい。友人の家に遊びに行ってお茶を所望すると、「黒いの、それとも緑の?」と聞かれるようになった。これは「紅茶がいい、それとも緑茶?」を意味する。必ずしもこちらが日本人だから気を遣って聞いてくれたというだけではなさそうで、喫茶店でも同じような質問を受ける。

その一方で、ソ連崩壊後にコーヒーが強力なライバルとして浮上してきたことにより、お茶がコーヒーと人気を二分させられるようになったのも事実だ。もっとも、それは最近になってコーヒーがロシアで初めて知られるようになったという意味ではない。遅くとも一七世紀後半には、すでにコーヒーはロシアに伝えられている。一六六五年、宮廷医師だったイギリス人が皇帝アレクセイ・ミハイロヴィチに鼻風邪や頭痛の薬として処方したという記録が残っているのだ。お茶が中国、つまり東からもたらされたのとは対照的に、コーヒーは西から伝播してきたということになる。

その後、ピョートル大帝が嗜好品としてコーヒーをロシアに根づかせようと貴族の夜会でコーヒーを出すよう命じ、ペテルブルグにはロシアで初めてのコーヒーハウスがオープンしたという。ロシアの近代化＝西欧化を推し進めたピョートルのお気に入りだったからでもあろう。コーヒーには、南国起源のエキゾティックな香りを保ちつつも「西洋的なもの」というイメージが色濃くあったようだ。

その後も、モスクワでは何といってもお茶がよく飲まれたが、ペテルブルグではどちらかというとコーヒーが好まれるという傾向があった。また、お茶が貴族から商人、農民まで広い層に浸透し、家族の団欒、友人や客の歓待といった人との交流を促すものだったのに対し、コーヒーは知識人や芸術家らの都会的で個人主義的な雰囲気になじむものとされ、お茶ほど広くは普及しなかった。

一九〇〇年に書かれたアントン・チェーホフの戯曲『三人姉妹』には、お茶とコーヒーがどちらも出てくる。お茶に関しては、三女イリーナが銀のサモワールをプレゼントされる場面や乳母がお茶を出す場面もあって重要な意味合いを持っているのに、コーヒーは一回言及されるだけだ。これから決闘に赴くという男が「僕はきょうコーヒーを飲まなかった。コーヒーを淹れてくれるよう言っておいてください」という。少なくとも一九世紀末のロシアでは、地方都市の中流家庭でも日常的にお茶とコーヒーのどちらも飲んでいたことがわかる。

ソ連時代には、物不足のためコーヒー豆を手に入れることも難しく、結局ヨーロッパのようなコーヒー文化は育たなかった。ところがソ連が崩壊してからは、次々とカフェがオープンして美味しいコーヒーが飲めるようになってきた。現在、コーヒーとお茶の人気は五分五分といったところではなかろうか。

伝統の生きる場所

最近のロシアでは伝統を再評価して、「古きよきもの」に回帰しようという現象がいろいろな面で見られる。社会主義イデオロギーが崩れ去り、価値観が大きく変わりつつあるのだから、歴史を捉え直そうとするのは当然のなりゆきともいえるだろう（ただし狭隘な愛国主義につながるとしたら御免こうむりたいが）。

ロシア正教がにわかに人々の心を惹きつけるようになったのも、古いレシピによるロシア料理が復活してきたのも、その表れである。最近では「幻の飲み物」だったズビーチェニを出すカフェまである。

ロシアならではのサモワールが見直されて、ふたたび使われるようになるかもしれない。現に、自然に親しみながらゆったりとした時を過ごすことができ一種の郷愁を喚起させる空間であるダーチャでは、サモワールでお茶を淹れる人がいると聞く。最近モスクワでおこなわれたマースレニツァという昔ながらの祭りでは、サモワールのお茶が人々に配られていた。サモワールはけっして消えていないのだ。

面白いのは、旧ソ連邦に属する地域であるウズベキスタンやカザフスタン、さらに旧ソ連の外にあるパキスタンのペシャワールやトルコのアンカラといった地域で、今なおトゥーラ製のサモワールが生活に根を下ろし、日常的に使われているということである。遊牧の民は移動してテントを張ると、まずサモワールで湯を沸かすという。

サモワールの「本家」ロシアよりこうした周辺地域でむしろ愛用されているというのは逆説的だが、サモワールの魅力としぶとさを表しているとも言えよう。いったいこれらの地域ではサモワールをどのように使い、どのようなお茶をどのように飲んでいるのだろうか。興味は尽きないが、それはもう別の機会に譲るしかない。

蜜酒は髭をつたわって流れてしまい……　ロシア文化における蜜酒と馬乳酒

ロシア最古の蜜酒「ミョート」

意外に思われるかもしれないが、ルーシ（ロシアの古称）の「はじまりの酒」つまり最古の酒は、ウォッカではなく蜜酒である。

じつはウォッカがいつどこで発明されたのかということははっきりわかっていない。一四世紀末にジェノアの商人が商用でリトアニアに行く途中モスクワに寄ったとき、ドミートリイ・ドンスコイ公に謁見して「アクア・ヴィタ（命の水）」と呼ばれるアルコール度の高い蒸留酒を献上したことが知られているが、このときロシア人はたいした関心を持たなかった。そもそもこの「アクア・ヴィタ」がウォッカの原型となったのかどうかも疑わしい。一六世紀にタタール人がロシアに蒸留技術を伝えたのがウォッカの始まりだろうという説もある。ヴィリヤム・ポフリョプキンのように「いや、一五世紀半ばからウォッカはロシアで作られていた」と主張する研究者もいる。

二〇一一年九月に、私はモスクワのイズマイロヴォにある「ウォッカの歴史博物館」を訪れたが、そこでは一五世紀にロシアのとある修道院でゾシマという修道僧が自家製スピリッツを作ったのがウォッカの始まりだとして、その「歴史的瞬間」を蠟人形で再現してあった。

いずれにせよ蒸留技術が導入されるまで、ウォッカはロシアで製造されておらず、それより以前に愛飲されていた古《いにしえ》のアルコール飲料といえば、蜂蜜を原料とする「蜜酒 мёд（ミョート）」であった。蜜酒が作られ、飲まれていたことを証明する古い資料はいくつかある。たとえば、日本の『古事記』のようなものにあたる『原初年代記』（ラヴレンチイ写本）は、九四五年にキエフ大公国のイーゴリ大公がドレヴリャン族に暗殺されたときの出来事を記しているが、それによるとイーゴリの妻オリガ大公妃が敵のもとに乗りこみ、「夫の追悼供養をしたいので蜜酒をたくさん用意するように」と命じた。ドレヴリャン人たちはオリガの言うとおり蜜酒を作って供養させるが、オリガはその後の酒宴で泥酔したドレヴリャン人たちを皆殺しにして復讐を遂げたという。ロシアで最初にキリスト正教会の洗礼を受け、のちに聖人に列せられたオリガ大公妃だが、どうやら美しいだけでなく、大胆で、無慈悲で、賢く、意志の強い女性だったようだ。『原初年代記』のこうした記述から、蜜酒が敵を酩酊させ油断させるのに都合のいい、「強い酒」であったことが窺われる。

また『原初年代記』に、孫のウラジーミル大公がオリガ妃のために催した九九六年の祝宴では、ウラジーミルが専門の蜜酒製造人たちに三〇〇樽の蜜酒を作るよう命じたとも記されてい

る。つまり一〇世紀頃、蜜酒は冠婚葬祭に欠かせない「ハレ」の酒としての役割を担っていたと考えられるのである。(1)

ロシア史には支配階級にこのオリガのような「強い女」がはやばやと登場しているわけだが、一方でロシアは伝統的に家父長的な規範の強い社会であった。イワン雷帝に仕えた司祭シリヴェストルが一六世紀半ばに編んだ『家庭訓《ドモストロイ》』という、裕福な都市住民向けの家政指南書では、妻はすべての点で夫に服従しなければならない、家でも外でもけっしてアルコールを口にしてはならぬと諭している。ここで興味深いのは、『家庭訓』が食料や飲料を保管することの大切さを説く際に、蜜酒、ウォッカ、ビール、ワインに言及していることだ。これは少なくとも当時、蜜酒とウォッカが共存していたことを意味している。そして『家庭訓』が「外国産のブドウ酒、蜜酒などあらゆる上等な酒は穴蔵に仕切った鍵のかかる場所に入れておき、倉庫管理人が自らそこを見回らなくてはならない(2)」と記しているところから、蜜酒が「高級な酒」と認識されていたことがわかる。

蜜酒の製造と表象

蜜酒はどのように作られたのかというと、さまざまな方法があって度数も製法によって異なっていたようだが（だいたい五〜一六度）、最も古いものだと、大量の蜂蜜にコケモモやキイチゴなどのベリーのジュースを混ぜ、自然発酵させてから樽に詰めて地中に埋め、一五年から四〇年も熟成させなければならなかったという。水をいっさい用いない、気の遠くなるほどのんびりした作り方である。やがて一〇世紀頃になると、蜂蜜酢を加えたり煮たりして発酵を早めて迅速に作る技術が開発されたというが、それもやがてウォッカが普及すると廃れていき、一六世紀頃には蜜酒はもう人気がなくなっていたようだ。

とはいえ、すっかり姿を消してしまったわけではなく、それ以後も作り方にいろいろ工夫が加えられて蜜酒は生き延びた。一九世紀の民俗学者アレクサンドル・アファナーシエフ（一八二六―七一）によって刊行されたロシア民話集を読むと、「蜜酒」という言葉に何度も遭遇することになる。たとえば「寒の太郎」と訳されている民話で、意地悪な継母にいじめられた娘マルフーシャが苦労のあげく最後に幸せな婚礼をあげると、語り手は物語をこう締めくくる。

わたしはその婚礼に呼ばれ蜜酒をふるまわれたが、みんなひげをつたわって流れてしまい、口にはいらなかった。(3)

このやや滑稽な結語は定型化しており、結婚式のハッピーエンドを持つ話の多くに添えられている。おそらく話し終えて喉の乾いた語り手が聞き手に飲み物を所望しているのであろう。髭をつたわって流れてしまったという一筋の蜜酒（ミョートト）は、まるで物語世界と現実の間に引かれた「境界」のようでもある。

古来ロシアでは養蜂業が盛んだった。じつは「蜜酒」をあらわす「мёд（ミョート）」という言葉は同時に「蜂蜜」をも意味するため、どちらのことをいっているのか判断の難しい場合もある。また、紅茶がロシアに普及する以前にロシアでよく飲まれていた温かい飲み物は「蜜湯сбитень（ズビーチェニ）」というが、これも蜂蜜を使う。ズビーチェニ自体にはアルコール分はなく（ワインを入れて飲むことはあった）、湯に蜂蜜や砂糖を入れて沸騰させ、ハーブを加えてもう一度煮立たせて作る。ミョートはウォッカの普及とともに影が薄くなり、ズビーチェニは紅茶がロシアに広まると同時に飲まれなくなっていったのだから、現代ロシアの人々が最も好む飲み物であるウォッカと紅茶が、蜂蜜を原料とするミョートとズビーチェニを食生活の周縁に押しやってしまったことになる。(4) 逆に言えば、昔は蜂蜜がルーシの人々の食生活に決定的ともいえる重要な役割を果たしていたということだ。

一九世紀の作家ゴーゴリは、ウクライナを舞台とした幻想作品集『ディカーニカ近郊夜話』（一八三一―三二）の語り手をルディ・パニコーという蜜蜂飼いにしている。パニコーは「前口上」で、読者をこんなふうに招く。


お客においでくだされば、生まれてこのかた一度も口にしたことがないようなメロンをお出ししますよ。それにミョート。どこを探したってこれ以上、美味しいものは見つかりっこな

マコフスキー『蜜酒の杯』1890年

いこと請け合いです。(5)

パニコーがご馳走してくれるという「ミョート」が蜂蜜なのか蜜酒なのかはわからないが、ここでもミョートは悪魔や妖怪の登場する摩訶不思議な世界への入り口にあって、二つの世界を隔てる「境界」のような機能を果たしている。まるでミョートの甘く芳しい匂いが、キリスト教受容以前の多神教的「異教ルーシ」へと私たちを誘っているかのようだ。

癒しの馬乳酒「クムィス」

蜜酒が時間をさかのぼった「異教」世界の趣《おもむき》を持っているとしたら、空間的な「異郷」のエキゾティシズムを漂わせた飲み物と言えば「馬乳酒 кумыс（クムィス）」ということになるだろう。もともとはモンゴルや中央アジアで飲まれていたもので、馬乳を発酵させて作るため三パーセント程度の弱いアルコール分と酸味を有する。

古代ギリシャの歴史家ヘロドトスは、紀元前五世紀頃、遊牧騎馬民族スキタイ人の好む飲料として馬乳を挙げているというが、ロシアで馬乳酒について言及されるのは『原初年代記』（イパーチイ写本）が最初ではないかと思われる。それによると、一一八五年ノヴゴロド＝セヴェルスキー公イーゴリがポロヴェツ人との戦いで敗北を喫して捕虜になったが、警護兵たちが馬乳酒に酔っている間に逃亡することができたという。ここでは、馬乳酒は「異民族の酒」として登場しているだけである。

しかし一九世紀にもなると、ロシア帝国の版図拡大とともに「異郷」はしだいにロシア文化に取り込まれていくようになる。そのことを示す端的な例は、南ロシアに追放された詩人アレクサンドル・プーシキンがコーカサスを旅して書いた物語詩『コーカサスの虜』（一八二一―二三年）であろう。これは、山岳民族チェルケス人に捕えられ瀕死の重傷を負ったロシアの青年にチェルケスの娘が恋をし、食べ物や飲み物を与えて命を救うが、恋は叶わず娘は鎖を切って青年を逃してやるという悲恋の物語である。ここで娘が青年に与える滋養物として出てくるのが、蜂の巣、キビ、そして馬乳酒なのである。プーシキンが馬乳酒に「とても味がよく、きわめて健康によいもの」とわざわざ注を書き入れているのは、この飲み物が当時ロシアであまり知られていなかったからだと思われる。捕虜となったロシア人は、馬乳酒や蜂の巣で一命をとりとめ、娘の歌うグルジアの歌に心を慰められて生きる気力と活力を回復していく。それは、追放の憂き目にあったプーシキン自身がコーカサスという異郷から詩的インスピレーションを得て再生したことと重ね合わされていると言えよう。詩人の蘇生を促すシンボルとしての馬乳酒は、言うなれば「癒しの酒」なのである。

実際にも馬乳酒は結核や胃腸炎を治すのに効果があるとされ、ロシアでも一九世紀末には馬乳酒治療のサナトリウムが開かれている。面白いのは、文豪レフ・トルストイが、結核を患っていたアントン・チェーホフの身体を気遣い、馬乳酒治療に行くよう勧めていることである。そしてチェーホフはそのアドバイスにしたがって、一九〇一年六月バシキリアの首都ウファにある馬乳酒治療専門サナトリウムに行っている。そこからマクシム・ゴーリキーに宛てた手紙でチェーホフは次のように報告している。

馬乳酒を飲んでいて、もう八フント（約三キロ）も体重が増えました。（中略）馬乳酒は嫌ではなく、飲むことは飲めるのですが、嫌なのは大量に飲まなければならないことです。(6)

馬乳酒

このようにロシアの知識人たちは、馬乳酒を「酒」というよりは「健康によい滋養剤」のようなものと捉えていたようである。

現代のロシアでは、蜜酒にしろ馬乳酒にしろ、いつでもどこでも見かけるというものではなく、市場などでときどき目にするくらいだが、それでもロシアの食文化の片隅にしぶとく生き続けている。おそらくどちらも日常的な飲み物としてではなく、雷の神ペルーンが君臨し、数多《あまた》の精霊が跳梁し、蜂蜜が芳香を放っていた、はるか昔の異教ルーシや、暖かい気候と土壌に恵まれた南国の情緒あふれる、はるか遠い異郷を思い起こさせる「ハレの飲み物」として、ロシア人の心に深く刻みこまれているということだろう。

注

（1）このあたりの事情については、*В.М.Ковалев, Н.П.Могильный.* Русская кухня. Традиции и обычаи. М.: Советская Россия, 1990. С.229-232. を参照。

（2）『ロシアの家庭訓（ドモストロイ）』佐藤靖彦訳（新読書社、一九八四年）、一一三ページ。

（3）アファナーシエフ『ロシア民話集（上）』中村喜和訳（岩波文庫、一九八七年）、六四ページ。

（4）蜜酒が大規模生産に向かなかったのが一因と考えられる。R・E・F・スミス＋D・クリスチャン『パンと塩　ロシア食生活の社会経済史』鈴木健夫他訳（平凡社、一九九九年）四〇七―四〇八ページ参照。

（5）*Н.В.Гоголь.* Собрание сочинений в семи томах. Том 1. М.: Художественная литература, 1976. С.10.

（6）*А.П.Чехов.* Полное собрание сочинений и писем в тридцати томах. Письма. Том 10. М.: Наука, 1981. С.39-40 .

グルジア料理　豊饒な地の恵み

ロシア出身で自他ともに認めるグルメの文芸評論家ピョートル・ワイリとアレクサンドル・ゲニスが、著書『亡命ロシア料理』でこう書いている。「ロシア料理のなかで最も彩りがよく、香辛料がきいていて、生きがよくて見栄えもいいのは、カフカス系の料理である。カフカス料理のなかでもグルジア料理だ。（中略）一品一品が、プーシキンの言うとおり、叙事詩そのものである[1]」。

グルジア（ジョージア）は歴史的に見てロシアと密接な関係にあり、ソ連が崩壊するまでは連邦を構成する共和国だった。グルジア料理の一部はロシア料理に組み込まれているし、プーシキン以下、現代にいたるまで、多くのロシアの詩人や作家や芸術家にとって、グルジアは自由でエキゾティックな憧れの地でもある。近年ロシアの都市ではさまざまなエスニック料理レストランがオープンし、本格的なグルジア料理を出す店もかなり増えたが、ロシア・グルジア間の政治的な緊張が高まり、二〇〇六年よりロシア政府はグルジアワインのロシアへの輸入を全面的に禁止してしまった。そのため、ロシアではせっかくのグルジア料理をグルジアワインなしで食さなければならないという不条理きわまりない状況が続いている。グルジア料理に劣らずグルジアワインを愛する者としては、残念でならない。

それはさておき、グルジアは百歳を越えてなお矍鑠《かくしやく》とした老人が多いことで、世界的に有名な長寿国だ。長寿と食生活は、密接な関係にあることは間違いないが、科学的に立証するのは容易ではないし、またグルジアで「これぞ長寿料理」という特別料理があるわけでもない。もちろん、ザクロは血液をきれいにしてくれるとか、ビーツは消化作用があるなどといった類の話はいくらでもあるが、特定の一品ばかり毎日食べ続けたところで長寿になるわけもあるまい。冒頭で紹介したように、グルジア料理は味気ない「健康食」どころか、すこぶるゴージャスで美味しい。

それでは、グルジアの長寿の秘密は何か。それを知るには、おそらくどのような環境と伝統のもとで、どのような食材をどのように料理して摂取しているか、つまり食文化全般を探っていくしかないのではなかろうか。

黒海とカスピ海に挟まれた風光明媚なカフカス（英語名はコーカサス）の中でも、グルジアは、カフカス山脈の南側で黒海沿岸寄りに位置する。中央にリヒ山脈が走っているためスラム峠で東西に分かたれ、食文化も東と西では異なるところがある。

ロシア、ユーラシアの食文化の大家ヴィリヤム・ポフリョプキンによると、西グルジアにはトルコ料理の影響が見られ、東グルジアにはイラン料理の影響が認められるという[2]。たとえば、西グルジアではとうもろこし粉でつくるパン（ムチャディ）が普及しており、東グルジアでは小麦粉のパンが一般的だ。また西グルジアでは鶏肉や七面鳥が好まれるのに対して、東グルジアでは主として牛肉と羊肉がよく食される。

とはいえ、東西どちらの地域にも共通する料理や食材のほうが多いことは明らかで、そうしたグルジア料理全般を考えた場合、最大の特徴といえるのは、温暖な気候に恵まれた当地で栽培される野菜がふんだんに用いられることだろう。よく使われるのは、インゲン、ナス、キャベツ、ビーツ、トマト、ホウレンソウ、ジャガイモ、タマネギ。これら基本的な野菜が、肉とともに用いられ（たとえば、羊肉とナス、トマト、ジャガイモ、タマネギをオーヴンで焼く「チャナヒ」、牛肉または羊肉や鶏肉をタマネギとトマトで煮る「チャホフビリ」）、あるいは各種の香草やフランス料理なみに発達したソースと組み合わされて（たとえば、ナス、トマト、タマネギなどの蒸し煮「アジャプサンダリ」）、さまざまな味のヴァリエーションを生みだす。

グルジアでは多くの人がグルジア正教を信じているが、正教では厳しい精進の期間が長く続き、その間、肉や動物性の食べ物を口にしてはいけないことになっている。そのために野菜料理が発達したのだろうといわれているが、同じく正教の信者が多くてもロシアではキノコ料理や魚料理のほうが発達したのだから、ここにはやはりカフカスの地理的条件が大きく作用していると考えていいだろう。

　グルジアの首都トビリシ出身のゴツィリゼ・児島メデアさんによると、「何といってもロビオが一番」という言い方があるという。ロビオとはインゲンのことで、サヤインゲンは「緑のロビオ」、豆のほうは「赤いロビオ」と呼ばれる。グルジアではロビオが体に良いとされ、よく食卓にのるそうだが、豆の種類や混ぜ合わせるものによってさまざまな料理になり、タマネギ、植物油、ワインビネガーの他に、クルミ、セロリ、各種の香草、ニンニク、チーズなどを混ぜていろいろな和え物が作られる。

　コリアンダー、タラゴン、バジル、パセリ、チャービル、ミントなどの香草は、グルジア料理に多様な表情と奥深さを与えている。手元にある本『グルジア料理』(3)には、巻末にメニューの例が春夏秋冬それぞれ二一種類ずつ載っているが、どのメニューにも必ず「いろいろな緑の野菜」が添えられていて面白い。グルジアでは、新鮮なネギやパセリ、タラゴン、ラディッシュなどをそのまま食卓にのせてテーブルに彩りを添えるとともに、いつでも好きなときに塩を振るなどして食べてよいことになっている。料理に入れるだけでなく、こうした生の野菜や香草からも人々はビタミンや食物繊維をたっぷり摂っているのだ。

　野菜ばかりでなく、果物やナッツ類や乳製品も頻繁に料理に用いられる。特に、栄養価が高く、良質の不飽和脂肪酸を多く含むクルミはグルジア料理に欠かすことのできない大事な食材と考えられている。クルミを砕いて擦り、ニンニク、フェネグリーク、コリアンダー、ザクロの汁などと合わせてペースト状にしたクルミソースは、肉にかけてもよし、野菜を炒めるときに使ってもよし、ほとんど万能選手といっていい。このクルミソースを、鶏か七面鳥のブイヨンとチョウジ、シナモンなどでよりコクのある複雑な味に仕上げるとサツィヴィ・ソースになる。グルジアの正月の定番料理「サツィヴィ」は、このソースで煮込んだ鶏あるいは七面鳥のことをいう。

ソースといえば他に、プラム（カフカス原産のミロバランスモモ）から作るちょっと酸味のきいた「トケマリ・ソース」や「トクラピ・ソース」があり、グルジア料理を代表するスープ「ハルチョー」に用いられる。果物類はそのままでもよく食されるし、このように料理にも用いられるが、何といっても太古よりブドウの産地として知られるだけあって、ワインの生産量も多く、またブドウの汁とヘーゼルナッツやクルミで作る甘い菓子（チュルチュヘラ）は子供たちに大人気だ。

周知のように、グルジアのヨーグルト（マツォニ）が健康にいいらしいということは、日本でもかなり以前からいわれている。さらに乳製品では、グルジア料理の特徴の一つがチーズだ。西グルジアで製造される「スルグニ」や「イメレティのチーズ」が有名だが、これらは前菜やデザートとしてそのまま食べることはほとんどなく、たいていの場合、加熱して料理に用いられる。ミルクに入れてチーズ・スープにしたり、串に刺してあぶったりといろいろな調理法があるが、何といっても美味しいのは「ハチャプリ」というチーズ入りパンである。

カフカスの長寿と食生活の関係を研究している家森幸男氏は、カフカスの人々が長寿なのは肉料理を食べて動物性タンパク質を摂り込み、野菜や果物を大量に食べて食物繊維や抗酸化栄養素を摂り、ヨーグルトを毎日飲んで腸内に良い細菌を育てているためであり、つまり豊富な食材をバランスよく摂取しているからだと分析している。[4] まさしく豊饒な地の恵みを生かした太古からの知恵である。

グルジアの生んだ孤高の画家ニコ・ピロスマニ（一八六二―一九一八）は、ブドウの収穫や宴席、食卓などを題材に、一九世紀末から二〇世紀初頭におけるグルジアの日常を繰りかえし描いている。たとえば、屋外のテーブルにさまざまな料理が並べられ、大きなワインの甕《かめ》には串焼きがたてかけられ、人々が厳粛な面持ちで杯をあげている絵。その光景自体が、豊かな土地と天の恵みに対する賛辞《オマージュ》なのではないかと思えるほどだ。

このような宴席では、全体を取り仕切り、参加者全員が気持ちよく過ごせるようなにくれとなく気配りをし、立派な演説をする「タマダ」という存在が重要である。単なる宴の進行役ではなく、人間性も問題にされるので、タマダになることは名誉と見なされる。伝統にしたがい、タマダの采配のもとで人々は安心して飲み、ご馳走を食べて日頃の憂さを忘れ、英気を養う――私はそうした良き伝統も、グルジアの人たちの健康長寿を支える要因の一つなのではないかと考えている。

そして最後に、老人たちが敬われ、大切にされているという事実も付け加えておこう。民族性

ピロスマニ『祝宴』1900 年代？

や風習も関係しているのだろうが、グルジアの人たちは年齢を重ねてからもあまりストレスや孤独を感じることなく、楽しく生きているように見える。グルジアの自然がもたらす恵みは、命と希望の源泉であり、長寿を促す天の贈り物でもある。そして、おそらくは不幸を乗り越えて生き延びるための心の糧でもあるにちがいない。

注

（1）*П.Вайль, А.Генис.* Русская кухня в изгнании. М.: Независимая газета. 1995. С.52-53.

（2）*Вильям Васильевич Похлебкин.* Национальные кухни наших народов. М.: Центрполиграф. 2004. С.263.

（3）Грузинская кухня. М.: Издательство ЭКСМО-ПРЕСС. 2001. С.290-298.

（4）家森幸男「コーカサスの長寿食文化」北川誠一、前田弘毅、廣瀬陽子、吉村貴之編『コーカサスを知るための60章』（明石書店、二〇〇六年）所収、二七二―二七四ページ。

第二章　文学編

響きあうことば／予言することば

「われわれはみなゴーゴリの外套から出てきた」という有名な言い回しをご存知だろうか？「われわれロシアの作家はみなニコライ・ゴーゴリの短編『外套』（一八四二年）の影響を受けている」というくらいの意味だが、ゴーゴリの着ているコートの下から小さなサイズの作家たちがぞろぞろ出てくる場面が想像されて、ちょっとおかしい。ちなみに『外套』は、苦労してためたお金で外套を新調したと思ったらたちまち盗られて死んでしまい幽霊になる、しがない役人の物語だ。

ただこのフレーズ、ドストエフスキーが言ったものというのが通説になっているが、それは事実ではないようだ。フランスの外交官ウージェーヌ＝メルシオール・ド・ヴォギュエが『ロシア小説』（一八八六年）という本の中でこのフレーズを披露しているのだが、ヴォギュエはドストエフスキーに会ったことがないのである。でもドストエフスキーはゴーゴリが大好きだったし、処女作『貧しき人々』（一八四六年）を書き上げたとき「第二のゴーゴリ！」と絶賛されたほどなので、あたかもドストエフスキーのことばであるかのように伝わってしまったのだろう。

『貧しき人々』は、社会の片隅に生きる役人と若い娘が交わす手紙からなる書簡体小説だが、中には『外套』に言及されている箇所もあり、明らかにゴーゴリの影響が見て取れる。こうした先行作品との響き交わし、いわゆる「間テクスト性」は先行テクストを明示する場合もあれば、仄めかすだけのときもあるし、パロディにすることもあるが、物語に新たな強度を与え、新鮮な解釈を生む可能性をもたらしてくれる。

もう一人「ゴーゴリの外套から出てきた」作家にミハイル・ブルガーコフがいる。『巨匠とマルガリータ』（一九二九―四〇年執筆）はブルガーコフの代表的長編で、抜群に面白い。自分の書いた小説を御用批評家にくそみそに非難された「巨匠」が思いあまって暖炉で燃やしたはずの原稿。ところが、巨匠を救うために魔女となった恋人マルガリータと再会すると、ふたりの目の前にその原稿が忽然と姿を現す。そのとき悪魔ヴォラントが口にするのが「原稿は燃えない」という有名なセリフである。

このことばは、一九世紀のゴーゴリが晩年『死せる魂』第二部を手ずから暖炉にくべて燃やしてしまった事実を想起させるとともに、二〇世紀、スターリン時代に不遇な作家人生を送ったブルガーコフが亡くなって何年もしてからようやく『巨匠とマルガリータ』が日の目を見たこと（＝原稿が奇跡のように生きのびたこと）とも重ね合わせられ、深い感動を覚えずにはいられない。自らの運命を予言した書物『巨匠とマルガリータ』は、そのことばどおり燃えずに残り、不滅の命を与えられている。

そして冒頭のおかしなフレーズは、はるか時空を超えて現代の物語の中にまで響いている。ベンガル出身の英語・イタリア語作家ジュンパ・ラヒリの長編『その名にちなんで』（二〇〇三年）は、アメリカ在住のインド系移民一家の物語で、父がロシアの作家にちなんで息子を「ゴーゴリ」と名づける。ここまで読んでくださった方ならもう、父と息子ゴーゴリの次のようなやりとりを見逃しはしないだろう。


「ドストエフスキーが何て言ったか知ってるか？」

ゴーゴリは首を振る。

「われわれはみなゴーゴリの外套から出た」

「それってどういうこと？」

「いずれ、わかるようになるさ」

ジュンパ・ラヒリ『その名にちなんで』小川高義訳（新潮社、二〇〇四年）

文学のかなでる音色を聴く

翻訳という作業は音楽の演奏に似ている。作家は作曲家に、翻訳家は演奏家に、それぞれたとえることができるのではないか。前から、ひそかにそう考えていた。

新しい世界観を提示するために構成を練り、一つ一つの言葉や音を吟味して組み立てていく作家＝作曲家。かたや、作者に寄りそうようにして意を汲み、原作や楽譜を丹念にたどってその世界を再現してみせる翻訳家＝演奏家。同じ楽譜をもとにしていても、演奏家によって、生み出される曲の印象がまるで違うことがあるように、小説や詩も、翻訳家の個性や解釈によって、何種類もの異なる翻訳が存在することがありうる。

そのことをあらためて思い起こさせてくれたのが、光文社の古典新訳文庫である。同じ原作なのに、翻訳者が違うとこれほどまでに読後感が違うのか！　こうした発見は、「翻訳」が持つ意味や機能について考えるまたとない機会となった。

私は、この古典新訳文庫のためにトゥルゲーネフの『初恋』を訳すにあたって、既訳を少なくとも四種類は読んでみたが、互いに異なる名演奏を聞き比べたときのような充足感を得ることができた。少し古めかしいけれど一九世紀のロシア貴族の情調をよく伝える端正な米川正夫訳も捨てがたいし、独自の解釈でそこここに文学的な趣向をほどこしてあるユニークな神西清訳も味わい深い。だから初めは、もうこれ以上新しい翻訳を世に送り出す必要はないのではないかと悩んだのだが、しばらくしてから、自分なりのやり方で『初恋』を演奏してもいいのかもしれないと思い直した。

ものによって、この作品はチャイコフスキーの交響曲、この作品はバッハの組曲……などと勝手に原作のイメージを定めて翻訳に取りかかることがある。『初恋』は、なんとなくシューベルトがいいなあと思ったが、どうしてそうなのか、人様を納得させられるような根拠は何もない。まったくのひとりよがりである。でも、だからといって『初恋』を訳しているときにシューベルトをBGMで流すことはしない。

じつは、翻訳と演奏のアナロジーを思いついたのは、ごく単純な話で、私自身のストレス解消法がピアノを弾くことだからだ。翻訳に飽きると（ちょくちょく飽きます）、すぐにピアノが弾きたくなる。『ロシアの食文化』という本を書いているときは、すぐにつまみ食いをしたくなって困ったが、翻訳をしているときは、なぜかピアノの蓋を開けたくなるのである。

上手でもなんでもないが、いつも弾いていて暗譜しているくらいの曲がいい。難しいものに挑戦すると、ストレスがたまって逆効果だからだ。ショパンの「幻想即興曲」。家人はこれをもう数えきれないほど聞かされているのでほとほとうんざりしているようだが、私にしてみれば、今日はこの和音をうまく出せた、今度はミスタッチが少し減った、と一回ごとに「出来」の違うところが楽しい。だんだん熱がこもり、ストレッチ体操をした後と同じくらいの快い汗をかいたら、気分もあらたに仕事に戻る。

以前使っていたパソコン、IBMのシンクパッド（Think Pad）はキーボードの感じがとてもよくて指に馴染んでいた。それで、ついピアノを弾くときと同じタッチでぽんぽん叩いていた。とくに、これぞという訳語が浮かんだときなど（きわめて稀ですが）フォルテッシモになったから、パソコンはいい迷惑だったろう。あまりに力強く叩いていたためか、キーに印刷されていたアルファベットが、ところどころ消えてしまったのにはまいった。

今は、ピアノの鍵盤とパソコンのキーボードを取り違えないよう注意している。そして、いろいろな言語からの名演奏に耳を傾けるようにしている。ミルチャ・エリアーデの『19本の薔薇』（住谷春也訳、作品社）、フィリップ・グランベールの『ある秘密』（野崎歓訳、新潮社）、アブラハム・イェホシュアの『エルサレムの秋』（母袋夏生訳、河出書房新社）、ダニロ・キシュの『砂時計』（奥彩子訳、松籟社）といった心に響く作品を、それぞれの訳者がどのような楽器で、どのような曲想で、どのような音色で奏でているのか、おおいに興味を持つようになった。

たとえ原作（楽譜）が読めなくても、素敵な文学（音楽）に酔いしれる時間が持てるなんて、素晴らしいことではないか。

名翻訳者（演奏家）たちに、アンコール！

二葉亭に恋して

タイトルの冒険

ウクライナ在住のロシア語作家アンドレイ・クルコフの小説を訳したことがある。ソ連崩壊後のキエフを舞台に、小説家志望の男が知らず知らずのうちに不条理な状況に追いこまれていくサスペンス・タッチの物語である。このとき迷ったのがタイトルだった。原題はそのまま訳せば『第三者の死』となるところだが、ドイツ語訳は『氷上のピクニック』、フランス語訳は『ペンギン』、英語訳は『死とペンギン』、ウクライナ語訳は『他人の死』、ポーランド語訳は『ペンネームはペンギン』と、おかしなほど各国語まちまちなのである。

結局、作者の了解を得たうえで、『ペンギンの憂鬱』とすることに決めた。憂鬱症を患っているペンギンが主人公の分身にもなっていて重要な役回りなので、内容を汲んだつもりだが、これはかなりの冒険だった。ちなみにクルコフ自身、その後ドイツ語訳の題名にならって、ロシア語のタイトルを『氷上のピクニック』に変えている。

ロシア文学の翻訳では、おおむね題は忠実に訳すことが多く、大胆な冒険をするケースはあまりない。「意訳」して成功した数少ない例としては、今から五〇年ほど前、サミュエル・マルシャークの童話劇『十二月』を湯浅芳子が『森は生きている』と名づけたことが挙げられるだろう。春に咲くマツユキソウを真冬に摘んでくるようにという理不尽なことを言いつけられた少女が、森のなかで一二人の「月の精」に出会い助けてもらうという物語だが、原作の持つ異教的アニミズムの雰囲気が、「森は生きている」という表現でみごとに生かされている。この童話が日本で長らく愛されてきたのはタイトルのおかげなのではないか、と私は考えている。

さらにさかのぼってロシア文学が日本に紹介された最初期を振り返ってみると、題名がやけに時代がかっていて面白い。日本でロシア文学が初めて訳されたのは、一八八三（明治一六）年。高須治助という人が、プーシキンの『大尉の娘』を『露国奇聞・花心蝶思録』と題して訳している。次が三年後、トルストイの『戦争と平和』の一部が、森体という訳者によって『泣花怨柳・北欧血戦余燼』と題されている。いずれも、江戸時代の草双紙か黄表紙のようではないか。

同じ一八八六年に、二葉亭四迷が坪内逍遥とともにトゥルゲーネフの長編『父と子』を四分の一ほど訳している。発表されなかったが、『通俗虚無党気質』と題されていたことがわかっている。この作品には、古い価値観を否定する「ニヒリスト」が描かれており、二葉亭らはそれに「虚無党気質」という訳語をあててタイトルにしたのだから、作品の本質を理解したうえでの命名といえるだろうが、それにしても戯作の名残りをとどめていることは否めない。

これに対して、同じトゥルゲーネフでも『猟人日記』のなかの一編を二葉亭が訳した『あひびき』は、戯作調を脱して原題の意味を忠実にうつし、なおかつ柔らかい和語で平仮名にしてあるところが画期的だった。二葉亭は、ロシアの作家のなかでもトゥルゲーネフを最も多くとりあげて日本に翻訳紹介している。刊行されたものは全部で七編――『あひびき』、『めぐりあひ』、『片戀』、『うき草』、『夢かたり』、『猶太人』、『くされ縁』。このうち『あひびき』が、日本文学史上「言文一致」を促進するうえで重要な役割を果したことはよく知られている。題名ひとつとっても、この作品が近代翻訳の出発点に位置していることが察せられるのである。

二葉亭の翻訳論と「あひびき」

じつは、トゥルゲーネフの『初恋』を訳す機会があり、それをきっかけに二葉亭四迷のトゥルゲーネフ翻訳を調べているうち、私はすっかり二葉亭に惚れこんでしまった。

まず、自分自身のペンネームを「二葉亭」などといかにも江戸の戯作者風にしておきながら、成しとげたことは日本文学史に残るほど斬新だったという矛盾したところが面白い。また、もともとは軍人として「敵国」ロシアの言葉を習得しようと始めたロシア研究だったのに、しだいにロシア文学の魅力にとりつかれて文学者になってしまう、逆説的ないきさつも人間臭くていい。それに、有名な「余が翻訳の標準」(一九〇六年)は今でも充分通用する翻訳論だが、ここで自分なりの「標準」に至るまでに紆余曲折や失敗があったことを率直に認めているのもおおいに共感できる。

というわけで、このところ何かというと二葉亭の「余が翻訳の標準」を参照している。彼はこのなかで、トゥルゲーネフの作品を翻訳するときの心構えを次のように述べている。

例へばツルゲーネフが其の作をする時の心持は、非常に神聖なものであるから、これを翻訳するにも同様に神聖でなければならぬ。就ては、一字一句と雖《いへど》も、大切にせなければならぬやうに信じたのである。

翻訳家の鑑である。ロシア文学に対するこうした尊敬の念から、二葉亭は最初コンマやピリオドの数、語数まで原文と同じくして原文の「音調」を日本語に写さなければならないと考えて実践したが、結果は日本語として「ぎくしゃくして出来栄えが悪」く、世間の評判も悪かったという。そして「徒《いたづ》らにコンマやピリオド、又は其の他の形にばかり拘泥してゐてはいけない」、大事なのは作家ごとに異なる「詩想」つまり「文体」だという結論にたどりつくことになる。

二葉亭の『あひびき』は、一八八八年に初めて『國民之友』に発表されたときの版と、一八九六年に単行本『片戀』に収められた改訂版がある。私はこの両者の冒頭部分を詳しく比較してみたことがあるが、かなりの異同があり、わずか八年のあいだに、「詩想」を汲みとったうえでよ

りこなれた日本語らしい訳文になっていることがわかった。たとえば、

自分は座して、四顧して、そして耳を傾けてゐた。木の葉が頭上で幽かに戰いだが、その音を聞いたばかりでも季節は知られた。それは春先する、面白さうな、笑ふやうなさゞめきでもなく、夏のゆるかやかなそよぎでもなく、永たらしい話し聲でもなく、また末の秋のおど〳〵した、うそさぶさうなお饒舌《しゃべ》りでもなかツたが、只漸く聞取れるか聞取れぬ程のしめやかな私語の聲で有つた。そよ吹く風は忍ぶやうに木末を傳ツた。

(『國民之友』一八八八年、傍線、傍点引用者)

ここの最初の文は、原文と同じく「耳を傾けていた」で文が切れているが、単行本版では「耳を傾けていると、」と次の文につながっている。

自分は坐つて、四方を顧眄して、耳を傾けてゐると、つい頭の上で木の葉が微かに戰いでゐたが、それを聞いたばかりでも時節は知れた。春のは面白さうに笑ひさゞめくやうで、夏のは柔《やさ》しくそよ〳〵として、生温い話聲のやうで、秋の末となると、おど〳〵した薄寒《うそさむ》さうな音であるが、今はそれとは違って、漸く聞取れるか聞取れぬ程の、睡むさうな、私語《ささや》ぐやうな音である。力の無い風がそよ〳〵と木末を吹いて通る。

（単行本『片戀』一八九六年、下線、傍点引用者）

原文のピリオド（＝形）にこだわることなく、日本語のリズムの良さを優先したのだろう。同じ文で、前者・雑誌版の「四顧する」というところが、後者・単行本版では「四方を顧《み》まはす」と和語になっているのも見逃せない。これは、「通俗虚無党気質」から「あひびき」へと転換した方向性に対応しているのではなかろうか。

また、その次の文章が、雑誌版では原文と同じく、「それは春の～でもなく、夏の～でもなく、秋の～でもなく、～であった」という構造をそのまま日本語にしているのに対して、単行本版ではそうした文型をとらず、「春は～で、夏は～で、秋は～だが、今はそれとは違って～である」という、よりわかりやすい文に変えられている。

もう一つの大きな変化は、傍点を付した箇所である。雑誌版では「であつた」「伝つた」と原文同様、過去形が用いられているのに対し、単行本版では「である」「通る」と現在形になっている。この点は、柳瀬尚紀氏も「あひびき」の別の箇所を比較して、過去形よりも現在形が多用されていることを指摘し、過去形という「形」への「拘泥」から「脱却したのが改訳版の現在形の採用である」（『翻訳はいかにすべきか』岩波新書）と述べている。

「死んでもいいわ……」

さらに面白いのは二葉亭の『片戀』である。これはトゥルゲーネフの中編『アーシャ』を翻訳したものだが、なかに語り手の男がアーシャに愛を告白されるところがある。ふたりきりになり、アーシャの頭が語り手の胸に押しつけられる――まさにクライマックスである。このときアーシャが、直訳すると「(私は)あなたのものよ……」という意味のことを言うのだが、これを二葉亭は「死んでもいいわ……」と訳しているのである。

かなり大胆な訳なので驚いた。考えてみると、『片戀』はちょうど「あひびき」が改訳された年と同じ一八九六年に発表されている。さきほど見たように、二葉亭はこのころにはもうロシア語原文の形式よりも訳文の日本語らしさに「標準」の比重を移していた。それで、こうした思いきった「意訳」を試みたのかもしれない。

もっとも、ここには別の問題が浮かびあがってくる。ロシアあるいはヨーロッパにおいて、恋愛のもっとも大事な場面で生を否定する言葉を口にすることがあるだろうか、このような「死の美学」はきわめて日本的なのではないか、ということである。下手をすると、心中ものの称揚された江戸文学の世界観に後退してしまう可能性もある。戯作調を脱したはずの二葉亭が言葉や文章の日本語らしさを追求しているうちに、恋愛のコンテクストまで日本的にしてしまったのだとすると、これもまた逆説的な成り行きと言わざるを得ない。

もしかしたら、二葉亭はこの語り手と同じような状況に陥ったことがあり、実際に「死んでもいいわ……」と言われたことがあったのかもしれない。その経験を踏まえて、訳文に仕立てたのではあるまいか。二葉亭に恋している身としては、このあたりが少々気になるところである。

ロシアの「物くさ太郎」?　ゴンチャロフ『オブローモフ』

イリヤ・オブローモフは愛すべき誠実な人間なのか、それともただの「ぐうたら」なのか。下手をすると手のつけられない怠け者に見えてしまうこの主人公について、作者は周到にも冒頭でこんなふうにことわっている。表面的な観察しかできない人にはオブローモフは愚かな人間にしか見えないかもしれないけれど、人間の本質を見抜くことのできる人ならオブローモフの善良さに共鳴するはずですよ、と。つまりオブローモフは、読者の人間性が写しだされる鏡のような存在だというわけである。

作者とは、イワン・ゴンチャロフ（一八一二―九一）。ドストエフスキーより九歳年上にあたる一九世紀ロシアの作家で、代表作が『オブローモフ』（一八五九年）である。じつは「偏愛」して何度も読んでいる作品というわけではないのだが、『ロシア文学の食卓』（NHK出版、二〇〇九年）という本を書くにあたって再読し、こんなに面白い小説だったのかと認識を新たにした。

それにしても、オブローモフの怠惰なことといったら、すさまじい。なにしろ家にいるときはほとんどベッドで横になっている。近くにあるハンカチを取るのすら下僕のザハールにやらせようとする。朝起きてから顔を洗うといっておきながらなかなか洗わないので、読んでいてまどろっこしいことこの上ない。もちろん家政を取り仕切るなどという面倒な仕事はとことん苦手としている。人一倍熱心に取り組むのは食べることだけである。

オブローモフはたいがいごろごろ寝ているか食事をしているかのどちらかなのだが、そんなオブローモフを、幼なじみのアンドレイ・シュトルツがなんとかして怠慢の底なし沼から引きずりあげようと試みる。シュトルツは、オブローモフとは正反対の行動的な男で、オリガという女性をオブローモフに紹介する。聡明でやさしくて現実的なオリガは、オブローモフをなまくらな夢想家からしゃきっとした実務家に変えるのが自分の使命だと考える。

オブローモフはたちまちオリガに恋をし、オリガもオブローモフに心を寄せる。ところが、せっかくうまくいきかけた恋愛も、面倒くさがりの性格が災いして、オブローモフが自らご破算にしてしまう。そして、結局また元のぐうたらな生活に逆戻りしてしまうのである。

＊　＊　＊

こういう怠け者の主人公の話、どこかで聞いたことはないだろうか。そう、日本の御伽草子に『物くさ太郎』というのがある。この二つの作品を比べてみると、設定や物語の進行において思いのほか共通点が多いので面白い。

物くさ太郎は最初、まったく働かずに寝てばかりいて、垢やシラミだらけの汚い体をしている。オブローモフも寝てばかりで、部屋は埃まみれで蜘蛛の巣が張っている。物くさ太郎は餅を落としても面倒なので拾いもせず、だれかに拾ってもらおうとする。オブローモフもハンカチさえ自分で取ろうとしない、それどころか幼い頃から靴下すら自分で履いたことがない。貴族だからである。驚くなかれ、物くさ太郎も由緒正しい貴族であることが、物語の最後のほうで明らかにされる。

また、物くさ太郎は美しい女房を嫁にしようとする。オブローモフも、一時《いっとき》はオリガとの結婚を真剣に考える。その過程で物くさ太郎は詩の才能を発揮するが、オブローモフもなかなか文才があって、オリガに立派な手紙を書くのである。

でも、共通しているのはこのあたりまでで、その後の物語の展開はかけ離れている。物くさ太郎は女房と一緒になるために努力を惜しまず、ついには思いが叶って結ばれる上、帝の覚えもめでたく、やがてやんごとなき血筋だということが判明する。恋にかけては猪突猛進、もうまったく怠け者とは呼べない。物くさ太郎というキャラクターは、社会階層を駆けのぼりたいという室町時代の庶民の出世願望が生みだした「夢の体現者」なのだろう。

これに対してロシアの近代小説である『オブローモフ』では、主人公の圧倒的な無気力を前にして、恋愛は為す術もなく崩れてしまう。このようなオブローモフの性向を、ゴンチャロフ自身がわざわざ作中で「オブローモフシチナ（オブローモフ気質）」と名づけているくらいだ。

ロシア文学の文脈に置いてみれば、オブローモフはプーシキンの『エヴゲーニイ・オネーギン』以来、連綿と続く「余計者」の系譜に属する典型的な主人公ということになる。能力も充分あり教育も受けていながら、社会にとって有益なことが何もできない根無し草のような存在を指す。だから、オブローモフシチナとは一九世紀ロシアの知識人の精神を象徴するものであるともいえるだろう。

＊　＊　＊

でも、そういった文学史的な見方はさておき、私がもう一つ気づいた『オブローモフ』と日本文学との不思議な対応をご紹介したい。前述の拙著『ロシア文学の食卓』で、谷崎潤一郎の『細雪』を取りあげた。『細雪』はもちろんロシア文学ではないが（！）、キリレンコという亡命ロシア人家族が主人公たちを食事に招く場面があり、「食通作家」谷崎はその様子をかなり詳しく描いている。さらにシュトルツというドイツ人の家族も登場し、ロシア人とドイツ人は対照的な役割を割り振られている。ロシア人一家は大食で物事にあまり頓着しないのに対し、ドイツ人一家は非常に几帳面で実務的である。

いっぽう『オブローモフ』でも、美食家でのらくら者のオブローモフと、親友で実務家のシュトルツが好対照をなしており、シュトルツはドイツ系とされているのである。ご覧のとおり、両作品ともドイツ人に「シュトルツ」という同じ苗字が与えられている！　単なる偶然だろうか。ロシア人とドイツ人のステレオタイプといってしまえばそれまでだが、あまりによく符号してはいないか。ひょっとして、谷崎は『オブローモフ』を愛読していたのではなかろうか。

というわけで、今のところ私の勝手な思いこみにすぎないのだが、意外なところに仲間のオブローモフ・ファンを見つけたような気になっているのである。

縫りあわされた糸　ドストエフスキーへのオマージュ

伝説の生成

ドストエフスキーの生涯を題材にしたレオニード・ツィプキン（一九二六―八二）の小説『バーデン・バーデンの夏』について語るなら、やはり「発見」のいきさつから始めるべきだろう。作品の存在自体も充分に伝説的だけれど、その価値が広く知られるようになったきっかけも今や伝説と化しており、読者の興味をそそらずにはおかないはずだから。

何年のことなのか定かではないが、たぶん一九九一年前後だろう、スーザン・ソンタグが、ロンドンはチェアリング・クロス・ロードにある書店の外に出してあった古本の山を漁っているうち、たまたま一冊の本に出会った。それは、名も知れぬロシア人によって書かれ英訳されたもので、ドストエフスキーを主人公にしたユニークな文学作品だった。すっかり惚れこみ、その素晴らしさを確信したソンタグは作者ツィプキンについて調べ、アメリカに住んでいる息子夫婦を探しだして話を聞いた。やがて二〇〇一年、『ニューヨーカー』誌に紹介の記事を発表し、作者の生涯を紹介するとともに、『バーデン・バーデンの夏』というタイトルのこの掘り出し物を（以下『バーデン』と略す）「世紀の文学の名にふさわしい、きわめて美しく崇高で独創的な作品」と絶賛することになる。

そして同年、この紹介を序文とした英訳が新たに刊行されるや、『バーデン』は「忘れられた傑作」「最近五〇年間にアメリカで出版された最も知られざる天才的な作品」として英語圏でセンセーションを巻き起こしたのだった。ソンタグに発見されなければ、この作品はロンドンの古本にまぎれてひっそりと埋もれたまま、永遠に忘れ去られていたかもしれない。

そもそも『バーデン』は、ソ連末期の「停滞」時代にロシア語で書かれたが（一九七七―八二）、ソ連国内では日の目を見ることができず、ニューヨークの亡命ロシア語新聞『ノーヴァヤ・ガゼータ』に、何回かに分けて掲載された。冒頭部分がこの週刊新聞に載ったのが一九八二年三月一三日。ツィプキンにとって、生まれて初めて自分の小説が活字になった瞬間だった。彼はすぐれた病理解剖学者で、学術論文こそ多数刊行していたが、文学作品を公式の場で発表する機会には恵まれなかった。また、第二の道として地下出版（サミズダート）と関わりを持つということも、いっさい考えなかったという。

しかし一九七七年に一人息子のミハイルがアメリカに亡命し、そのことが原因で勤めていた研究所を追われたツィプキンは、いくどとなく亡命の申請を当局に拒絶され、失意のうちに『バーデン』を完成させると、この作品を西側で世に問うべく第三の道、つまり国外出版（タミズダート）を模索するようになった。ところが、ようやくそれが実現した一週間後の一九八二年三月二〇日、五六歳の誕生日に、あろうことかツィプキンは心臓発作で亡くなった。『バーデン』が亡命新聞の紙面を飾ったことをミハイルが父に電話で伝えられたのがせめてもの幸いだが、あまりにも悲しくやるせない最後の誕生日プレゼントになってしまった。

そして『バーデン』は、亡命詩人ヨシフ・ブロツキーに「第一級の散文作品」と称され、英語とドイツ語に翻訳されはしたものの、ソンタグに発掘されるまで、ほとんど注目を浴びることはなかったのである。

内容と文体の独創性

でも『バーデン』をめぐる伝説については、このくらいにしておこう。ツィプキンを「ソ連最後の殉教者作家」にまつりあげようというつもりはさらさらないし、ツィプキンとてそんなことは望んでいないにちがいない。大事なのは、『バーデン』そのものの文学的価値であり、どのような特徴を持っているかということ、ドストエフスキーとどのように関わっているかということなのだから。

なんといっても、この小説の独創性は、二つの異なる物語が絡みあい、縒りあわさっている点にある。一つ目の物語は、一八六七年ドストエフスキーが新妻アンナを伴ってペテルブルグを出発し、ドレスデンやバーデン・バーデンで過ごした一夏の様子を再現したものである。二人でレストランや美術館に行ったり、気むずかしいドストエフスキーが些細なことで怒ったり、発作を起こしたり、賭博にのめりこんではなけなしの金を使ってしまったりという細々した生活風景が描かれているが、これは、アンナ夫人が詳細につけていた日記や回想記をもとに、作者／語り手が想像を交えて再構築したもので、虚実が渾然となっている。

もう一つは、一九六〇―七〇年代と思しき冬の二月、『アンナ・ドストエフスカヤの日記』（邦訳は『ドストエーフスキイ夫人　アンナの日記』木下豊房訳、河出書房新社）を携えてモスクワから列車でレニングラードに行く語り手「私」の物語である。ここには、車内や途中駅の様子、車窓の景色が描かれ、その合間にドストエフスキーや彼の生みだした登場人物たちについての思索が織りこまれている（ちなみに、ドストエフスキーの時代に「ペテルブルグ」と呼ばれていた町は、革命後「レニングラード」となり、ソ連崩壊後ふたたび「ペテルブルグ」と改名された）。

このように、ほぼ一世紀という時間を隔てた、ドストエフスキー夫妻による夏のヨーロッパ旅行と「私」自身による冬のロシア旅行が、アンナの日記と語り手の空想を介して重ねあわされているのである。一九世紀（過去）の夏と二〇世紀（現代）の冬を対置させているのは、一八六三年にドストエフスキーが初めてヨーロッパを旅したときの印象を書きとめた紀行文『夏象冬記（冬に記す夏の印象）』を意識してのことかもしれない。が、それはともかく、やがてレニングラードに着いた語り手は、ドストエフスキーが最晩年を過ごしたアパートを訪れる。そして最後に二つの物語は一八八一年のドストエフスキーの死の場面に収斂して、見事一つに溶けあう。

　こうした内容を支える文体がまた独特で、高度に芸術的だ。二つの物語は明確な区切りもなく交互に現れ、異様に長い文章で綴られている。正味一七〇ページ以上ある中編小説だが、段落はたった一一しかなく、句点も極端に少ない。いくつものダッシュ（——）でつながれた文が何ページも何ページも続くので、読者は句点に出会うと、果てしない大雪原を息もつかずに歩いてきて、雪のなかにふと落とし物を見つけたような錯覚に陥るかもしれない。『ロサンジェルス・タイムズ』紙に『バーデン』の紹介を書いたアメリカのロシア文学者ドナルド・ファンガーは、いつのまにか一方の物語からもう一方の物語へ、あるいはその逆へと移る語りについて「メビウスの帯に沿って旅しているような感覚を与える」と表現している。

　少し長くなるが、その「感覚」を次の引用で味わっていただこう。語り手はドストエフスキーのことを、アンナの日記にしたがって、愛称で「フェージャ」と呼んでいる。


フェージャのほうはもうかなりの年で、背が低く足が短いので、椅子から立ち上がったらアンナよりほんのわずかに大きいだけにちがいないが、いかにもロシアの平民らしい顔をしており、どう見ても写真を撮られることや熱心に祈ることが好きそうだ。それにしても、いったいなんのために私はあれほど慄きながら（こういう言葉を使うのも私は厭わない）『アンナの日記』を手に製本屋を探してモスクワ中を駆けずりまわり、電車の中で古びた本のページを夢中でめくって前に読んだと思うところを必死になって目で追い、それからずっしり重くなった本を製本屋で受けとって自分の机の上に置き、聖書のように昼も夜も後生大事に机に飾っているのだろう？　そもそも、どうして今ペテルブルグに向かっているのだろう——そう、足の短い小男が（とはいえ、おそらく一九世紀の大部分の人がそうだったのだろうけれど）教会守か退役兵士のような顔をして通りを歩いていたあの町に私はいま向かっている、今のレニングラードではなくあのペテルブルグに向かっている、それはなぜなのだろう？　何のためにこの本を今、車中で読んでいるのだろう？　車内のランプは頼りなくゆらめき、列車の速度やディーゼルエンジンの調子に左右されて明るくなったり消え入りそうになったりしているし、デッキのドアはしょっちゅう開いたり閉まったりして、タバコを吸う人、吸わない人、コップを手にした人、子供に何か飲ませようとしたり、果物を洗ったり、トイレに行く人が出入りし、トイレのドアもデッキのドアと交互にバタンバタン開いたり閉まったり、そんなふうにドアの音やノックの音がする中、しかも横揺れでしょっちゅう本が飛んでいきそうになる中、石炭と蒸気機関車の匂いを吸いこんでいるわけだが、蒸気機関車なんてとっくの昔からもうどこにもないはずなのに、なぜだか匂いだけが残っている。夫妻は、背の高い痩せぎすのマダム・ツィムマーマンに部屋を借りて住みはじめるが、その前、ドレスデンに到着した当日には、町の中心にある広場に面したホテルに泊まることにして、とるものもとりあえず美術館に出かけた——いつだったたか、モスクワのプーシキン美術館の前に長い行列ができたことがあったが、それは美術館のどこか階段の踊り場に展示されたラファエロの「聖シストの聖母」が目当ての行列で、数人ずつしか中に入れてもらえず、しかも絵の脇には警官が立っていて——

驚くべきユニークな文体である。語り手の内的論理にしたがって繰りだされる「意識の流れ」と言ってもいいかもしれない。

頻出するダッシュは、まるで二つの物語を一本にまとめるために引かれているかのように、断続的にテクストを貫通している（はたして作者がダッシュの視覚的効果を考えなかったと言いきれるだろうか）。一方で、すさまじいまでの賭博熱から這いだせず、収容所の冷血な少佐の幻影に怯えるドストエフスキー。他方で、切実な問題を胸に抱え、どうあがいても答えが見いだせないもどかしさに深く傷ついている語り手。共通しているのは、二人がともに、執拗な妄念《オブセッション》に囚われているということだ。二つの物語は、妄念を媒介にして一本の糸に縒りあわされているのである。

報われない愛

では、語り手がとりつかれていたその切実な問題とは何か。

それは、他人の苦しみに敏感で、侮辱された人々を熱心に擁護したドストエフスキーがいったいなぜユダヤ人に対しては差別的、嘲笑的な態度をとりつづけたのかということ、つまりドストエフスキーの反ユダヤ主義に対する疑義である。実際、フランスのロシア文学者ダヴィド・ゴルドシュテインがつまびらかにしているように、ドストエフスキーはユダヤ人に対して相当な偏見を抱いていた。たとえば一八七七年三月の『作家の日記』では、ドストエフスキーの反ユダヤ的傾向を批判してきた手紙に反駁して、彼は「ユダヤ問題」についての自説を展開しているが、それによると、ユダヤ人は金貸し業でロシア人や他の民族を搾取する貪欲な民族だということになる。ドストエフスキーは、「個人の物質的保証を追求する盲目的で貪婪な渇望、あらゆる手段を行使して自分のためにお金銭をたくわえようとする渇望」(『作家の日記4』小沼文彦訳、ちくま学芸文庫)がキリスト教的理念に代わってヨーロッパを支配するようになったのは、ユダヤ人の影響にちがいないと断罪してもいる。

中村健之介氏は、著書『永遠のドストエフスキー』(中公新書)の一章をこの問題の考察に充て、「明らかにユダヤ人は、『友愛の世界』の理想にあこがれる空想家ドストエフスキーによって濡れ衣を着せられたのである」と結論づけている。そしてドストエフスキーが「人類みな兄弟と唱えながら、異者共生感覚をたしかに具えながら、湧きやまない妄想にかられてユダヤ人を罵倒するその自分に矛盾を感じない」ことを指摘している。まことにドストエフスキーとは、大いなる謎と矛盾に満ちた存在だったようだ。

こののっぴきならぬ問題が、ユダヤ人であるツィプキンを駆りたて、『バーデン』という作品を書かせたのである。テクストのそこかしこに、ドストエフスキーの偏見を憂える苦悩が染みこんでいるかのようだが、最後のほうで、ついに語り手は悲痛な叫び声をあげる。

——本当にいったい私はここで何をしていたというのだろう？——どうして私は、これほどどうしようもなくあの男の生涯に惹きつけられ引き寄せられるのだろう、私や私の同朋たちを軽蔑していた男なのに

作者／語り手は、ドストエフスキーの反ユダヤ的な言説を知り尽くしていながら、それでもドストエフスキーに惹きつけられてしまう。ドストエフスキーを愛することから逃れられないのだ。

永遠に報われないドストエフスキーへの愛、これが『バーデン』のテーマである。だから、ソンタグの序文のタイトルが「ドストエフスキーを愛するということ」となっているのも不思議ではない。ユダヤ人は、反ユダヤ主義者ドストエフスキーをなぜ愛することができるのか。自身もユダヤ人であるソンタグはいう。「ユダヤ人が偉大なロシア文学を熱愛しているからだとしか説明のしようがない」、「ドストエフスキーを愛するということは、文学を愛するということを意味する」のだから、と。

そうであれば、『バーデン』が『アンナの日記』を拠りどころにしている理由も、おのずと明らかになってくる。いったいどのようにしてアンナは無償の愛を夫に捧げていたのか。速記者だったアンナが、自分にしかわからない速記法を用いてだれに読まれる心配もなく記したこのヨーロッパ旅行の記録のなかに、ツィプキンはその答えを見つけようとしたのだろう。

『アンナの日記』を読んでいると、生身のドストエフスキーは気分の浮き沈みの激しく口うるさい自分勝手な男だったことが伝わってくる。妻はつわりで体調がすぐれず、旅費も潤沢にあるわけではなく、将来の生活も不安だというのに、ルーレットに金を注ぎこみ、妻の前にひざまずいて赦しを乞い、また金をもらっては賭博場に行ってしまう。そして、運に振りまわされ至福と絶望のあいだを激しく往復しては、まるで自らを罰するかのようにてんかんの発作に苦しむ。日記から浮かびあがるのは、神聖な作家の姿ではなく、プライドをもてあまし猜疑心や劣等感にさいなまれる、いかにも人間くさいひとりの男の姿である。アンナはこういう男を愛し、文句ひとつ言わずに金を渡したのである。怒鳴りつけられても馬鹿にされても、夫に対するかぎりなく寛大な愛を捨てることはなかった。夫の才能を信じていたからでもあろう。

ツィプキンは自分自身をアンナに重ね、アンナの目を通して「愛しいフェージャ」の本当の姿を蘇らせようとした。そうすることで、いかにフェージャの人間性が矛盾にまみれていようと揺るがない、ドストエフスキー（文学）への絶対の愛を確認したのではないだろうか。

ドストエフスキーを主人公にした三つの小説

最後に、ドストエフスキーを主人公にした小説をもう二編あげておこう。

一つはロシアの著名なドストエフスキー研究者レオニード・グロスマンによる『ルーレテンブルグ』（邦訳は『ドストエフスキーの一日――ルーレテンブルグ』原卓也訳、講談社）、もう一つは南アフリカの作家ジョン・マックスウェル・クッツェーの『ペテルブルグの文豪』（本橋たまき訳、平凡社）である。この両者の間に『バーデン』を置いて並べると、ひじょうに面白い。

①グロスマン『ルーレテンブルグ』（一九三二年）
②ツィプキン『バーデン・バーデンの夏』（一九八二年）
③クッツェー『ペテルブルグの文豪』（一九九四年）

①は、一八六五年にドストエフスキーがヴィスバーデンで過ごした一日に焦点をあて、それまでの人生を振りかえる形でなぞった伝記小説である。父の殺害、逮捕と処刑の突然の中止、最初の妻マーシャ、恋人アポリナーリヤ、賭博といった伝記的事実がかなり忠実に再現されている。さまざまな出来事と感情を一昼夜のうちに思いだしたドストエフスキーが、『罪と罰』の執筆に取りかかるべく気持ちを高ぶらせるところで、この作品は終わっている。「ルーレテンブルグ」というのは、ドストエフスキーが当初、自分の中編『賭博者』につけようと考えていた題名で、

「ルーレットの町」ヴィスバーデンのこととされる。

②は、すでに紹介したとおり、一八六七年夏のドストエフスキーと新妻アンナのヨーロッパでの生活と、ソ連時代に生きる語り手のドストエフスキーへの思いを重ねあわせた作品。

③は、英語で書かれたものだが、一八六九年にドストエフスキーが義理の息子パーヴェルの死を知らされてドレスデンからペテルブルグに舞い戻り、ネチャーエフ事件に巻きこまれたらしい息子の死の真相を探ろうとする物語である。実際には、この年ドストエフスキーはロシアに帰っていないし、義理の息子も亡くなっていない。つまり背景となる時代や設定は史実にもとづいているが、物語自体はまったくの虚構である。クッツェーは、自分自身が息子を亡くした経験とその耐えがたい悲しみを、ドストエフスキーの生涯の一場面にあてはめて語り直しているのかもしれない。しかし自殺したと思っていた息子は、警察に殺されたのか革命家に殺されたのかもわからず、「真実」はすべて意図的に曖昧にされている。

作者はそれぞれ、ドストエフスキーの専門家、病理学者、南アフリカの作家とまちまちだが、舞台となる小説内現在は奇しくも、①、②、③の順に二年ずつ進んでいる（一八六五年、一八六七年、一八六九年）。また、いずれの作品にもタイトルに地名が入っているのも興味深い（ルーレテンブルグ、バーデン・バーデン、ペテルブルグ）。単なる偶然かもしれないが、充実した作家活動に乗りだす直前、ヨーロッパを彷徨していた一八六〇年代のドストエフスキーに創造の活力の秘密を探ろうというのか、三人の作家的な関心が集中したといえるだろう。

①から②へ、そして③へと進むにつれて伝記的事実の度合いが減って、虚構性が高まっている。よけいな空想は持ち込まず、あくまでも学者らしい謹厳な姿勢を貫いている評伝『ルーレテンブルグ』と、小説の枠組みだけドストエフスキーの伝記から取りだし、自由な発想と想像力を駆使して現代的な感覚を盛りこんだ『ペテルブルグの文豪』。その中間に位置するツィプキンの作品は、あらためて考えてみると、伝記的リアリズム小説ともパロディ的ポストモダン小説ともいえず、どのジャンルに属するとも規定しにくい個性できわだっている。

ただ、これだけは疑うべくもないだろう——『バーデン・バーデンの夏』が、現代ロシア文学のなかでも抜きんでた「きわめて美しく崇高で独創的な」ドストエフスキーへのオマージュだということは。

強烈な風刺と賑やかなユーモア　ミハイル・ブルガーコフ『ブルガーコフ戯曲集』

ミハイル・ブルガーコフ（一八九一―一九四〇）といえば、日本では『巨匠とマルガリータ』『悪魔物語』『犬の心臓』といった幻想小説で知られるロシア語作家だが、今回（二〇一四年）「日露演劇会議叢書」の一環として翻訳されたのは、劇作家としてのブルガーコフの魅力をあますところなく伝える画期的な戯曲集である。

全二巻から成るこの『ブルガーコフ戯曲集』に収められているのは、一九二〇年代後半から一九三〇年代前半にかけて書かれた四編。つまりソ連社会が全体主義の方向に大きく旋回していく時代に、ブルガーコフが検閲と闘いながら書いた作品である。小説は発表できず、芝居は上演禁止にされ、当局にさんざん迫害され……と聞くと、「悲劇の作家」の暗くて深刻な作品をイメージしてしまいがちだが、あに図らんや、ここに収録された戯曲はいずれも強烈な風刺と賑やかなユーモアに満ち、激変するロシア社会の様相を反映させつつも、驚くほど現代的な想像力に支えられており、さらには物語が息を呑むほどにスピーディな展開を見せるため、一瞬たりとも読者を飽きさせることがない。こうしたゴーゴリ譲りの「ドタバタ喜劇」性と現代に通じる普遍性を併せ持っているところがブルガーコフ作品の類まれな特長であり、圧倒的な人気の要因でもある。

『ゾーヤ・ペーリツのアパート』（秋月準也訳）では、フランスへの亡命を夢見るゾーヤの運営する高級洋裁店が夜になると、娼館まがいの怪しげな場所に一変する。新経済政策《ネップ》が実施され成金がのさばっていた一九二〇年代の現実を背景に、欲望が渦巻き、利害がぶつかり合い、やがて破局が訪れる。

『赤紫の島』（大森雅子訳）は、大きな比重を占める劇中劇を含んだ実験的なメタ戯曲で、上演許可を得るため検閲官に芝居を見せるという設定そのものが痛烈な検閲批判となっている。ブルガーコフ畢生の大作『巨匠とマルガリータ』の読者なら、『赤紫の島』が戯曲についての戯曲である点や、登場人物の一人である「作家」の書いた戯曲の内容が劇中劇である点などが、この長編と通底していることに容易に気づくだろう。『巨匠とマルガリータ』にも、「巨匠＝作家」の書いた小説が批評家たちにこっぴどく批判されるというメタ小説的要素があるし、その小説の内容が劇中劇のように披露されるからだ。

また、「太陽ガス」の攻撃によって壊滅させられた町にたった数名の人間が生き残るという黙示録的な物語『アダムとイヴ』（大森雅子訳）でも、タイムマシンの誤作動で二三世紀の未来モスクワに行ってしまうというＳＦ作品『至福』（佐藤貴之訳）でも、誠実で頼りない科学者の形象が

「巨匠」の姿と重なり、それぞれの科学者を支える恋人役の魅惑的で気丈な女性が「マルガリータ」を彷彿させる。『巨匠とマルガリータ』では、二つの時空間（現代のモスクワと古代エルサレム）を行き来することになるわけだが、ひょっとするとこれは読者のためのタイムマシンだったのではないかとさえ思えてくる。

他にもこれらの戯曲には『巨匠とマルガリータ』に連なるさまざまなモチーフを見出すことができるが、必ずしもそのような読み方をする必要はないだろう。それぞれに独立して充分に個性的な魅力を放つ四編は、笑劇《ファルス》と叙情の絶妙なカクテルのごとく読者を酔わせるに違いない。

なお、各作品の最後には、三人の訳者による力のこもった「解題」が付されている。監訳者である村田真一氏の「あとがき」と合わせ、劇作家としてのブルガーコフの位置づけ、収録作品の成り立ち、あらすじ、上演の有無、宗教等の重要なモチーフ、ザミャーチンやA・K・トルストイらの作品との比較等々、至れり尽くせりの詳細な解説は、日本のブルガーコフ研究の水準の高さを物語っていると言えよう。本書に収録された作品が実際の芝居として、日本で上演されることを祈りたい。

渇望から祈りへ　三角形の力学

チェーホフの『三人姉妹』は、三女イリーナの「名の日」と呼ばれる祝いの場面で幕を開ける。ロシアでは、この行事は一七世紀に始まったが、ロシア革命後しだいに廃れ、現代ではほとんど姿を消してしまった。しかし今でもロシア正教会の聖者暦には、一月一日から一二月三一日まで、どの日にも聖人の名が記されており、その日の守護聖人であるとされている。チェーホフがこの作品を書いた一九〇〇年当時、信者は自分と同じ名前の聖人の記念日を自分の「名の日」として、誕生日よりも盛大に祝っていた。

イリーナという聖者の日は年に数回ある。このような場合、イリーナという名を持つ人は、自分の誕生日のすぐ後に来る「イリーナの日」を自分の「名の日」とすることになっていた。つまり『三人姉妹』のイリーナは、殉教者イリーナの日（四月一六日）の翌日から大殉教者イリーナの日（五月五日）までの間に生まれたということになる。

話は少しさかのぼるが、ロシアの国民詩人プーシキンの代表作といえば、チャイコフスキーがオペラ化したので有名な韻文小説『エヴゲーニイ・オネーギン』（一八二五―三二年執筆）だ。この作品でも、重要な場面がやはりヒロインの「名の日」の祝いである。こちらは三人姉妹ならぬ二人姉妹だが、姉タチヤーナの「名の日」の祝いの席で、妹オーリガの婚約者にオネーギンが決闘を申し込み、自分の友人でもあるその婚約者を撃ち殺してしまう。細部はもちろん異なるものの、「名の日」の華やいだ祝祭的な様相から決闘という悲劇的状況に転ずるドラマティックな展開を、チェーホフは先達のプーシキンから引き継いだのではないかと思う。

もっとも、チェーホフの『三人姉妹』のほうが人間関係はよほど複雑だし、物語の展開も「祝祭から悲劇へ」というより、むしろ「渇望から喪失を経て祈りへ」といったほうがふさわしいかもしれない。登場人物（今回、登場しない人も含む）を整理すると次ページの図のようになり、この芝居が三姉妹の三角形と五つの三角関係、つまり合計六つの三角形から成り立っていることがわかる。愛し愛されるという安定的な二極間の人間関係を脅かす五つの三角形が姉妹のまわりを飛び交いつつ、それなりの均衡を保っているわけだが、やがてマーシャの三角形とイリーナの三角形が同時に崩れたとき危うかった均衡が破られ、三姉妹の三角形だけが残って物語は終息する。

三人は性格も価値観も異なり三者三様だが、モスクワへ戻りたいという同じ夢を共有している。「モスクワ」とは現実の地名であると同時に、「愛に満ちた崇高な生」を表すシンボリックな比喩としても作用しており、その「モスクワ」への渇望はほとんど生理的なものにまで昇華しているように感じられる。

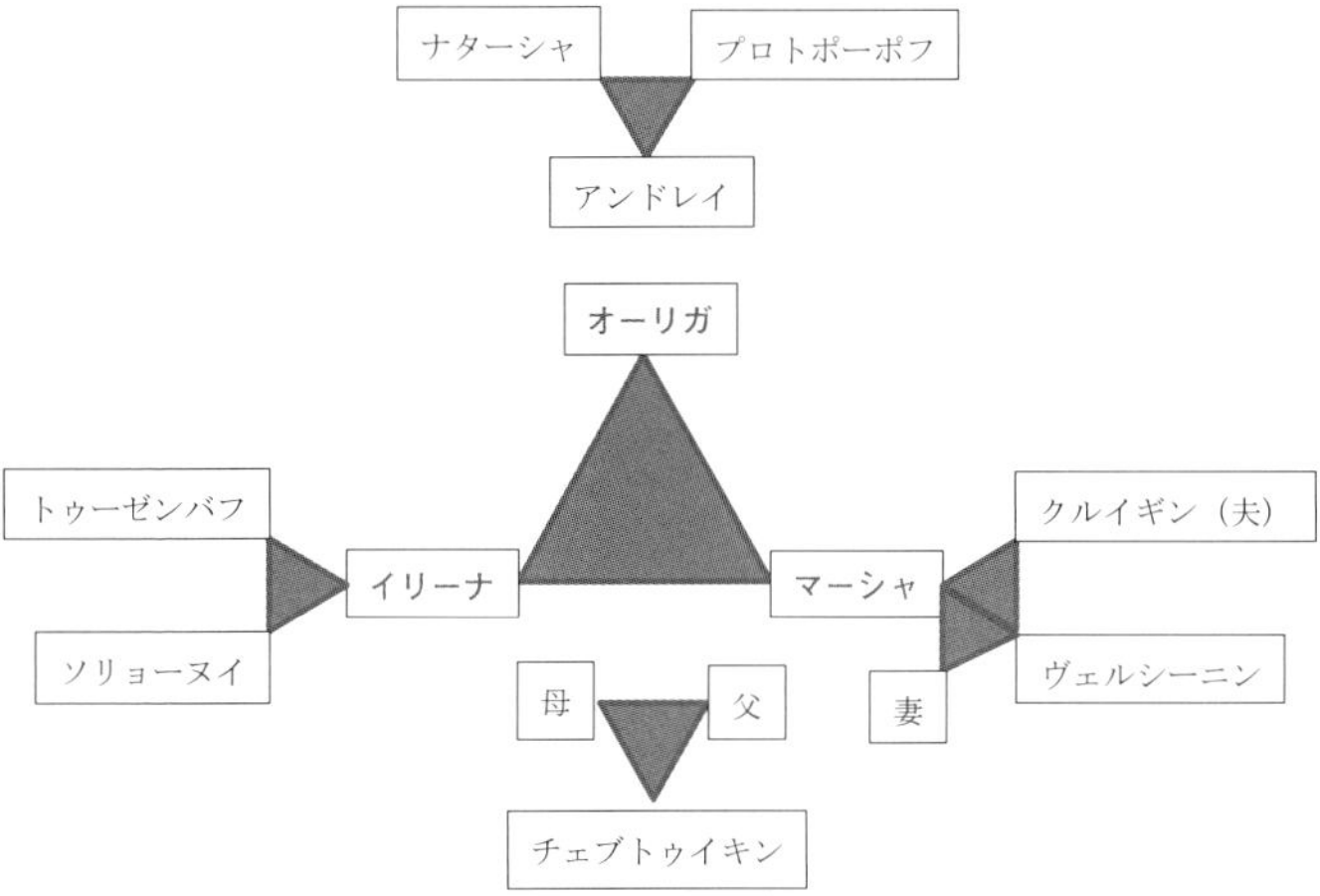
ナターシャ
プロトポーポフ
アンドレイ
オーリガ
トゥーゼンバフ
イリーナ
マーシャ
クルイギン（夫）
ソリョーヌイ
ヴェルシーニン
母
父
妻
チェブトゥイキン
『三人姉妹』の関係図

渇望のモチーフは、サモワールという具体的な形でも示されている。サモワールとは、一八世紀以来ロシアで愛されてきた独特の形態を持つ湯沸かし器のことだが、単にお湯を沸かし紅茶ポットを温めておくだけの調理器具ではなく、家族が集まるときの必需品であり、家庭の団欒・憩い・癒しを象徴するものとしての機能を伝統的に担ってきた。『三人姉妹』では「名の日」のプレゼントとして銀のサモワールがもたらされるが、家庭の幸せに恵まれないことをおぼろげに自覚している姉妹はこれに思わず拒否反応を示してしまう。また、マーシャとの愛に癒しを求めようとしたヴェルシーニンがお茶を飲みたいと切望しながら最後まで飲むことができず妻の元へ戻っていくことも、これから決闘に向かうというトゥーゼンバフがコーヒーを淹れておいてほしいと頼むことも、叶えられない「喉の渇き」=「愛への渇望」を表しているといえよう。

オーリガ、マーシャ、イリーナの形象は、チェーホフの他の作品にさまざまなヴァリエーションを見出すことができるが、同時にギリシャで殉教した三姉妹ヴェーラ、ナジェージダ、リュボーフィをも想起させる。紀元二世紀、過酷な拷問にかけられて命を落とした幼い三人の受難者=聖者である。

結婚に憧れながらも仕事を続ける決意をする孤独で真面目な長女オーリガは、『ワーニャ伯父さん』（一八九九年）のソーニャ像を発展させたものだ。その証拠に、ソーニャが最後にワーニャ伯父さんに語りかける言葉と、『三人姉妹』の最後にオーリガが発する言葉はまったく同じ「生きていきましょう（Будем жить）」である。オーリガはいつか苦しみを乗り越えて「生きる意味」のわかる日がくることを信じ、耐えることを自分に課す。「信じること」を意味するロシア語は Вера（ヴェーラ）である。

仕事に生き甲斐を求め、挫折しそうになる三女イリーナは『かもめ』（一八九六年）のヒロイン、ニーナの姿を彷彿させる。白い服を身にまとっているイリーナは自ら「白い鳥」に言及しており、明らかにニーナの「私はかもめ」という言葉と響き交わしている。それでもイリーナは希望を捨てず、人のために働くことを誓う。「希望」をあらわすロシア語は Надежда（ナジェージダ）。

そして、「海辺のほとりに並び立つ樫の木……」とプーシキンの恋愛物語詩『ルスランとリュドミラ』の一節を何度も口ずさむ次女マーシャは、報われない愛に苦しんでいる点で、名前も同じ『かもめ』の登場人物マーシャと相通じるところがある。『三人姉妹』のマーシャはシニカルで情熱的でメランコリックでもあり、絶望のなかにあってなお愛を求めている。「愛」はロシア語で Любовь（リュボーフィ）である。

新約聖書「コリントの信徒への手紙」には、「信仰と希望と愛。この三つはいつまでも残る。その中でも最も大いなるものは愛である」というくだりがある。オーリガ・イリーナ・マーシャの三姉妹が神々しいのは、信（ヴェーラ）・希望（ナジェージダ）・愛（リュボーフィ）という三殉教者の魂を体現する三位一体だからなのではなかろうか。

『プロコフィエフ短編集』　サブリナ・エレオノーラ／豊田菜穂子訳

ロシアの作曲家セルゲイ・プロコフィエフが短編小説を書いていた！　それだけでも充分興味をそそられるが、小説に取り組んだのが、ロシア革命直後シベリア、日本を経由してアメリカに渡る最中だったとなると、いよいよ好奇心がつのる。

「あとがき」を見ると、訳者のひとりサブリナ・エレオノーラ氏がたまたまある音楽史家を訪ねたとき、プロコフィエフの日記や資料をもらい受けるとともに短編集が出版されている事実を知って、日本に紹介しようと思い立ったという。嬉しいことに、本書は小説のほか、日記の一部で作曲家が日本に滞在していたときの貴重な記述も収められているから、日本オリジナル版ということになる。

では、小説の文学的な価値はどうか。残念ながら、全一一編のうち未完と思われる作品が四編も含まれているため、判断材料は乏しいといわざるを得ない。プロコフィエフが作家として創作意欲をかきたてられたのはまさしく、ロシアから日本を通過してアメリカへと移動した短い間だけだったのか、アメリカに到着した後は音楽活動が忙しくなったこともあってか、ほとんど小説を書かなくなったようだ。

しかし、移動中で時間を持てあましていたから「手すさび」に書いたアマチュアのものとは思えない、独創性と幻想性に富んだ興味深い作品がある。とくに秀でているのは短編「彷徨える塔」。パリのエッフェル塔が突然歩きだすというアイディア自体きわめてユニークだが、パニックに陥る人々や大変なスピードで歩くエッフェル塔を追いかける「変人」学者のどたばた喜劇の様相といい、擬人法をさらに突き抜けて塔が空を飛ぶ愉快な場面といい、とぼけたユーモアと魅力にあふれている。文体もリズミカルで個性的だ。一例をあげよう。「その夜遅く、灰色のロンドンから漂ってきた厚い霧にパリがすっぽり包みこまれる頃、上空にエッフェル塔が飛んできた。首を前方に伸ばし、四本足を後方に縮こまらせ、鉄の肋骨が風切る音とともに宙を切り裂いていた。そしていつもの定住地にやってくると、塔は頭を上に向け、垂直の姿勢をとり、もとの台座にそっとおりたった」。

この「彷徨える塔」や、時間と空間が入り乱れてアメリカのビジネスマンがはるか昔のエジプトのファラオに出会うという、これまた奇想天外な短編「紫外線の気まぐれ」は不条理な幻想小説の系譜に連なる佳品といえるが、そうした傾向のものばかりでなく、お伽噺風の冒険譚「毒キノコのお話」、夫婦関係と人間の心理をリアルに描いた「誤解さまざま」などがあることから、当時のプロコフィエフは作風を模索していたのではないかと思われる。

一八九一年生まれのプロコフィエフは、二〇世紀初頭の「ロシア・ルネサンス」の真っ只中にいて、ロシア・バレエ団の興行師ディアギレフに才能を買われるなど、さまざまな芸術家との交流があった。本書に訳されている日記の部分からも、ベヌア、メイエルホリド、バリモントらと親交があったことを示す叙述が見られ、そのあたりも興味は尽きないが、プロコフィエフが「戦争も革命もない、花咲き匂う国」日本に滞在し、束の間とはいえ日本の文化人と交流したり、コンサートを開いたりしてロシアの最先端の芸術的な息吹きを伝えていたとは、何か歴史の思いがけない贈り物のような気がする。

そんな素敵な贈り物を紹介してくれた本書に心から感謝したい。

物語の物語

二〇世紀初頭のロシアにボリス・ピリニャークという作家がいた。

今では、ロシア文学研究者でもなければ名を知る人はまずいないと思うが「著名なソヴィエト作家」として日本に二度も来て、秋田雨雀や米川正夫ら当時の日本の文化人と親交を持った。代表作『裸の年』は前衛的な手法でロシア革命を描いた、世界で初めての小説と言われている。そのピリニャークに「物語がどのように作られるかという物語」という変わったタイトルの短編があり、これが私にいろいろ不思議議な縁をもたらしてくれている。

五年ほど前のこと、東京在住でロシア文学に関心があるというセルビア人の高橋ブランカさんから、流暢な日本語で書かれたメールを受け取った。ピリニャークのくだんの短編に出てくる「日本人作家」のモデルはだれだと思うか、という内容だった。じつは、私はかつて大学の紀要に、この作品の翻訳と論文を載せ、そのなかでモデル問題をめぐる仮説を提示したことがある。

「物語がどのように作られるかという物語」（一九二六年）は、ウラジオストクのロシア人女性ソフィアが日本人将校タガキに見初められ、日本に来て結婚するも、夫が人気作家になり、彼の小説の題材が妻である自分のあからさまな日常生活だったことを知るや、裏切られたと感じて故郷に帰ってしまうという話である。ソフィアは、性を含む自分の一挙手一投足を観察していた夫を「スパイ」のようだと思い、どうしても許すことができなかったのだ。二〇世紀初頭の日本とロシアの文化接触を研究テーマの一つにしている私にとって、この短編は日露双方の文学に対する姿勢の違いを示す、恰好の素材である。

私の仮説はこうだ。ピリニャークは一九二六年に来日すると、ロシア文学者の昇曙夢《のぼりしょむ》から、その前年に発表され話題になっていた谷崎潤一郎の『痴人の愛』のことを聞いた。当時、日本の文壇では「私小説」が流行っており、谷崎もこの作品を「私小説」と呼んでいたという。ピリニャークは、「作者がみずからの私生活をさらけだす日本の文学的風習」と「それを受け入れられないロシア人の感性」の齟齬を描きたかったのではあるまいか。実際、帰国してからピリニャークは、日本文学研究者のロマン・キムと共著で日本の私小説について紹介文を発表し、「ヨーロッパには見られない、日本人の発明した文学形態だ」と述べているくらいだから、私小説になみなみならぬ関心を寄せていたことはまちがいない。つまり、彼は谷崎潤一郎をモデルにこの短編を書いたのではないか、というのが私の推測なのである（「タガキ」と「タニザキ」は音も似ている！）。

メールの返信でこの仮説を伝えると、日本人と結婚して当時ウラジオストクに住んでいたブランカさんは面白がってくれた。彼女は日本語で小説やエッセイを書いているアーティストなのだが、どうやら彼女の次の小説はピリニャークのこの作品「物語……」からインスピレーションを受けたものになるらしい。

二年後の二〇一五年、幕張で開催した国際シンポジウムに、クロアチア出身でアムステルダム在住の作家ドゥブラフカ・ウグレシッチさんを招聘したとき、驚いたことに、ピリニャークのこの短編のモデルについてまったく同じ質問を受けた。セルビアやクロアチアでピリニャークがとくに人気があるというわけでもなかろうに、これはいったい偶然か、何かの符号か……。じつは、ウグレシッチはピリニャークの作品を、ロシア語からクロアチア語に翻訳しているロシア文学研究者でもあった。

昨年、彼女は『キツネ』というタイトルのクロアチア語の本を出した。一人称で書かれたエッセイのようなフィクションで、英語の書評から察するに、ピリニャークの「物語……」をめぐる考察が土台になっているようだ。ピリニャークの語り手は作中、摩耶山の稲荷神社を訪れ、そこに祭られているキツネを見て「ずる賢さと裏切りの神」と呼び、作品の最後も「キツネというのは作家の神だ」というフレーズで締めくくっている。ウグレシッチの本『キツネ』は、ピリニャークの提起した「作家の役割とは何か」という問題についての彼女の思索になっているのだろう。

さらに、つい最近もう一つ面白いことがあった。ウラジオストクの沿海地方ゴーリキー・ドラマ劇場が今秋、ピリニャークのこの作品にもとづく新作の芝居を上演する予定だというのである。シナリオを書いたロマン・ベックロフによると、物語はロシアと日本という二つの異なる文化が相互に浸透する過程を描いたもので、日本語のセリフもたくさんあるとのこと。そして、ドラマ劇場から「日本人作家タガキ」を演じないかとオファーを受けた演出家にして俳優の杉山剛志さん（壁なき演劇センター）が先日、役作りのためピリニャークのことやタガキの人となりなどについて大学の研究室まで話を聞きに来てくださった。どんな芝居に生まれ変わるのか楽しみだ。

こうして、小さな作品ながら「物語……」は作家の死後も、いまだ日本海をまたいで生きつづけ、世界のあちこちでさまざまな受容やアダプテーションや響き交わしを呼び起こしている。異文化接触を扱い、「文学についての文学」というメタフィクションとしての側面も持ち合わせるこの作品自体が魅力的であることは確かなのだが、もしかするとキツネとしての作者ピリニャークがこの作品に乗り移って、エッセイ風の小説に化けたり、芝居に化けたりしているのではないか、そんなふうにも思えてきた。

『8号室　コムナルカ住民図鑑』　コヴェンチューク／片山ふえ訳

一八六五年のペテルブルグを舞台にしたドストエフスキーの『罪と罰』を読むと、主人公の住んでいる狭苦しい屋根裏部屋が「棺のよう」とも「戸棚のよう」とも形容されているのが印象に残る。

それから約一世紀後、レニングラードと改名したこの町の「コムナルカ」に、本書の著者ゲオルギイ・コヴェンチュークは二〇年ほど暮らした。コムナルカというのはロシア革命後、貴族やブルジョアの邸宅が没収され、市民に「平等に」分配されたことにより、何世帯もの家族がトイレや台所を共有して同じフロアに住むことになった共同アパートである。ボリス・パステルナークの代表的長編『ドクトル・ジバゴ』には、裕福な家庭に育った主人公が内戦から戻ると自宅がコムナルカになり、見も知らぬ人々がひしめき合っていたという場面があるが、それ以後もソ連都市部の住環境はあまり改善されなかったようだ。コムナルカには洗面所や風呂場もないことが多く、冷蔵庫に入れておいた食べ物をめぐる喧嘩も絶えなかった。家庭の事情が筒抜けになってしまう、窮屈で劣悪な住空間だった。亡命作家のセルゲイ・ドヴラートフが「ぞっとするようなコムナルカ」と形容したこともある。

私自身、一九七〇年代末レニングラードに滞在したとき、たまたま知り合った元郵便局員のおばあさんが自宅のコムナルカに連れていってくれたことがあったが、台所を数家族が共同で使い、共同トイレにトイレットペーパーの代わりに新聞紙が置いてあるのを目にして驚いた。どうしてこんなに大きな国なのにこんな狭いところに何人も詰め込まれているのだろう、と素朴な疑問を抱いたのだ。

本書は、そんなコムナルカを舞台に、画家ゲオルギイ・コヴェンチュークが見聞きした悲喜こもごもの人間模様を、線画イラストとともに描いたエッセイ集である。近未来を言い当てることができ、「魔法使い」と恐れられたおばあさん。レニングラードに住む資格を得たいがために民警になり、そのせいできまり悪い思いをしている男。第二次世界大戦の前線で知り合ったカップルの派手な喧嘩とその悲惨な結末。こうしたさまざまなドラマが語られているのだが、じめじめした暗さも過度の深刻さもなく、読後は不思議なすがすがしさが残る。ユーモアさえ感じられる恬淡とした語り口と、著者自身の手による味わいあるイラストが本書の大きな魅力と言えよう。

著者はあくまでも観察者に徹し、自分のことはほとんど語っていない。そこがやや物足りないところではあるが、じつはコヴェンチューク（愛称ガガ）については、その人となりや作品に魅せられた本書の訳者、片山ふえ氏が『ガガです、ガカの』（未知谷、二〇一三年）という素敵な本をすでに出している。これを読むと、彼が「古き良き」と形容したくなるような、ロシアの自由な精神と善良な心を持った芸術家であることがよくわかる。

ちなみに、世界的なインスタレーション芸術家イリヤ・カバコフに「共同キッチン」という作品がある。住民の会話の断片（かなり下卑たものもある）を紙切れに書きつけ、無数の紙切れを天井から吊るすというコンセプチュアル・アートだ。これに対してガガの絵画・彫刻作品は（未来派のニコライ・クリビンの孫だけあって）、ロシア・アヴァンギャルドの谺《こだま》を感じさせるような作品が多いように見受けられる。

本書『8号室』の最後には、レニングラードのはるか南に位置するアゾフ海のほとりで著者が過ごした日々が綴られている。「長い文明の中で芸術がどんなに素晴らしい作品を生みだしてきたといえども、この自然の美しさに敵《かな》うものはないだろう」——狭苦しく世俗的なコムナルカの日常とは違い、そこには詩的な時間がゆったり流れているかのようだ。『罪と罰』の主人公がペテルブルグを後にし、流刑地シベリアの自然に出会ってようやく自由を感じたことと通じるところがあるように思われる。

本書は、それ自体エッセイとしても充分楽しめるが、コムナルカに言及しているさまざまなロシア文学・芸術作品を想起させる媒体としても非常に興味深い作品と言える。

『私のいた場所』

リュドミラ・ペトルシェフスカヤ——訳者あとがき

現代ロシアを代表する作家リュドミラ・ペトルシェフスカヤの愛と奇想と魅惑に満ちた幻想小説をお届けする。作者の許可を得て編んだ日本語版オリジナル作品集である。

まずは本書の成り立ちから記そう。二〇〇九年に英訳アンソロジー（Ludmilla Petrushevskaya, *There Once Lived a Woman Who Tried to Kill Her Neighbor's Baby, Scary Fairy Tales*, Selected and Translated by Keith Gessen and Anna Summers, Penguin Books, 2009）が出たのをきっかけに、河出書房新社の松尾亜紀子さんが「ペトルシェフスカヤの日本語オリジナルアンソロジーを作りませんか？」と声をかけてくださった。そこでロシア語作品集『私のいた場所——別の現実の物語』（*Людмила Петрушевская.* Где я была. Рассказы из иной реальности. М.: Вагриус. 2002）にもとづいて作品を選定し、全体の構成を決めたところに二〇一〇年一一月、英語版が世界幻想文学大賞（短編集部門）を受賞したというニュースが飛び込んできた。それ以前にも、ペトルシェフスカヤの英訳短編はすでに『ニューヨーカー』誌に掲載されていたが、この幻想文学大賞の受賞をもって、彼女の名は英語圏で一気に認知されたといえるだろう。

さらに二〇一三年には二冊目の英訳作品集が刊行されている（Ludmilla Petrushevskaya, *There Once Lived a Girl Who Seduced Her Sister's Husband, and He Hanged Himself*, Selected and Translated by Anna Summers, Penguin Books, 2013）。二冊は姉妹編のようになっており、「昔あるところに隣人の赤ん坊を殺そうとした女がおりました」「昔あるところに姉の夫を誘惑した女の子がいて、その男が首を吊りました」と、いずれも昔話の語り出しを思わせるユニークな長いタイトルがつけられている。ホラー風の物語もあれば、お伽噺のような物語も含まれている、ペトルシェフスカヤの作品集に似つかわしい洒落たタイトルだと思う。

しかし日本語版の本書は、英訳を参考にしてはいるものの、選んだ作品も章立てもそれとは異なる。たとえば、いつかモスクワのご自宅を訪れたときペトルシェフスカヤが日本の怪談とくに『牡丹燈籠』が好きだと話していたので、怪談風の作品集『東スラヴ人の歌』から多めに収録した。また「私のいた場所」というタイトルも、「場所」や「移動」が重要なモチーフになっているこのアンソロジーの内容にぴったり合っているので、もともと依拠していたロシア語の本のタイトルをそのまま使わせていただくことにした。なお作家本人の要請により、本書の底本としたのは『ふたつの王国』という作品集（*Людмила Петрушевская.* Два царства. СПб.: Амфора. 2009）だが、これは前記『私のいた場所——別の現実の物語』にペトルシェフスカヤが修正を加えたもので、収録作品はほぼ重なるが、目次がかなり組み替えられている。

これまでに日本語に翻訳されたペトルシェフスカヤの作品は、代表的長編『時は夜』吉岡ゆき訳（群像社、一九九四年）と、中編「身内」沼野恭子訳（『魔女たちの饗宴――現代ロシア女性作家選』新潮社、一九九八年所収）である。いずれもソヴィエト時代の厳しい現実を背景にしたリアルな小説だった。幻想的なものとしては、沼野充義編『東欧怪談集』（河出書房新社、一九九五年）に掌編が四編収められたことがあるだけだ（それらは本書にも含まれている）。だから、全編にわたって現実と非現実、生と死がせめぎあい、拮抗する、めくるめく幻想の繰り広げられる本書は、幻想作家としてのペトルシェフスカヤの新たな魅力をあますところなく、日本語読者に伝えようという初めての試みなのである。

リュドミラ・ステファーノヴナ・ペトルシェフスカヤは一九三八年にモスクワで生まれた。戦時中の子供時代は、親戚の家に預けられたり、ウラル山脈南西部に位置するウファ郊外の孤児施設に入れられて脱出したりと、かなり波瀾に富んでいたようだ。戦後モスクワに戻り、モスクワ大学ジャーナリズム学部を卒業。新聞記者やテレビ番組の編集者などをしながら生計をたて、一九六〇年代半ばより小説や戯曲を書き始める。一九七二年『オーロラ』誌に短編を二編発表したのが作家としてのデビューということになるが、以後、小説を発表する場はほとんど与えられず、ペレストロイカが始まるまでの陰鬱な「停滞の時代」を「禁じられた作家」としてやり過ごさなければならなかった（初めて単行本になったのは、一九八八年に出版された小説集『不滅の愛』）。

小説に比べれば戯曲は多少なりとも発表できたため、ペトルシェフスカヤは才能ある劇作家として知られていた。とはいえ、アマチュア劇団の公演を除き、本格的な公演が実現することはまずなかった。一九七九年にロマン・ヴィクチューク演出により彼女の戯曲『音楽の授業』がモスクワ大学の学生劇場で上演されたが、ただちに禁止された。

それにしても、なぜそれほどまでにペトルシェフスカヤは当局から目の敵にされたのか。ソルジェニーツィンのように政治的主張を作品に込めて権力に立ち向かったわけではけっしてない。むしろ政治とは何の関係もない内容がほとんどだ。しかし、彼女の作品世界は、見せかけばかりの「建前」に塗り固められた社会主義リアリズム的イデオロギーとはまったく相容れない力強い「本音」で成り立っている。そこに容赦なく描かれているのは、目を覆いたくなるような酷たらしい日常、過酷な現実に押し潰されそうになっている者たちの孤独、凍りつくような絶望と背負いきれない不幸に苦しむ女たちの喘ぎ、そして精神の荒廃である。ペトルシェフスカヤは裸の王様を裸の王様だといってのけ、ソヴィエト社会が偽善的体質であることをだれよりもくっきりと浮き彫りにする作家だったのである。おそらく当局もそれを正しく（！）認識していたからこそ、この作家を恐れたのだろう。

一九八〇年代後半に作品が解禁になると、ペトルシェフスカヤに対する評価は「禁じられた作家」から「チェルヌーハの作家」へと転じた。チェルヌーハとは「現実の暗くみすぼらしい側面をことさら強調するネガティヴな作風」を指す。ペレストロイカ期にはゴルバチョフ共産党書記長により「グラースノスチ（情報公開）」が推し進められ、それまでタブーだったさまざまな社会問題が一挙に顕在化したが、文学においてもそれに呼応するかのように、ペレストロイカ以前には公に言及されなかった事象の「真の姿」を暴露する作品が目立つようになった。そうした状況において一九九二年『新世界』誌に発表されたペトルシェフスカヤの長編『時は夜』は、赤裸々な告白という体裁で母と娘の激しい愛憎関係と救いようのない悲境を描き、チェルヌーハの極致のような作品と見なされたのだった。

しかし、ペトルシェフスカヤは現実の悲惨さを暴露することで社会的関心を呼び起こすといった、一九世紀的「批判的リアリズム」で測れるような作家ではまったくない。おそらくチェルヌーハが彼女の多彩な才能のほんの一端にすぎないということが、最終的にはっきりしたのは一九九六年に五巻の作品集が刊行されたときだろう。分量もさることながら、リアリズム作品から幻想小説、戯曲、童話、動物寓話にいたる幅の広さと多彩さにおいて、この作品集の出現は驚嘆をもって受け止められた。こうして長年ペトルシェフスカヤが発表するあてもないままに書き溜めていた作品群がようやく日の目を見るとともに、作家の全貌も明らかになったのである。

多面的で豊穣なペトルシェフスカヤの世界について、ロシアの批評界は「チェルヌーハ」の他に「新生理学」、「魔術的リアリズム」、「ポストモダニズム」、「ショック療法」などさまざまな呼び名を与えてきた(もちろん彼女の作品はそのいずれか一つにおとなしく収まるものではない)。また、プーシキンやゴーゴリ、ドストエフスキー、チェーホフの遠いこだまを聞きとり、ペトルシェフスカヤがロシア古典文学の正当な継承者であるとする見方もある(作家本人は「好きな作家はプルースト」と語っている)。

さまざまな考察がなされているが、彼女の幻想的な作品をより深く味わうために、ここではロシア出身でアメリカ在住の文芸評論家マルク・リポヴェツキーの卓抜な見解を紹介しよう。リポヴェツキーによると、ペトルシェフスカヤの作品では極度に詳しく具体的に描かれたプライヴェートな状況が突然変容して「永遠の座標」に移り、寓意性を帯びるという。彼はこれを「文体的な転移」であり、「ある種の形而上学的な隙間風が吹くようなもの」と形容している。「より正確にいうなら、あたかも寓話が具体的な状況を透かして内側から漏れ出てくるような感じ」だという(『新世界』一九九四年一〇号)。

実際、ペトルシェフスカヤの幻想小説の主人公たちは狭苦しい共同アパートの息も詰まらんばかりの即物的な「生の王国」にいたはずが、いつのまにか「境界」を踏み越えそうになり、抽象的な風景にとまどいながら我知らず境界領域を旅していることが多い。喧噪にまみれた俗悪な現世が、永遠に続く虚無的な静寂の世界へと地続きのうちに「転移」している、といってもいいかもしれない。そして、ふたたび「生の王国」に戻って来られることもあれば、そのまま「死の王国」へと旅立たなければならないこともある。

たとえば、表題作「私のいた場所」は、交通事故に遭ったユーリャが「墓地の気配が感じられる」場所を通ってアーニャおばさんの家に行き（つまり生死の境をさまよい）、死者であるおばさんに出会う物語だ。見知っているはずの風景がどことなく奇妙に見え、現実から少しずつずれていく感覚が死に近づくメタファーとして見事に描かれているが、結局ユーリャは引き返してくる（つまり意識を取り戻す）。生と死の境目まで行くものの死者の世界に入ることを拒まれ、生の側に踏みとどまるのである。

また「噴水のある家」は、生と死の境界領域に何度も出かけていって死にかけた娘を取り戻す父の物語である。その際、夢を見るという行為が境界的な空間に忍び込む儀式であるかのように繰り返されており、父は夢の中で自ら生きた心臓を食べる（現実的には娘に輸血する）ことで娘を蘇らせる。「生の暗闇」では、娘が危機的状況に陥ったとき死んだ母親が現れて娘を救ってくれるが、ここでも娘が家という「現実」に戻る前にはやはり眠っており、死者との接触が夢という「別の現実」の領域での出来事だったことがわかる。ロシア語の作品集『私のいた場所』の副題が「別の現実の物語」であるのは、たいへん明示的なのである。

「ふたつの王国」では、重病のリーナが長い空路の果てにたどり着いた不思議な異国がまさに生と死の「中継地」である。ここは、生活の心配はないので物質的には天国のようだが、年下のワーシャに裏切られるかもしれないと危惧するなど、精神的にはいまだ世俗的な場所である。しかし彼女はやがて空を飛ぶ術を身につけて川面の輪舞に加わり、母や息子のことも気がかりでなくなる。リーナがとうとう「境界」である「きらめく川」を越え、二度と現世に戻ってこないであろうことが示唆されているのだ。

どうやらペトルシェフスカヤが強い関心を寄せているのは、生者の現実世界でもなく死者の世界でもない中間的な時空そのものというか、そのどちらでもある両義的な境界領域であるらしい。それを象徴するような作品「黒いコート」は、自殺を企てた娘が生と死の瀬戸際で逡巡し、最終的には生きる決意をする物語だが、自分はだれなのか、自分のいる場所はどこなのか、見当もつかないまま、次々に謎めいた経験をしながら境界空間を旅する。この短編が、ルイス・キャロルの『不思議の国のアリス』を想起させるのは偶然ではないだろう。とりわけ、娘が暗いトンネルを駆け降りる場面や、ポケットにあった鍵をあてずっぽうに差し込んだらドアが開く場面は、アリスがウサギの穴に落ちて地下の世界に迷い込み、金の鍵でドアを開けるところを彷彿させる。ただし、どちらもグロテスクな地下世界の冒険譚であるところは同じだが、「黒いコート」で描かれているのが現実と二重写しのような荒涼たる工事現場を思わせる風景である点がペトルシェフスカヤならではと言えるだろう。「ふたつの王国」で示された「お伽噺のような」天国のイメージとは裏腹に、「黒いコート」にこうした殺伐とした地獄のイメージが与えられているのは、主人公が自殺しようとした罰なのではなかろうか。死に神を思わせる骸骨のような運転手の形象がユーモラスだ。

このように、ペトルシェフスカヤの幻想小説は生と死の境界領域をさまよう者たちの姿をさまざまなヴァリエーションで提示するものである。それを一種の「ネキュイア（冥府行き）」と捉えるなら、当然のことながらホメーロスの『オデュッセイア』が起源ということになるだろう（オデュッセウスは冥府を旅して死者や預言者に会っている）。当のペトルシェフスカヤは自らの幻想小説をどのように考えているのか。その手がかりになるのは『三つの旅——メニッペアの可能性』という中編である（本書には収録されていない）。これは、「ファンタジーと現実」という会議に出席する目的でとある町にやって来た作家「私」の体験に、「私」が書いている小説および会議で報告する原稿を多層的に重ねあわせたメタ小説的な作品なのだが、その中で語り手は、死後の世界を扱うジャンルが「メニッペア」であるとしてこれを称揚し、メニッペアには四通りの型があるという。①主人公には自分が死の世界に移転したことがわからず、読者にはわかるケース。②主人公は移転に気づき驚くが、読者にはわからないケース。③作者が直接テクストで移転をはっきり知らせるケース。④読者が何もわからないケース。

そのうえで語り手はこう語っている。

これら「移転」の型をすべて混ぜ合わせられたら、それが最も素晴らしい。そのときは非常に繊細で賢い読者にしか理解できないだろう。「この世」の描写から語りが始まり、なんの予告もなく突然「あの世」のことになっているのだから。（ペトルシェフスカヤ『二つの王国』）

メニッペアの特徴については、ミハイル・バフチンが『ドストエフスキーの詩学』で詳細に論じており、「これほどプロットと発想が自由なジャンルは他にない」と述べている。おそらくペトルシェフスカヤもメニッペアを、「この世（＝現実）」と「あの世（＝幻想）」のはざまで起こる非合理的な現象を自在に扱うことのできる自由な物語空間と捉えているのだと思われる。

　現実と幻想がどのような割合で調合されているかによって、それぞれの作品の感触や色合いが異なってくる。「老修道士の遺言」や「奇跡」は比較的現実的な要素が強いが、それでも死の世界に触れる者が予言能力や治癒能力を得るというモチーフが見られる。ロシアの文化的文脈で考えると、「奇跡」のコルニールおじさんは奇矯な言動のためにかえって奇跡をおこなう聖人として敬われた「ユロージヴィ（聖愚者）」の形象に近い。ユロージヴィの聖性は狂気と紙一重だったと考えられている。

　狂気と言えば、「家にだれかいる」の姿を見せない「あいつ」に対する主人公の執着は、二〇世紀初頭に書かれたフョードル・ソログープの代表的長編『小悪魔』で俗悪さの権化のようなペレドーノフが被害妄想のゆえに小悪魔ネドティコムカを幻視し狂気にいたる過程を想起させる。ペレドーノフ同様、ペトルシェフスカヤの主人公も錯乱して隣人の足音や風のいたずらを「あいつ」のせいだと思い込んでいるだけなのか、それとも本当に超常現象が起きてポルターガイストが歩きまわっているのか、それは最後までわからないが、死に魅入られ「死」そのものと化したネコを再生させようとした主人公が、死の世界に接触して正気（生の世界）に戻るというところが興味深い。「母さん娘」という風変わりな呼び方からしてそうだが、全編にペトルシェフスカヤの重要なテーマである母と娘の愛憎関係が滲み出ている。

悪夢と狂気に彩られた背筋のぞっとするような超短編をまとめた「東スラヴ人の歌」。プーシキンが民話を模して書いた「西スラヴ人の歌」を踏まえたタイトルで、現代版「都市伝説」と言えるだろう。余計な装飾をいっさい用いず、ほとんど無造作といっていいほどの力強い筆致で濃厚な物語を展開させるペトルシェフスカヤの面目躍如といった作品群である。

お伽噺もこの作家の得意分野だ。本書に収めたお伽噺は大人のために書かれた作品と判断されるが、それぞれ「母さんキャベツ」は『親指姫』に、「父」は『三匹のクマ』にヒントを得て、現代ロシア社会に移し替えたような物語である。ちなみに『三匹のクマ』はイギリスの童話をレフ・トルストイが翻案したものが知られている。

総じてペトルシェフスカヤの幻想小説は、愛を求め、あるいは愛にもがき苦しむ魂がふと現世を突き抜けて死者の世界に近づき、生と死の境界領域をわけもわからずにさすらったり、死者と出会ったりすることによって、生の意味や愛の本質を感得する。「人生にはほんのときたま、生と死の間にはわずかな距離しかないということがわかる瞬間がある」（『三つの旅――メニッペアの可能性』）という。このことを作家はいろいろな形で繰り返し物語っているかのようだ。

リュドミラ・ペトルシェフスカヤは今では、現代ロシアで最も実力ある作家のひとりと認められている。プーシキン賞、トリウンフ賞、ロシア国家賞など数々の文学賞を受賞。英語以外にも、ドイツ語、フランス語、イタリア語など二〇カ国語以上の外国語に訳されている。不遇だった時代、ユーリイ・ノルシュテインと親交を結んでいたペトルシェフスカヤは、この世界的な「映像の詩人」に依頼され、忘れがたいアニメ『話の話』の脚本を手がけた。

驚くべきは、最近彼女がワンマン・コンサートをおこなっていることだ。私は二〇一二年秋、モスクワの「一六トン」というクラブに「ペトルシェフスカヤ・キャバレー」を観に行った。自身がデザインしたという大振りの素敵な帽子をかぶり、おちゃめな面を披露し、ウィットのきいた語りを交えながら、「リリー・マルレーン」、フランスやイタリアの歌、自作の歌を表情豊かに歌いあげた。『スノッブ』というハイブロウなグラビア雑誌でペトルシェフスカヤ特集が組まれ、彼女の歌を録音したＣＤがその特集号に付録として添えられたのだが、それを記念するコンサートだった。

まことに八面六臂の活躍ぶりで、美声も幻想の泉もまだまだ枯れそうにない。

混乱の中に尊厳を

ウリツカヤの創作活動

リュドミラ・ウリツカヤとの出会い。それは私にとって、天からの贈り物といっても誇張ではない、かけがえのないものである。

ウリツカヤ（一九四三年生まれ）は、一九九二年、ロシアの文芸誌『新世界（ノーヴィ・ミール）』誌に掲載された中編『ソーネチカ』で注目された。すぐさまフランス語に訳されると、ロシアに先んじてフランスで絶賛を浴び、フランスのメディシス賞を受賞。私もこの作品を読んで、たいへん心を動かされた。それまで外国語の小説を読んで泣いた経験などなかったが、『ソーネチカ』の結末には思わず涙したうえ、読後いつまでも静かな余韻の去ることがなかった。その事実に驚くと同時に、自分の得た感動をなんとか人に伝えたい、この作品を翻訳してみたいと思った。

あらすじだけを取りだせば、不器量だが、こよなく本を愛する心の豊かな主人公ソーネチカが反体制的芸術家に見初められて結婚し、子供を産み、夫に裏切られながらも、稀有な形でそれを受け入れるという、いわゆる「女の一生」である。でも小説とは、あらすじをいくら詳しく伝えたとしてもけっして伝えきれないディテールや「語りえぬもの」にこそ、生命の宿る代物である。平易とはいえないけれど淡々とした文体が私にはとても心地よく感じられたし、ソーネチカの「人生の選択」も不思議なほどすんなりと納得がいった。

当時つまりペレストロイカからソ連崩壊直後は、ロシア文学界で女性作家たちの台頭がめざましくなり、リアリズムからポストモダニズムまでとさまざまな趣向を凝らした作品が次々に現れた時期である。中でも当初とりわけ目立った活躍をしていたのは、リュドミラ・ペトルシェフスカヤ、タチヤーナ・トルスタヤ、ワレーリヤ・ナルビコワの三人だった。この「ロシア女性文学のトロイカ」を中心に『魔女たちの饗宴』と題する現代ロシアの女性作家翻訳アンソロジーを編んだときは、残念ながらウリツカヤの作品を含めることはできなかった。

しかしその後、念願かなって『ソーネチカ』の翻訳を単行本で上梓したところ、まったく思いがけないことに、ゆっくりと何回か版を重ねることになった。原作の物語が持つ魅力は圧倒的なので、拙い日本語訳でもおのずと滲みだして読者に伝わったのだろう。やがて翻訳家の「特権」として作者に会いに行ったり、東京を案内したりしているうちに、私はすっかりその人となりに魅了されてしまった。知的で穏やかで、ユーモアと洞察力に富み、深い思いやりを持った人なのである。

『ソーネチカ』の後、ウリツカヤは『メディアとその子供たち』や『クコツキー家の人びと』などの家族年代記、実在の聖職者をモデルにしたドキュメンタリー風長編『通訳ダニエル・シュタイン』などを世に問い、ユダヤ人問題、反体制知識人の生き方、宗教と国家の関係といった、切実で重要なテーマを取り上げてきた。日本文学の文脈にてらしていえば、明らかに「純文学作家」であり（実際ロシアの権威ある文学賞であるロシア・ブッカー賞も「大きな本（ボリシャヤ・クニーガ）」賞も受けている）、「大衆作家」とはいえないにもかかわらず多くの読者に愛され、作品はどれも「国民的な人気」を博しているという。今や、実力と人気と人間的品位を兼ね備えた、ロシアを代表する作家である。

最近、私は六つの短編から成る彼女の連作集『女が嘘をつくとき』を翻訳した。男のつく嘘と女のつく嘘は本質的に違いがあるという想定のもと、ジェーニャという聞き役を軸に六つの独立した、どちらかというと軽いタッチの物語が紡がれていく。ジェーニャは知的で有能だがお人好しでもあるので、まわりの女たちの嘘にころりと騙され振り回されてしまう。ところが、彼女自身が絶望のどん底に突き落とされたとき彼女を救ってくれたのが、やはり嘘のような本当のような夢についてのおしゃべりだった。嘘の本質について考えさせられるこの作品を最初に読んだとき、下手をするとわざとらしい「お涙頂戴もの」にもなりかねない、その数歩手前で踏み止どまった結末だと思いつつ、不覚にも私はまたしても感動で目頭を熱くしてしまった。

ウリツカヤの社会活動

ウリツカヤは人を感動させるのがうまい。いや、そういう言い方は正確ではない。ウリツカヤは言葉の本来の意味でのヒューマニストであり、人間観察がじつに的確で繊細なのである。とはいっても、そのヒューマニズムを読者に押しつけることはけっしてしない。

ロシア文学の歴史を振り返ってみると、長いあいだロシアの作家は「社会の教師」としての役割を半ばむりやり担わされてきたことに思い当たる。

一九世紀には、「批判的リアリズム」を標榜する進歩的批評家たちが、作家は現実をありのまま描いてその悲惨さを訴え、社会改革を読者に促すようものを書くべきだと強く主張し、文学に社会的な意味合いを課した。レフ・トルストイのように自ら進んで民衆を導く役柄を引き受け、「芸術」よりも「生」を優先させた作家も登場する。ロシア革命後、今度は「社会主義リアリズム」が公式路線になると、当局が、作家は社会主義の精神にもとづいて労働者を改造するように書かなければならないとして、文学にイデオロギーを押しつけた。

異なる立場のように見えて、文学に文学以外の哲学や思想を持ち込むという点で、革命の前も後もロシアでは伝統的に、文学を政治に従属させようとする強烈な磁力をかけてきたのである。ここで「政治」という場合、個人が自由にその立場を選択できるものでなかったことは断るまでもないだろう。

ソ連が崩壊して初めて、ロシアの作家は本格的な「表現の自由」を手に入れるとともに、社会の教師たれという使命から解き放たれ、政治的な立場を表明するも表明しないも自由に選べるようになった。

ウリツカヤの立場は、たとえば最新作『緑の天幕』を見れば明らかだ。スターリン死後のソ連の現実を背景に、三人の男子同級生と彼らを取り巻くさまざまな人々がドラマの糸を縒り合わせ、複雑な光沢と色合いの織物を織りあげていくこの物語において、才能も関心も人生の軌跡も異にした主人公三人が共有しているのは反体制的な志向である。彼らがいずれも全体主義体制によって挫折させられることを思えば、この物語を、作者自身の青春時代でもある「停滞の時代」の反体制知識人に対するレクイエムと呼んでも、あながち間違いとはいえないだろう。

彼女は自分のことを「社会派作家ではない」と明言しているが、このところ創作活動の他に慈善事業や政治活動にも積極的に取り組んでいる。慈善的社会活動としては、二〇〇七年「リュドミラ・ウリツカヤ基金」を立ち上げ、それを元手にロシア全国の図書館や孤児院に「良い本」を送るプロジェクトを推進している。子供の成長に必要と思われる文学の良書をウリツカヤが手ずから選んでいるという。

子供のための絵本シリーズ「他の人、他の人たち、他の人たちについて」の出版にも精力的にたずさわっている。これは、世界は多様で人はさまざまであり、他者の文化や風習には敬意をもって接しなければいけないという「多文化主義」を教えることを目的とした、文化人類学的プロジェクトである。たとえば、冠婚葬祭の儀式が文化によってどれほど違うか、家族構成や食生活、衣服が民族によってどれほど違うか、世界の始まりを現代科学はどのように考えているのか、人権宣言とはどういうものかなどといったテーマで、すでに一〇冊ほど刊行されている。一冊ごとにテクストを書く人とイラストレーターが異なり、非常に質の高い絵本に仕上がっており、大人にも充分読み応えがある。

また、モスクワ第一ホスピスを運営する「ヴェーラ基金」の存在を知り、援助を思い立ったウリツカヤが作家たちに呼びかけて短編アンソロジーを編集したこともある。二一人の作家が趣旨に賛同して短編を提供した結果、二〇〇九年『まとまるはずのない作家たちがまとまった本』というタイトルの短編集が出版され、収益がすべてこの基金に寄付されている。参加しているのはボリス・アクーニン、ヴィクトル・ペレーヴィン、タチヤーナ・トルスタヤ、ジーナ・ルービナら、現代ロシア文壇の第一線で活躍している作家ばかりだ。序文で、ウリツカヤは次のように記している。

わが国の複雑な情勢のもとでも、こうした絶望的な事業を手がけることができるのではないか、それによって混乱の中に意味と美と尊厳を形づくることができるのではないかと考えた。

（ウリツカヤ編『まとまるはずのない作家たちがまとまった本』）

混乱の中に尊厳を。

そうなのだ。ウリツカヤの手がける事業はすべて弱者に向けられている。それも孤児や子供、ホスピス患者といった社会的に最も弱い立場にある者たちに。そうした社会の片隅に生きる弱者、差別・抑圧されている者、アウトサイダーに対するウリツカヤの慈愛に満ちた限りなく温かいまなざしは、小説においても社会活動においても変わりはない。ウリツカヤの姿勢は一貫しているのである。たとえどんなに混乱した不完全な社会であっても、人間の尊厳を守り尊重するよう働きかければ、そこにはきっと何らかのポジティヴな意味を見出すことができるはずだ。

ウリツカヤのアンガージュマン

おそらくウリツカヤが獄中のミハイル・ホドルコフスキー（一九六三年生まれ）と書簡を交わしたのは、ホドルコフスキー裁判のゆくえが現代ロシアで人間の尊厳を守れるかどうかを占う象徴的なケースになり得ると考えたからだろう。

ただし、ホドルコフスキーは「弱者」でないどころか、ソ連崩壊後に国家財産の民営化が行われたとき多くの企業を安く買収して、巨万の富を築きあげ、ロシア最大の石油会社ユコスの社長になった「オリガルヒ（新興財閥）」のひとりである。二〇〇三年に脱税等の容疑で逮捕され八年の実刑判決を受けて服役したが、一昨年末さらに横領等の罪で二度目の有罪判決が言い渡されたため、二〇一七年まで刑期が延長された。

はっきり言って脱税や横領の真相はよくわからない。でも、ホドルコフスキー事件が単なる経済犯罪ではなく、二〇〇三年当時ホドルコフスキーがプーチン大統領に対する対決姿勢を露わにして、野党勢力を金銭的に支援したことが逮捕・実刑の原因の一つになったのだろうとする見方があることはたしかだ。ウリツカヤ同様、ホドルコフスキーと書簡を交わしたアクーニンもホドルコフスキー事件を「司法への不当な政治介入」と見なしている(ちなみに、アクーニンは三島由紀夫の『金閣寺』をロシア語に訳したジャパノロジストにして人気推理作家である)。

また、二度目の判決は人権侵害である疑いがきわめて高く、二〇一一年には人権擁護団体アムネスティ・インターナショナルもホドルコフスキーを政治的に不当に拘束されている「良心の囚人」と認めている。

それにしても、「金持ちは好きではない」というウリツカヤがそもそもどうしてホドルコフスキーに興味を持つようになったのかというと、ロシアの地方をまわったとき、彼の融資する団体「開かれたロシア」によるインターネット教育支援や孤児院運営をあちこちで目にしたからだという。つまりホドルコフスキーを自分と同じ使命感を持つ同志、あるいはロシア文化を庇護するメセナと考えたのだろう。

ふたりの往復書簡は「対話」と題されて、文芸誌『旗(ズナーミャ)』二〇〇九年一〇月号に掲載された。この中でウリツカヤが試みているのは、自分の考えを表明する機会がなかなか与えられないホドルコフスキーになるべく多くを語らせようということだ(もちろん彼の獄中環境が手紙のやりとりによって悪化しないよう気遣いながら)。そしてその結果浮き彫りになったのは、ふたりの共通点よりはむしろ相違点だった。育った環境も違えば(ウリツカヤはモスクワの知識人の家庭、ホドルコフスキーは地方の工場労働者の家庭)、人生観も違う(ウリツカヤは反ソヴィエト権力、ホドルコフスキーは体制内出世主義)。何よりも埋めがたい溝のように感じられるのは「国家」に対するふたりの齟齬である。ホドルコフスキーが自分を「国家主義者」と規定し、ロシアにおける国家の役割を将来もっと大きくするべきだと述べていることに、ウリツカヤはひどく驚き疑義を呈している。少なくとも彼女が「小さな政府」を支持していることは間違いない。

それにもかかわらず、この往復書簡はふたりが対等に自分の考えを表明しあい、互いに相手を真剣に理解しようと努力しているという点で注目に値する。他者の存在を認め、異なる考えを受け入れるとは、まさにウリツカヤが実践している多文化理解のプロジェクトの目標に他ならないからだ。ホドルコフスキーとの知的で成熟した対話は、異質なものを排除する一元的・全体主義的思考とは正反対の、自由で民主的な姿勢を世に示す生きたサンプルになっているのである。『ズナーミャ』誌が二〇〇九年度の「ズナーミャ文学賞」を「対話」の著者二人に与えたのも、そうした相対主義と言論の自由を擁護する立場からだろうと思う。

私がとくに興味深く感じたのは、ホドルコフスキーに宛てた最初の手紙で、ウリツカヤが監獄・収容所はロシア文学の重要なテーマだとして、次のように書いていることだ。

ご存じでしょう、二つの見方があります。ソルジェニーツィンの考えによれば、収容所の経験は人を鍛えるものだし、それ自体で価値のあるものだということですが、もっとひどい目に遭ったもう一人の囚人ワルラム・シャラーモフの考えによれば、収容所の経験は正常な生活には無用だし、収容所以外では通用しないということになります。

（ホドルコフスキー『論文・対話・インタビュー』）

シャラーモフは日本ではソルジェニーツィンほど知られていないが、過酷な収容所体験を詩的に綴った『極北コルィマ物語』（高木美菜子訳、朝日新聞社、一九九九年）はロシアの「収容所文学」の最高傑作である。収容所をめぐるソルジェニーツィンとシャラーモフの見解の対立は有名だが、ここでは深入りしない。大事なのは、ウリツカヤがロシア文学の伝統にてらして、囚人としてのホドルコフスキーの精神状態を把握しようとしていることだ。そしてホドルコフスキーのほうもそれを受けて、「自分にはソルジェニーツィンよりシャラーモフのほうがしっくりくる」「何よりも大事なのは自制心だ」と綴っている。非人間的な環境に置かれているにもかかわらず、ホドルコフスキーが落ち着きと品位を保っていることにウリツカヤは驚嘆し、彼を哲学的な深い思索をする人と評している。

このようにウリツカヤは、書簡を交わすことによって獄中のホドルコフスキーを精神的に支え間接的にプーチン政権を批判していたが、二〇一一年一二月四日のロシア下院選をめぐって不正疑惑が起こり、酷寒の中、モスクワを初めとするロシア各地で抗議集会やデモが多発するに及んで、他の文化人らとともにより直接的な形で政治に関与することになった。

一連の大規模な市民デモの特徴は、「パンをよこせ」という経済的な要求ではなく、人間の尊厳をかけた「正義」のための闘いだというところである。もちろん貧富の差が広がるばかりのロシアに経済的な不平等への不満が鬱積しているのもたしかだが、いま人々の怒りは政権の不正や欺瞞、ソ連時代をそのまま引き継いだかのような強権的な体制に向けられているのだ。

今年（二〇一二年）に入ってから創設された市民組織「有権者連盟」の代表に、アクーニン、作家ドミートリイ・ブィコフ、音楽家ユーリイ・シェフチュク、テレビ司会者レオニード・パルフョーノフ、慈善家の医師ドクター・リーザことエリザヴェータ・グリンカらとともに、ウリツカヤも名前を連ねた。どうやら、彼女は社会正義を求める市民の精神的・良心的な支柱となりつつあるようだ。

有権者連盟結成の記者会見でウリツカヤはこう語っている。

一九六八年にソ連軍がプラハに侵攻したとき、赤の広場のデモに出たのはたった七人でした。あれから大きな変化が起きて、いま私たちは七人ではなくなりました。昨年のボロトナヤ広場のデモも、それに続く集会も非常に重要な兆しです。私たちはもはや七人ではない。これがとても重要なことなのです。（二〇一二年一月一八日記者会見）

圧政のもとで口を閉ざさざるを得なかった過去への苦い反省に立った、強い決意が感じられる。

三月に行われた大統領選挙の結果、首相だったプーチンが再び大統領となり、政権の座にすわりつづけることになったのは周知のとおりである。当局は案の定、反政府集会に対する取り締まりを強化したが、それにも屈せず正義を求める市民の意思表示は続いている。五月には、アクーニンが「モスクワ市民が自分の町を自由に歩くことができるか、それとも特別な通行証か何かが必要なのか確認しよう」と皮肉まじりに呼びかけ、ウリツカヤやブィコフのほか詩人レフ・ルビンシュテイン、作家ヴィクトル・シェンデローヴィチらが賛同し、少なくとも一万人の人が「自由な散策」に参加したという。ロシアの政治活動に、この時ほど作家や文化人が大きな役割を担ったことはなかったのではなかろうか。

私はウリツカヤやアクーニンの身を案じつつ、祈るような思いでその勇気ある言動を見守っている。

『子供時代』リュドミラ・ウリツカヤ──訳者あとがき

ここにお届けするのは、現代ロシアで最も名を知られ、最もよく読まれている作家のひとり、リュドミラ・ウリツカヤの愛すべき掌編集である。収められているのは、子供時代にしか体験できないような奇跡をめぐる六編で、そのどれもが、ただの心温まるお話というのではなく、味気ない「日常性」を突き抜け、永遠の「聖性」と「祝祭性」をまとって光り輝いているかのような物語である。

原作は『Детство сорок девять（子供時代 四九）』というタイトルで、二〇〇三年にエクスモ社から出版された。主人公は、一九四九年のモスクワとおぼしき町の一角に住む子供たち。おそらくウリツカヤが六歳だった一九四九年当時の、自身の記憶にもとづいているものと思われる。

第二次世界大戦が終わって四年後のソ連といえば、まだ戦争の惨禍が痛々しく残る、生活するのも容易でない時期であり、しかも「大祖国戦争」を勝利に導いた指導者としてスターリンがいよいよ独裁を揺るぎないものとした最終段階でもあった。しかし、戦後に子供時代を送ったロシアの人たちにとっては、この貧しく過酷な時こそがなにものにも代えがたい大事な子供時代の一ページである。物語に描かれている一つ一つのディテールが愛おしく懐かしい、圧倒的なリアリティを備えたものとして迫ってくるにちがいない。

たとえば、一一月七日の革命記念日を祝って街中に掲げられた赤旗が雪に濡れ、赤黒く変色して、みすぼらしい姿をさらしている光景。戦争孤児。シラミ対策として髪に塗りつけた灯油。がらくたを商う古物屋。大きなスープ皿から家族みなが直接スプーンでスープをすくって飲む、田舎の風習。屋根裏に打ち捨てられたサモワールの専用煙突。ベートーヴェンが「ファシズムの国」ドイツの作曲家だと聞いて警戒する少年……。こうした特定の時代、特定の空間に存在した生々しい日常が、天からの贈り物さながらに届けられた奇跡を介して、不朽の神話へと変容するその得がたい瞬間に、私たちは立ち会っているかのようだ。

その神話的な雰囲気をさらに強めているのが、不思議な魅力と独特の色香を放っているウラジーミル・リュバロフの絵である。リュバロフとの関係についてはウリツカヤが序文に書いているが、ふたりはモスクワで似かよった子供時代を送り、その後も似かよったメンタリティを共有してきたという。

よく見ると、テクストと絵の内容は必ずしも一致しているわけではなく、それどころか互いにぜんぜん関係のないものもある。そんななかで「つぶやきおじいさん」に添えられた絵は、内容とぴったりマッチしているように見えるのだが、おじいさんが修理する時計について、テクストでは「レンガを思わせる形」つまり長方形とされているのに、リュバロフの絵に描かれた時計の文字盤は丸い形をしている。この違いをウリツカヤに尋ねたところ、リュバロフの絵はどれも、彼がこれらの掌編を読むずっと前に描いた作品であって、物語に合わせて描きおろしたものではないという。つまり、二人はたまたま天眼鏡をはめた時計修理屋のおじいさんをそれぞれの領域において(ウリツカヤは文学、リュバロフは絵画で)、細部は異なるものの、驚くほどぴったり重なるイメージで、別々に表現していたということである。リュバロフの絵はウリツカヤの物語の理解を助けるための補助的なイラストではなく、両者がおのおのの個性を保ちつつ、同時に補完しあい、融合しているのだ。同い年という、ふたりの出会いそのものもまた一つの奇跡ではないかと思えてくる。

ちなみに、画家リュバロフも作家としての才能があり、『物語、絵』(GTO社、二〇一一年)という自伝的な本を出している。この分厚いアルバムのような絵本においても、アイロニカルで愉快なテクストと、男たちのグロテスクな表情や女たちのふくよかなヌードのユーモラスな絵はつかずはなれず、ユニークな世界をつくりあげている。挿画がテクストに従属するのではなく、絵画と物語が対等にさりげなく、それぞれの世界観を主張しあうコラボレーションは独特のジャンルとして、もっと注目されていいのではなかろうか。

さて、子供時代を扱ったロシアの小説について少し触れておきたい。

ロシア文学の中で「子供時代」がテーマとして注目されるようになるのは一九世紀半ば頃からで、代表的な作品として、レフ・トルストイの自伝的三部作の最初の中編『子供時代（邦訳のタイトルは「幼年時代」）』（一八五二年）やセルゲイ・アクサーコフの自伝的回想記『孫ボグロフの少年時代』（一八五八年）をあげることができる。トルストイの語り手は、自分の幼い頃のことを「二度と取り戻すことのできない幸せな子供時代」と記し、アクサーコフは少年から大人に成長する自分の姿を「教養小説」風に描いた。またイワン・ゴンチャロフの長編『オブローモフ』（一八五九年）では、主人公オブローモフの見る夢が子供時代の描写に充てられているが、何不自由なく過ごした幼い日々こそがオブローモフの原点であり、幸せで牧歌的な「理想郷」とされている。いずれの場合も、裕福な貴族的環境にあった作家たちの自伝的な経験にもとづく「恵まれた幸せな子供時代」ということができるだろう。

それに対して、劣悪な環境で働かされたり虐待されたりしている子供たちに心を砕いていたドストエフスキーやチェーホフが描きだしたのは、まったく異なる子供時代だった。ドストエフスキーの長編『カラマーゾフの兄弟』（一八八〇年）では、児童虐待が最大のテーマの一つとして繰り返し議論されるし、祖父が農奴出身で、小さい頃に自ら体罰を受けた経験を持つチェーホフは、短編「ねむい」（一八八八年）で睡眠もとれないほどこき使われている哀れな少女を描いている。このふたりの作品においては、子供時代は辛く苦しいものであり、けっして楽しく幸せなものとは言えない。

二〇世紀に入ると、亡命第一世代の作家たちが描く子供時代には、幸福感とともに強烈な喪失感をも伴うという、新たな特徴が加わった。「失われた楽園」としての子供時代が「失われた故郷ロシア」と重なり、時間的にも地理的にも隔てられて多分にノスタルジックな色調を帯びたためである。代表的な作品としては、貴族出身のノーベル文学賞受賞作家イワン・ブーニンの自伝的長編『アルセーニエフの生涯』（一九三〇年）や、裕福な商家出身の亡命作家イワン・シメリョフの代表的長編『神の年』（一九三三年）がある。ウラジーミル・ナボコフが半生を振り返った、美しく切ない自伝的作品『記憶よ、語れ』（一九六六年）をここに含めてもいいだろう。

郷愁と結びつき「美化」されたこれら子供時代の対極にあるのが、マクシム・ゴーリキーの自伝的中編『子供時代（邦訳のタイトルは「幼年時代」）』（一九一四年）である。革命以前のロシアで子供たちがいかに非人間的なむごたらしい扱いを受けていたかが描かれているこの作品は、「虐げられたプロレタリアートの不幸な子供時代」というイデオロギーに取り込まれ、やがてゴーリキー自身が「社会主義リアリズムの父」に祭りあげられることになる。そして一九三六年には、「全国民の父」としてのスターリンがソ連の子供たちにあらためて「幸せな子供時代」を与えたとして、有名なスローガン「同志スターリン、幸せな子供時代をありがとう！」が現れるのである。

このように、子供時代の表象を見てくると、ロシア文学には伝統的に「幸せな子供時代」と

「惨めな子供時代」の両極が存在していたことがおわかりいただけるだろう。ウリツカヤの『子供時代』はこうした「伝統」とは一線を画しており、内容からすると、自伝的作品とは言い難いうえ、両極のどちらに与するものでもないし、形式からすると、六編の「連作」作品集というところが特異である。じつはウリツカヤにはもう一冊、子供たちを主人公にした『Девочки（少女たち）』（ワグリウス社、二〇〇〇年）という短編集があり、それもやはり緩やかなつながりを持つ六つの短編から成っている（邦訳は『それぞれの少女時代』沼野恭子訳、群像社、二〇〇六年）。こちらはスターリンの亡くなった一九五三年前後のモスクワとおぼしき町を舞台にしており、本書の主人公たちより少し年上でおませな少女たちが活写されている。

本書『子供時代』は、幼い姉妹ドゥーシャとオーリャが雪の降る中、キャベツを買うために延々と行列に並ばなければならないという冬の試練（「キャベツの奇跡」）で始まり、身体の弱い少年ゲーニャが近所のいじめっ子らに折り紙をおってやり、仲間として認められるという春の和解（「折り紙の勝利」）で終わっている。最後に置かれた物語は、あらゆるものが芽吹き花開く（才能も！）春に相応しい「緑色」のモチーフに溢れている。グリーンのスカーフ、幸せな葉っぱで破裂しそうな木々、永遠に緑や青の花、グリーンの衝立《ついたて》、清潔で青々とした中庭……。まるで少年の成長を「緑」＝「自然」が全力をあげて応援しているかのようだ。

ゲーニャの誕生会に集まった子供たちは全部で一二人。まるで十二使徒のようだが（なぜか藤田嗣治の『誕生日』という絵がしきりに思い出される）、この中には、奇跡的に一命を取り止めた「幸運なできごと」のコーリカもいれば、ぞくぞくしながら思いきりよく宝物を手に入れた「蠟でできたカモ」のワーリカもいる。名前は出てこないものの、黄色いタンポポの花束をプレゼントに持ってきた色白の姉妹とは、「キャベツの奇跡」のドゥーシャとオーリャではなかろうか。どうやら同じ中庭に面したアパートに住んでいる子供たちが順繰りに主人公になっていて、「折り紙の勝利」で一堂に会したらしい。そこではそれまで主人公だった子供たちが後景にしりぞき、いちばん不幸でかわいそうなゲーニャがみなに敬われる、カーニバル的な逆転劇が進行する。それは、いじめや戦争といった不条理に対する、ゲーニャの折り紙や母のピアノという「芸術の勝利」を意味するとともに、子供時代の奇跡の華やかな祝祭性と厳かな聖性を象徴するものとなっている。

こうした連作としての構成も、上述の短編集『それぞれの少女時代』と共通している。本書『子供時代』と『それぞれの少女時代』は文字通り姉妹編と言えそうだ。

さらに、本書にはもう一冊、別の姉妹編がある。それは『Детство 45-53: а завтра будет счастье（子供時代　四五―五三：きっと明日は幸せになれる）』（アスト社、二〇一三年）という回想集で、ウリツカヤが編者をつとめている。ご覧のとおり、タイトルが本書に酷似していることは一目瞭然である（アイロニカルな副題がついているが）。こちらは、第二次世界大戦が終わってからスターリンが亡くなるまでの時期について、一般の人々が綴った短い手記から成る、いわゆるドキュメンタリーである。当時、子供だった市井の「小さき人」たちにとって、日常の生活はどのようなものだったのか。子供時代が「戦後」だったというのは何を意味するのか。ウリツカヤの呼びかけに応じて寄せられたたくさんの手記が、食べ物、飲み物、洋服、共同アパート、遊び、ペット、学校、孤児院、障害者、捕虜、恐怖などといった章に分類され、写真とともに掲載されている(ウリツカヤ自身もいくつかの項目を執筆している)。

おそらくウリツカヤは、戦後世代の「真実」を忘れずに残しておきたいという使命感に突き動かされてこの回想アンソロジーを編み、当時の雰囲気や手触り、匂い、気分などの「感触」を語りたいという思いから小説を書いているのだろう。当時のレアリアを伝える匂い立つようなテクストとなっていることは、もはや繰り返すまでもあるまい。

『陽気なお葬式』

リュドミラ・ウリツカヤ／奈倉有里訳

葬式とはふつう「しめやか」に執り行われるものである。ところがこの小説では、「陽気な」祝祭ムードの中で主人公アーリクが最期を迎えるだけでなく、参列者たちに思いもよらない贈り物が用意されていて、供養の会が（湿っぽい別れの儀式になることを嫌ったアーリクの思惑どおり）賑やかなどんちゃん騒ぎの様相を呈する。

舞台はニューヨーク。難病に身体をむしばまれ、手足を動かすことも歩くこともできなくなった亡命画家の死を描いたこの物語は、とにかく「常識」では考えられないような出来事の連続である。彼の住むアトリエに何人もの女たちが集《つど》うが、うだるような暑さのさなか、エアコンが壊れているため、ほとんど全員があっけらかんと裸になっている。ヌーディストビーチさながらである。しかもその女たちとは、アーリクの現在の妻、昔の恋人、彼女との間にできた娘、そして現在の恋人……。

元モデルの美しい妻はアル中で半ば正気を失っていて「まさにオフィーリア」さながらで、夫をキリスト教徒として洗礼させることしか頭にない。そこで、アーリクは神父とユダヤ教のラビのいずれも呼ぶよう頼み、両者が瀕死の病人の目の前で鉢合わせすることになる。そうかと思えば、アーリクはまったく経済観念が欠けていて、家賃も光熱費も医療費も払えない。それでも困らないのは、本人があずかり知らぬ間にいつも友人たちが代わりに払ってくれるからだ。

こう書いてくると破天荒な奇人のように思われるかもしれないが、アーリクはいわく言い難い魅力の持ち主で人懐こく、その自由な精神は多くの人を惹きつけてやまない。そして他者を愛《かな》しみ、善良にしてしまう力がある。奔放に生きているように見えて、利他的な「慈愛」の人なのだ。だから、一人の人間の死を見つめた作品としてよく比較されるレフ・トルストイの『イワン・イリイッチの死』の主人公とはまったく違う。イワン・イリイッチは死の床で、自分の来し方がいかにつまらない世俗的な価値観に縛られていたかを思い知り、下男を除いて家族や友人たちのだれひとり、自分のことを本当には愛していないことを悟る。アーリクは逆に、死ぬ間際になって「生き方そのものが芸術的だった」と、その充実した生の輝きを周囲の人間にしみじみと感じさせるのである。

本書は、ウリツカヤの名を国際的に知らしめた小説『ソーネチカ』に次いで書かれた一九九〇年代の作品だ。才能ある非公式芸術家が登場するという点で連続性があるが、『ソーネチカ』が主として、芸術家に寄り添って生きたひとりの女性の生きざまを淡々と追った物語だとするなら、『陽気なお葬式』はアメリカに亡命した芸術家のほうに焦点をあてると同時に、彼を含めた登場人物たちの過去をフラッシュバックで差し挟みながら、それぞれの抱える問題をあぶり出し、亡命ロシア社会の個性的な群像を描きだしている。そこには、ロシアとアメリカの比較もあって興味深い。たとえば、ニューヨークでアーリクが贔屓《ひいき》にしている店ではビーフとターキーのたっぷり入ったパストラミサンドイッチが美味しいが、エドガー・ポーもオー・ヘンリーもジャック・ロンドンも食べに来たのに店のオーナーはこれらの作家のことなど知りもしない——アーリクは「それがアメリカの貧しさってやつさ」という。これは「文学と精神文化のロシア」対「大量消費物質文化のアメリカ」という、ロシア知識人の好む典型的な二項対立である。

もっともこうした図式も、現実的には、ソ連が崩壊してグローバル化が世界に浸透し、ロシア人が「物質主義」に染まってからはかなり廃れたように見える。もしかするとアーリクは、「古き良きソ連知識人」の最後の代弁者なのかもしれない。彼が亡くなるのが一九九一年、つまりソ連が瓦解した年に設定されているのはけっして偶然ではないはずだ。

『陽気なお葬式』は、母国でクーデターが起こっているさなかに幕を閉じる。あたかも、政治の世界で何が起きようとアーリクの周りで生じる「奇跡」のほうが人間にとってよほど意味があるということを示唆しているかのように。現にアーリクは、初めて会った自閉症気味の娘とたちまち心を通わせて母親を驚かせるし、長年疎遠だった友人ふたりを和解させてしまう。「平凡な奇跡は／平凡な奇跡がたくさん起こること」という、ポーランドのノーベル文学賞詩人ヴィスワヴァ・シンボルスカの言葉が思い起こされる。人はだれしも日常の中に小さな奇跡を求めて生きていくものなのではないのか——テクストからそんな作者の声が聞こえてくるかのようである。

チェルノブイリからフクシマへ　アレクシエーヴィチの祈り

アレクシエーヴィチの文学

よく知られているように、ベラルーシのロシア語作家スヴェトラーナ・アレクシエーヴィチ（一九四八年生まれ）の作品はほぼすべてが、人々の証言からなるドキュメンタリー文学である。それも、よくある有名な政治家や有識者の回想などというのではなく、プーシキンやゴーゴリらの主人公に代表される「小さな人」の系譜に連なるような名もなき市井の人々の話に耳を傾け、その魂の叫びを真摯に聞き取ったものだ。

ときに囁くような小さな声だったり、絞り出すようにぽつりぽつりと語るしゃがれ声だったり、沈黙にひたりがちな静かな声だったりする。アレクシエーヴィチの作品では、そうした無数の声があちらから、こちらから、渦を巻くように立ちのぼってくる。作者は単なる「媒体」と化したかのように、ひたすらそれらの声を私たちに伝えるだけで、美化もしなければ、歪めることもしない。操作（指揮）をせずに、語られるがまま再生する。だからオーケストラの演奏のように調和があるわけではなく、ときに不協和音ばかりの雑音の寄せ集めのような印象を与える箇所もある。

「耳の作家」アレクシエーヴィチは、気が遠くなるほどたくさんのインタビューを重ねるうちに、小さな人々の混沌とした生のかたまりから「考えるヒント」のようなものを摑んでいったのだろう。悲しみ、恨み、憎しみ、愛といったさまざまな感情を深く受け止めながら、それらを反芻し、その意味を辛抱強く考えていったアレクシエーヴィチは、ごく身近な話題に見えていたテーマがやがて大きな社会問題に直結していること、「ソヴィエト」文化圏に特有の問題があることを読者に気づかせてくれた。

彼女は、ベラルーシの作家アレシ・アダモヴィチ（一九二七―九四）からドキュメンタリーの手法を受け継いだ。アダモヴィチは、一九四三年に起きたナチス・ドイツ軍によるハトゥイニ村虐殺事件をもとに書いた小説『ハトゥイニ物語』（一九七二年）で有名な戦争作家である（ちなみにこの作品はイワン・クリモフ監督が一九八五年に『来たりて見よ』（邦題は『炎６２８』）という題で映画化している）。アレクシエーヴィチは、アダモヴィチがヤンカ・ブルィリ、ウラジーミル・コレスニクと共著で出版した証言集『私は炎の村から来た』を読んで衝撃を受け、このジャンルこそ自分が探し求めていたものだと思ったという。

第二次大戦をテーマに執筆活動を始めたのも偶然ではないと言えるだろう。戦争という極限に置かれた経験を持つ人間の語る声を後世に残したいというのが、師から引き継いだ思いだったのだと思われる。彼女は以後、一貫して名もなき人々の証言を集めるという手法で、兵士として戦争に参加した元従軍女性兵たち、戦争中に子供だった人たち、アフガン戦争に送られて亡くなった少年兵の遺族たちにインタビューを行った。

こうして書かれたアレクシエーヴィチの「オーラルヒストリー」としての作品には、少なくとも二つの重要な意味があると言えるだろう。一つは人々の証言から「集合的記憶」が織り上げられていくプロセスに読者が立ち会うということ、もう一つは英雄的な既成のイデオロギーを次第に崩していく役割を担ったことである。とりわけ第二次世界大戦の英雄的な面ばかりを鼓舞・強調していたソヴィエト社会において、アレクシエーヴィチに心を開いた証言者たちの話はあまりに生々しく具体的・身体的であり、そうであるがゆえに、綺麗ごとのプロパガンダに対して衝撃的なインパクトがあった。

彼女は二〇一三年に出版した『セカンドハンドの時代』をもって、これまで書いてきた作品を「ユートピアの声」と題する五部作として捉えている。簡単にこれら五つの作品を順に紹介していこう。

①『戦争は女の顔をしていない』（三浦みどり訳、群像社、岩波書店。《У войны не женское лицо》1985）は、女性兵士たちの苦難に満ちた従軍証言集だ。歴史の片隅に追いやられ忘れられていた「女性兵」というマイノリティに光を当て、ジェンダーの視点を持ち込むことにより、

戦争の特異な一面を浮かび上がらせた。その意味で画期的な書物である。ソ連の公式見解を否定するような「暗い」側面ばかりを取り上げて戦争の英雄を侮辱したという非難を受けたが、ペレストロイカの始まりと時を同じくして出版されたため非常に注目された。

②『ボタン穴から見た戦争』（三浦みどり訳、群像社、岩波書店。《Последние свидетели》1985）は、戦時中に子供だった人たちの証言集である。女性に次いで子供という、戦争におけるマージナルな者たちを中心に据えているのがいかにもアレクシエーヴィチらしい。戦争の意味も分からないまま、あまりに悲惨な体験をしてしまった子供たちのトラウマはいかばかりだったかと思いやられる。子供時代に癒しようのない苦しみをなめた人たちの閉ざされた心が何年も経てようやくアレクシエーヴィチに対して開かれたのだとすれば、証言をするという行為自体に癒しの効果があるということだろう。

③『アフガン帰還兵の証言』（三浦みどり訳、日本経済新聞社。《Цинковые мальчики》1989）は、ソ連が軍事介入したアフガン戦争をテーマにしている。原題は「亜鉛の少年たち」という意味になるが、これは、戦場に送られ、あっけなく殺された少年兵たちの遺体があまりに無残なので、遺族に見せるわけにいかないと亜鉛製の棺に入れられ封印されて送り返されてきたというところからきたタイトルである。絶対悪と闘って勝利した第二次大戦と決定的に異なるのは、アフガン戦争が何の大義もない戦争で、英雄はおらず、兵士たちの死はまったく無駄だったということに人々が気づいた点である。しかしアフガン戦争で息子たちが死んだことが犬死にだ

ったなどと認めたくない親たちも多くいて、アレクシエーヴィチはそういう人たちに「真実を書いていない、息子を貶めた」として裁判に訴えられた。

④『チェルノブイリの祈り』（松本妙子訳、岩波書店。《Чернобыльская молитва》1997）は、事故のとき消火活動をして亡くなった消防士の遺族や被災者、汚染地域に住み続ける人などチェルノブイリの原子力発電所事故に何らかの形で関わった人々の証言集である。これについては後でもう少し詳しく述べる。

⑤『セカンドハンドの時代』（松本妙子訳、岩波書店。《Время секонд хэнд》2013）は、『死に魅せられた人びと』（松本妙子訳、群像社。《Зачарованные смертью》1993）を半分以上取りこんだうえで加筆した作品である。五部作の最後を飾るものと位置づけられており、これまで書いてきたものを総括し、共産主義イデオロギーの中で生きたいわゆる「赤いユートピアの住人」とはいったい何だったのかと問いかけている。ソ連崩壊後の新しい価値観の社会に適応できずに多くの人が空虚感と絶望を抱き、自殺者がかなり出た。グリゴーリイ・チハルチシヴィリ（アクーニン）の『自殺の文学史』によれば、もともとロシアでは自殺率が高く、何度か自殺率のピークがあるということだが、ソ連邦崩壊直後は、全人生を否定されたような屈辱感から死を考える人が激増したことが窺える。

チェルノブイリの祈り

『チェルノブイリの祈り』の冒頭には衝撃的な証言が置かれている。それは、消防士の妻の話だ。防護服も身につけずに事故の消火に携わった夫は放射能を大量に浴びたため、即座に入院となった。面会も拒否されそうになり、病院で「あなたの前にいるのはご主人でも愛する人でもありません。高濃度に汚染された放射能性物体なんですよ」といわれたという。他に「毒があっても放射能があってもここは私の故郷」というサマショール（самосёл――サマショールとは、事故後、汚染地域に戻ってきて住み続けている人を意味する言葉）、アフガン戦争から帰ってきたと思ったら今度はチェルノブイリに送られたという人（「原子炉にまく砂のように僕らはあそこにまき散らされたんです」）、放射能のせいで多くの障害をもつ娘と暮らす母親、犠牲となった事故処理作業員「リクヴィダートル（ликвидатор）」の知り合いなど、さまざまな人の苦しげな呻き声がポリフォニックな合唱となって響いている。

チェルノブイリ博物館の館員は当時、「悲劇を撮影することは禁じられ、撮影されたのはヒロイズムばかり」で、「チェルノブイリのことを正直に語るには勇気が必要」だったと証言しているが、人々はしだいに重い口を開き、アレクシエーヴィチに自分の体験した恐怖を、悲劇を語るようになる。もっとも、思い出したくもない過去や胸にしまっておきたいような苦しい出来事を体験した人にただマイクを向けるだけでは、おいそれとは語ってくれるわけはない。同情や哀れみではなく「共感」「共鳴」する能力を持ったアレクシエーヴィチという、温かくてヒューマニスティックな聞き手だったからこそ集めることのできた魂の吐露であった。その後、二〇一一年に福島第一原子力発電所で大事故が起こったことを思うと、副題が「未来の年代記」となっていたこの本は予言書であった。アレクシエーヴィチはそれまでの、戦争をテーマにしてきた時とは違い、チェルノブイリ事故を「わがこと」と感じていた。彼女は、ロシア語で執筆しているロシア語ネイティヴだが、父親がベラルーシ人、母親がウクライナ人。原子力発電所のあるウクライナと被害の甚大だったベラルーシの両方の血を引いているのだ。彼女自身の言葉を引こう。

今度は私自身もみなと同じく目撃者です。私のくらしは事故の一部なのです。私はここに住んでいる。チェルノブイリの大地、ほとんど世界に知られることのなかった小国ベラルーシに。ここはもう大地じゃない。チェルノブイリの実験室だといいまいわれているこの国に。ベラルーシ人はチェルノブイリ人になった。チェルノブイリは私たちの住みかになり、私たち国民の運命になったのです。

（アレクシエーヴィチ『チェルノブイリの祈り』）

人類の滅亡にもつながりかねなかったこの大事故のさなかにチェルノブイリの人々は何をどう感じていたのか。アレクシエーヴィチは、責任がだれにあるのか、あるいはその原因は何かといった事故そのものの原因究明には向かわず、どこまでも被害に遭った人々の「気持ち」を第一に考えていた。次は、大学教員の証言だ。

ぼくは、とつぜん確信がもてなくなったんです。記憶していたほうがいいのか。それとも、忘れてしまったほうがいいのか？　知人たちに聞いてみた。ある者は忘れてしまったといい、ある者は思い出したくないという。なにも変えることはできないし、ここを離れることもできないのだからと。ぼくが記憶していること。事故が起きて数日のうちに放射能やヒロシマ、ナガサキについての本、レントゲンの本までもが図書館から姿を消してしまったことだ。パニックがおきないようにという上からの命令だとうわさされていました。（同右）

この本の証言者たちが語っていることで、特徴的なのは次の三点だ。第一に、チェルノブイリ原発事故が「未曾有」のものであったということ。まったく予想もできない、見たこともない「想定外」のものだということだ。第二に、未曾有であったがゆえともいえるが、人間の想像力が及ばないことにでも人々は何か過去に体験したことになぞらえて物事を捉えようとして、戦争で敵と戦うように原発事故と闘おうとしたこと。当初は本当に、「核戦争」が起きたのかと思った人もいた。つまり戦争と原発事故が重ね合わされ、アレゴリカルに語られている場合があるということである。第三に、放射能という点で多くの人がヒロシマ・ナガサキを思い出したこと。チェルノブイリ事故で人々はヒロシマを思い、フクシマの事故で人々はチェルノブイリを思い出した。不幸なことに、ヒロシマ・ナガサキ・チェルノブイリ・フクシマは悲劇で結びついた鎖のようなものなのだ。

東日本大震災のメッセージ

二〇一一年三月一一日に起きた東日本大震災直後、私はロシアの作家や研究者、知人たちから被災者に宛てたメッセージをたくさん受け取っていた。何とかこれを東北の人たちに伝えたいと思い、初めてブログを立ち上げ、ロシア語のメッセージに日本語の対訳をつけて、毎日のように更新した。それが一段落したとき、私はアレクシエーヴィチからもメッセージをもらえないだろうかと考え、三浦みどりさんに相談したところ、すぐにアレクシエーヴィチに頼んでくださった。タイトルは「チェルノブイリからフクシマへ」。単なるメッセージではなく、まとまった長さのエッセイだった。その一部を紹介する。

原子力による教訓の最初はチェルノブイリの原発事故でした。聖書にもチェルノブイリについて警句が記されています。

ところが、チェルノブイリ事故が起こったのは全体主義のせいだと説明されました。ソ連の原子炉に欠陥があり、技術的に遅れていて、ロシア人のやり方がいい加減で、横領が横行しているためだといわれたのです。原子力神話そのものはびくともしませんでした。ショックはたちまち消えてしまいました。放射能でただちに人が死ぬわけではなく、五年後に癌になったとしても、だれもそんなことを気にしてくれません。(……)

そして今、原子力についての教訓を再び得る時がきました。今回の事故は、一基だけでなく四基の原子炉で起きています。今やフクシマは、チェルノブイリと同じく世界中に知られています。ヒロシマ、ナガサキと並んで知られるようになりました。原子力は軍事用であれ平和利用であれ共犯者であり、同じく殺人鬼です。世界第三位の経済力を誇る国が「平和利用の原子力」を前にして、なすすべもないのです。荒れ狂った自然力を前にして。ほんの数時間の間に――いや数時間どころか数分のうちに！――いくつもの町がごっそりツナミで流されてしまいました。「進歩」の後に残ったのは「進歩の残骸」のみ。進歩という蜃気楼の墓場です。原子炉の安全装置は最高レベルといわれていたにもかかわらず、マグニチュード九の大地震が起きたら取るに足らない子供服のようでした。つまり、共産主義か資本主義かという社会体制の問題ではなく、人間と人間が手にしている技術との関係が問題なのです。逆説的に聞こえるかもしれませんが、技術のレベルが高ければ高いほど、惨事はとんでもなく凄まじいものになるのです。

（沼野恭子研究室ブログ、二〇一一年四月二二日）

「チェルノブイリ」という言葉はウクライナ語で「ニガヨモギ」を意味する。新訳聖書「ヨハネの黙示録」に、このニガヨモギに言及している箇所があるのだ。「わたしは七人の天使が神の御前に立っているのを見た。彼らには七つのラッパが与えられた。（……）第三の天使がラッパを吹いた。すると、松明のように燃えている大きな星が天から落ちてきて、川という川の三分の一とその水源の上に落ちた。この星の名はニガヨモギといい、水の三分の一がニガヨモギのように苦くなって。そのために多くの人が死んだ」——何とも恐ろしい合致ではないだろうか。

ベラルーシ文学を専門にしている越野剛さんによると、先ほど名前を出したアレクシエーヴィチの恩師にあたるアダモヴィチはチェルノブイリ事故直後この予言を思い出し、「私の唯物論的・無神論的な知性が説明不能なものの前に屈したのを覚えている」と語っていたという。それほど、この予言的文言は衝撃的だったのだろう。

チェルノブイリの原発事故は一九八六年、ゴルバチョフ共産党書記長が登場した直後に発生した。アレクシエーヴィチも指摘しているとおり、社会主義体制の崩壊と「宇宙的な規模」の原発事故という二つの大惨事が重なって起こってしまったのである。そのため、ユートピアの住人たちの絶望感は限りなく深く、深刻だった。

こうした人間の英知も想像力もはるかに超越した原発事故の後の世界を予言するかのような映画を作ったのが、アンドレイ・タルコフスキーだ。映画『ストーカー』の不可解で恐ろしいゾーン（зона）は、あたかも放射能汚染による「立入禁止区域」を表すメタファーのようだ。さらに、フクシマの事故後には、やはり彼の映画『サクリファイス』に登場する木が、ツナミですべてが押し流されてしまった後にたった一本だけ残った陸前高田の「奇跡の一本松」にそっくりだというので話題になった。この映画が一九八六年、チェルノブイリの事故が起きた年に製作されたタルコフスキーの遺書のような作品だということを考えると、ロシアと日本の不思議な縁を感じるとともに、タルコフスキーの天才的な想像力に圧倒される思いがする。タルコフスキーはその個性的な映像美と人並み外れた予知能力によって、アレクシエーヴィチは粘り強い聞き取りと抜群の聴力によって、はるか未来の同じ方向を見据えているのだろう。

日本の原発について

アレクシエーヴィチは『民族友好』誌（二〇一三年一〇月号）に掲載されたエッセイで、日本の原発事故に触れている。

日本には北海道にタマーラという原子力発電所があります（注：ロシア女性の名前のように書いてあるが、たぶん泊《とまり》原発のことだろう）。日本で初めて本が出たときそこに行ったのですが（注：二〇〇三年一〇月）、窓から覗くと、まるでこの世のものとは思えない、なんだか宇宙施設のような美しいところでした。読者との集いがあって、そこに来たこの原発で働いている人たちが自信満々でこう言い切っていました。あんな事故が起きるのはいい加減なロシア人の原発だけだ、自分たちの（日本の）原発で同じような事故が起きるはずはない、すべてきちんと計算してあるのだからって。

日本の原発関係者だけが傲慢だったわけではないだろう。世界中でそうだったし、ソ連の研究者も同様だった。「原発はサモワール（ロシア式湯沸かし器）のようなものだから、モスクワのクレムリンに設置しても大丈夫だ」と豪語していた。社会主義体制であっても、資本主義体制であっても関係なく、安全神話は二度までも否定された。世界はチェルノブイリから何も学ぼうとしなかったのである。

ノーベル文学賞受賞

周知のように、昨年（二〇一五年）一〇月にアレクシエーヴィチはノーベル文学賞を受賞した。ドキュメンタリー文学にノーベル賞が与えられるのは初めてだ。一二月七日ストックホルムで行われたノーベル賞講演でも、アレクシエーヴィチはチェルノブイリに言及している。

新聞に載るチェルノブイリに関する情報には、軍事用語ばかり使われていました。爆発、英雄、兵士、撤退……。原発の中で活動していたのはKGBで、スパイや破壊分子を見つけ出そうとしていたとか、事故は西側の秘密諜報部が計画的に起こしたもので社会主義陣営を切り崩すためだなどという噂が流れました。チェルノブイリのほうへ兵器が運ばれ、続々と兵士たちが向かっていきます。例によって作業は軍事システムにもとづいて行われていましたが、新型の自動小銃を持った兵士の姿もこの新しい世界では悲劇的なだけです。兵士にできることといったら、放射能をたくさん浴び帰郷して死ぬことだけだったからです。放射能というのは、見ることも、触ることも、匂いをかぐこともできない。そんな知っているようで知らない世界が私たちを取り巻いていました。私が退避圏内に入るときに早口で説明されたのは、「花を摘んではいけない、草むらにすわってはいけない、井戸の水を飲んではいけない」ということでした。死がそこらじゅうに身を潜めていましたが、これまでの死とは違う何か別の死です。新しい仮面をつけた死。見知らぬ外見をした死なのです。戦争を経験したお年寄りたちはまた疎開することになり、空を見上げて言っていました。「お日様は照っている……。煙もなければガスもない。銃撃もない。なのに、これが戦争なんだろうか？　避難民にならなければならないなんて」。

朝だれもが新聞をひったくるように摑んでは、すぐにがっかりして脇にやりました。スパイが見つからないからです。「人民の敵」のことが書いてない。スパイも「人民の敵」もいない世界というのも馴染がありません。何か新しいことが始まったのです。アフガニスタンに続いてチェルノブイリが私たちを自由な人間にしたのです。

（『世界』二〇一六年三月号、五四―五五）

第二次大戦はソ連の人々にとっては大変な犠牲を払った大惨事には違いないが、それでもまだ大義名分があった。人々はイデオロギーの制約の操作の中で生きていた。やがてアフガン戦争が、少しずつではあったが人々を空疎な大義名分やプロパガンダから解放し始め、そこへチェルノブイリという、プロパガンダも通用しない、まったく未知の出来事が起こり、新しい次元の闘いを強いられた人々がついにイデオロギーの呪縛から解放されたということだろう。しかし、自由になったはずの人々はどうなっただろうか。体制が崩壊し、新しい社会に適応できた少数の人を除いて、多くの人が人生の目的を失い、建前とはいえ、それなりに機能していた平等の原則が崩れて、格差がすさまじい勢いで広がった。五部作最後の『セカンドハンドの時代』はこうした人々の苦悩と絶望が綴られているのである。

今後に向けて

最後に、最近のインタビューなどから、アレクシエーヴィチが今後どのような取り組みをしていくつもりか探っておこう。二〇一六年四月一四日に行われたミンスクでの講演によると、ベラルーシで毎年四月二六日に行われている「チェルノブイリ街道《Чернобыльский шлях》」という反原発アクションがあり、アレクシエーヴィチは名誉議長に選ばれたという。こう語っている。

チェルノブイリを忘れてしまおうとか、まるでチェルノブイリ事故などなかったかのように、まるで事故がどれほど危険かということも、この「平和な核」にどれほどの犠牲を払ったかということも知らないかのように、原発を建設しようという動きがありますが、「チェルノブイリ街道」はそれに対する抵抗力がまだ残っているということをわずかなりとも示す証拠です。……

ベラルーシの政権はチェルノブイリ事故の結果に関する諸問題を単純化しています。独裁権力というのは幼稚なもので、たったひとつ、権力の問題しかないからです。政権には、チェルノブイリ事故に関連した文化の問題、複雑な問題などというものはない。まるで存在しないかのようです。……

原発事故がどのような影響をもたらしたかは、まだ私たちが理解しえず、探究し尽くしていない問題です。

（http://naviny.by/rubrics/society/2016/04/14/ic_articles_116_191448（二〇一六年九月一日閲覧）

ベラルーシの政権がどれほど「単純」だとしても、事故後五年目にチェルノブイリ法を制定し、厳しい基準を曲がりなりにも守っているウクライナ、ベラルーシ、ロシアのほうが日本の現状よりもよほどまともなのではなかろうか。彼女が日本の実態を知ったら何というだろうか。いつもはインタビューを取るほうのアレクシエーヴィチだが、もし来日することがあったら、今度はぜひインタビューしてみたい。

＊この原稿は二〇一六年五月二八日（土）に行われたユーラシア研究所主催のシンポジウム「チェルノブイリの三〇年」で報告した内容に、多少加筆したものであることをお断りします。

『ラングザマー　世界文学でたどる旅』イルマ・ラクーザ／山口裕之訳

なんという贅沢な本だろう。

スピードばかりが追求される多忙と喧噪の現代社会で、あえて「ラングザマー（もっとゆっくり）」を訴えるということ。それはある意味で、保守的・時代錯誤的であるようにも見える。しかし著者イルマ・ラクーザ（一九四八年生まれ）は、まったくたじろぐ気配さえなく、ゆとりを持って生きることがどれほど大切かという主題をひたむきに説いていく。まるで変奏曲のように、世界文学のさまざまなテクストを自在に引用し、主旋律のリズムや調子を少しずつ変えながら。

九つの変奏曲はゆったりと心地よいので、いつまでも聞いていたくなる。音楽用語でもある「ラングザマー」と示し合わせているかのごとく、章が進むにつれ叙述はいっそうのびやかに遅くなっていくように感じられる。目次がアクロスティックになっていて、各章のタイトルの最初の文字をつなげると“LANGSAMER”（ラングザマー）になるという念の入れようには（これは訳者泣かせだが）、茶目っ気ばかりでなく、著者の強い意志が込められているといえよう。

贅沢なのはそれだけではない。著者と親しくしているという日本語・ドイツ語バイリンガル作家、多和田葉子のエッセイが収録されているのだ。この文章がまたラクーザのテクストと呼応していて素晴らしい。多和田はラクーザを「文学を創作することと、文学について語ることの間の境界線など自然と消してしまえるような、稀に見る作家」と称賛しているが、じつに正鵠を得ている。実際、ラクーザは創作家と研究者の境界を軽やかに跨ぎ、往還を繰り返しながら嫋《しな》やかに知的営為を続けてきた。

彼女は、スイス在住のドイツ語作家・詩人であると同時に、レニングラード（現在のペテルブルグ）に留学したことのあるスラヴ文学研究者であり、チューリヒ大学で教鞭を執る教育者でもある。さらには、父がスロヴェニア人、母がハンガリー人で、ハンガリー語、フランス語、ロシア語、セルビア・クロアチア語の文学作品をドイツ語に翻訳しているマルチリンガルの翻訳家でもある。つまり、彼女の存在そのものが「越境的」あるいは「世界文学的」といっていいくらいなのだ。

本書の主張は、エピグラフに掲げられたロベルト・ヴァルザーの言葉「われわれはゆっくりすることがあまりに少ない、そうはっきりと感じている」に凝縮されている。本書全体に二項対立が貫かれており、一方がゲーテのいう「ファウスト的悪魔的な速さ」や「有用性ばかりを追い求める志向性」だとすると、著者がよしとするもう一方の価値観は、「感覚的であること、観想的であること、リラックスしていること」という「重要な三位一体」に象徴されるものであり、それは読書を通して「自分という境界を越えて、自由に戯れる自律的空間のなかを動いてゆく」ことだと定義される。そしてさらに敷衍され、「自分自身を忘れてぶらぶらするというこの行為だけが、創造の謎を瞬間的に解き明かし、自分自身についてのアイディアを落ち着かせ、静める資質を持っている」と述べるヴィルヘルム・ゲナツィーノや、挫折こそが「無限なものや絶対的なものを直接的に経験する唯一のもの」と言い切るツヴェタン・トドロフらの言葉が引かれることによって、創造者には「遅いこと」のみならず、退屈や挫折といった普通ならネガティヴに捉えられる現象にまで、ポジティヴな意義が与えられる。こうして、ラクーザは現代社会が半ば暴力的に強要してくる「速さ」に抗って、時間的な余裕と精神的な豊かさを寿ぐ朋友たちを、世界文学のあちこちに見出しているのである。

ここで思い起こされるのは、ロシア・フォルマリストのヴィクトル・シクロフスキーが「異化」について説明した次の有名なくだりである。「生の感覚を取り戻し、事物を感じ取るために、石を石らしくするために、芸術と呼ばれるものが存在する。芸術の方法とは、事物を異化する方法であり、知覚をより困難にし、より長引かせるために、日常的に見慣れた事物を奇異なものとして表現することである」。知覚のプロセスが芸術であるなら、そのプロセスを「遅らせる(長引かせる)」ことが重要だというのだ。『ラングザマー』にはシクロフスキーの名前こそ出てこないが、著者ラクーザはドストエフスキーの『罪と罰』と出会って文学にのめり込み、やがて

「ロシア文学における孤独」というテーマで博士論文を書き、マンデリシュタームやツヴェターエワに親しんだという、ロシア文学の専門家である。ロシア・フォルマリズムに無関心なはずはない。送り手が事物を異化して知覚を長引かせ、受け手がそれをゆっくりと感受する。そんな双方向の創造的営為が彼女の考える「理想の読書」なのではなかろうか。

ラクーザが本と読者との関係を恋愛のアナロジーで捉え、「愛の営みとしての読書、読書としての愛の営み」という魅惑的な表現を用いているのも興味深い。読書の身体性。これは、「人間が速さという力を機械に移し換えるとき、すべては変わる。その瞬間から人間の身体はかかわりをもたなくなり、非身体的で非物質的な速さとでもいうようなものに奉仕することになる」というミラン・クンデラの言葉と響き交わしている。本書からほのかにエロティシズムが匂いたってくるように感じられるのは、読者と本との間に、ひいては作者と読者の間に、身体的な歓びが存在するからなのだろう。

そうした身体的な手応えを感じつつ悠然と生きることが、時間のプレッシャーを減少させ、最終的に自由を獲得することにつながるという。もちろん、慌ただしい現実を生きている者にとって、これはなかなか実現できることではない。しかし今回、私は本書の内容にしたがって本書をゆっくり繰り返し読んでみて、久しぶりに贅沢で幸福な時間を味わうことができた（そのため書評の締切りを大幅に過ぎてしまったのも事実だが）。

ちなみに、二〇〇九年に彼女の自伝的作品『もっと海を』のロシア語訳が出版されたとき序文を寄せたのが、スイス在住のロシア語・ドイツ語バイリンガル作家、ミハイル・シーシキンだ。どうやら彼もラクーザの「親密圏」に属する同志であるらしい。その序文で、シーシキンは彼女のことを「遊牧民」と呼んで、その自由な詩的精神に感嘆している。

『堕天使殺人事件』 ボリス・アクーニン――訳者解説

「ファンドーリンの捜査ファイル」シリーズ

本書『堕天使《アザゼル》殺人事件』は、ボリス・アクーニンが一九九八年に推理作家として初めて発表した「デビュー作」で、シリーズ「ファンドーリンの捜査ファイル」（原書では「エラスト・ファンドーリンの冒険」）の第一作目に位置づけられる。アクーニンはこの年、文字どおり彗星のごとく現れて四冊、翌一九九九年に三冊と、ファンドーリンを探偵とする歴史推理小説をたて続けに出版して一躍脚光を浴びた。

当初は本名を明かさない「覆面作家」だった。本の裏表紙にシルクハット・鼻メガネ・フロックコートという姿の、いかにも一九世紀の貴族らしい装いをこらした口髭の紳士の肖像画が掲げられ、その下に「B・アクーニンはペンネームである」と一言添えられているだけだったので、この謎めいたアクーニンとはいったい何者なのかをめぐって、ロシアの文壇では喧々諤々のかまびすしい議論がおこなわれたものだ。かくいう私は、「このところ大人気のアクーニンの小説、どう思う？」という間抜けなメールを当の本人に送ってしまった！　まさかジャパノロジストの友人グリゴーリイ・チハルチシヴィリがアクーニンだとはそのとき思いもしなかったからである。彼は「うちの奥さんがアクーニンのファンだよ。僕は読まないけどね」というしらばくれた返事をくれたのだから、人が悪い（まさに悪人《アクーニン》！）。

みるみるうちに読書界の寵児となったアクーニンは、一九九九年に『トルコの捨駒《すてごま》スパイ事件』で推理小説として初めてロシア・ブッカー賞にノミネートされ、二〇〇〇年には『戴冠式』で当時ロシア・ブッカー賞に対抗する権威ある文学賞だったアンチ・ブッカー賞を受賞した。

覆面を取ってからも、影が薄くなるどころか逆にますます文筆活動を精力的におこない、国際的にもたいへん高い評価を受けるようになる（今や三〇カ国語以上の外国語に訳されているという）。二〇〇二年にはロシアで『堕天使殺人事件』がテレビドラマ化され、二〇〇五年には『トルコ捨駒スパイ事件』と『五等官』がテレビドラマ化・映画化された。後者で現代ロシア映画界の大御所ニキータ・ミハルコフが将軍、当代きっての人気俳優オレグ・メンシコフがファンドーリンを演じたことは、アクーニン人気にいっそう拍車をかけることになった。

そもそも「ファンドーリンの捜査ファイル」シリーズは、各作品に古典的な犯罪小説のさまざまなタイプが振り分けられた戦略的な「文学プロジェクト」として構想された。本作『堕天使殺人事件』は非合法活動小説、第二作の『トルコ捨駒スパイ事件』（奈倉有里訳、岩波書店、二〇一五年）はスパイ小説、第三作の『リヴァイアサン号殺人事件』（沼野恭子訳、岩波書店、二〇〇七年）は密室殺人小説、第四作の『アキレス将軍暗殺事件』（毛利公美・沼野恭子訳、岩波書店、二〇〇七年）は暗殺者小説……といった具合である。さらにジャンルばかりでなく、形式や語りの方法にも一作ごとにバラエティに富んだ工夫が凝らされている。第二作は進歩的な考えを持つ活発な美女が主人公になり、各章の冒頭に新聞記事が配されているし、第三作は五人の船客が代わるがわる事件について語る形式をとっている。第四作はファンドーリンと犯人の視点が前半と後半でほぼ半々という大胆な構成で語られ、第八作と第九作は「対」になっている。さらに、第一一作は戯曲、第一二作は短編集である。

しかも、どの作品も物語の舞台となる年代がはっきり特定され、綿密な調査にもとづく時代考証がなされているので、れっきとした「歴史小説」であるともいえる。たとえば、本書は一八七六年を舞台にしているが、ここにブリッリングがあまりよく声の伝わらない初期の電話機と格闘するさまが描かれているのは、グラハム・ベルが電話機を発明したのがこの年だからだ。また事件が起きたとされるこの一八七六年の五月に、ドストエフスキーが『作家の日記』で自殺について考察しているのも史実そのままである。じっさい、この頃ロシアのとくに都市部では自殺が「流行」しており、本書には当時のそうした社会現象が巧みに採り入れられているのである。

じつをいうとアクーニンは、このシリーズを書き始めたころ、自殺をテーマにしたたいへん重厚な研究書を本名で出している（邦訳は、グリゴーリイ・チハルチシヴィリ『自殺の文学史』越野剛・清水道子・中村唯史・望月哲男訳、作品社、二〇〇一年）。これは、三五〇人にもおよぶ古今東西の作家たちの自殺について、その地域性、動機、原因、方法について詳細に調べあげ、分析した、きわめてユニークな驚くべき文化論である。この本のために「自殺」という重くて暗いテーマにずっと向きあっていて憂鬱になり、それとは逆の軽やかなエンターテインメントが書きたくなった──それが「アクーニン」という文学プロジェクトの誕生したきっかけだと聞いている。

そんなわけで、「ファンドーリンの捜査ファイル」シリーズは、一方でしっかりした歴史的事実を踏まえつつ、他方ジャンルや形式面で思いきり自由で多様な実験を試みた、質の高い知的エンターテインメントであるということができる。二〇一五年現在、このシリーズに含まれるのは一五作品。以下に、舞台になった年、発表年とともにタイトルを挙げておこう。

①長編『堕天使殺人事件』（舞台は一八七六年）発表は一九九八年。
②長編『トルコ捨駒スパイ事件』（一八七七年）一九九八年。
③長編『リヴァイアサン号殺人事件』（一八七八年）一九九八年。
④長編『アキレス将軍暗殺事件』（一八八二年）一九九八年。
⑤中編集『特殊任務』（『スペードのジャック』一八八六年、『舞台装飾家』一八八九年）一九九九年。

⑥長編『五等官』（一八九一年）一九九九年。
⑦長編『戴冠式』（一八九六年）二〇〇〇年。
⑧長編『死を恋人にした女』（一九〇〇年）二〇〇一年。
⑨長編『死を恋人にした男』（一九〇〇年）二〇〇一年。
⑩長編『金剛乗』二巻（一八七八年、一九〇五年）二〇〇三年。
⑪戯曲『陰と陽』（一八八二年）二〇〇五年。
⑫短篇集『難玉の数珠』（一八八一年―九九年）二〇〇六年。
⑬長編『世界は劇場』（一九一一年）二〇〇九年。
⑭長編『黒い街』（一九一四年）二〇一二年。
⑮イラスト入り作品集『水の惑星』（一九〇三年―一二年）二〇一五年。

これらのうち今回（二〇一五年）、第一作と第二作が同時に刊行されることになり、二〇〇七年に刊行された第三作と第四作を合わせて、翻訳シリーズ「ファンドーリンの捜査ファイル」は最初の四冊が揃ったことになる。

しかし、いくら形式や方法で実験的な試みをしていても、血の通った生身の人間や心に響く内実がきちんと描かれていなければ、文学作品として面白味のないものになってしまう。このシリーズが長きにわたってこれほどの人気を博しているのは、推理小説の謎解きの楽しみのほかに、なんといっても主人公エラスト・ファンドーリンの造形にすぐれ、一九世紀ロシア文学の芳香漂う内容と雰囲気を有しているためであろう。恥ずかしがり屋で気高く人間的で、天才的なひらめきと合理的な推理能力を持つ美青年でありながら、非人間的で非合理的なほどの勝負強さと、この世離れした身体能力をそなえたスーパーヒーロー。そんなファンドーリンがジャンルやスタイルの異なる作品を軽やかにわたり歩き、華麗に謎を解いていくうちに、しだいに年を重ね成長していく――そう考えると、シリーズ全体が主人公の成長を追う連作「教養小説《ビルドゥングスロマン》」になっているといえるかもしれない。読者は彼とともに事件に遭遇し、恋に心ときめかせ、事件の謎を解明してもなお残る複雑な社会の謎におののき、喜びと哀しみを追体験することで、リアルな感動を得ることになるだろう。

こうしたアクーニンの推理小説は、一流の文学としての質の高さと、ストーリー展開の巧みさを兼ねそなえた新しい文学の出現であると捉えられるようになった。つまり、文学性とエンターテインメント性が絶妙な具合にブレンドされているということである。元来ロシアでは、伝統的に文学は社会性を問われたり哲学を求められたりと、「文学」以上の機能を担わされてきて、単なる「娯楽」ではありえないと考えられがちだったが、一九九〇年代のポストモダンの隆盛を受けて、文学に「遊戯性」や「実験性」が持ちこまれる傾向が強まった。文学以上でも以下でもない単なる「文学」を提供するために、文学性と娯楽性を融合させることをめざしたアクーニンも、その意味ではポストモダン時代の申し子といえるのかもしれない。あるインタビューで、彼は「これまでロシア文学には『高い』ジャンルか『低い』ジャンルのどちらかしかなく、その中間がまったくなかった」と語り、両者のあいだに位置する「中間的な」小説ジャンルの創出を意図していたことを明らかにしている。アクーニンのプロジェクトとは、大衆小説的な手法を取り入れつつ、教養ある読者にも純粋に娯楽として楽しんでもらえるような「中間小説」を書くという、高度な文学的戦略だったのである。

彼はまた、「私は писатель（ピサーチェリ）ではなく、беллетрист（ベレトリスト）だ」という言い方もしている。この二つの名詞はどちらも「物書き」を表すが、「писатель は自分のために書く作家、беллетрист は読者のために書く散文家」とアクーニン自らその違いを定義していることから、彼が読者のニーズを何よりも優先させていることが窺われる。

同時に、アクーニンの作品にはロシア古典文学への深い崇敬の念が貫かれていることも指摘しておかなければならない。じっさい原書の裏表紙には「文学が偉大で、進歩をどこまでも信じることができ、犯罪がエレガントで、趣味よく行われたり、暴かれたりした一九世紀の思い出に捧げる」という、少々ノスタルジックな献辞が記されている。若きファンドーリンが警察に奉職して活躍し始めるのは、トルストイが『アンナ・カレーニナ』（一八七七年）を書き、ドストエフスキーが『カラマーゾフの兄弟』（一八八〇年）を手がけようとする時期に重なっている。アクーニンは、自分の主人公がそうしたロシア文学の黄金時代に生きることを祝福するかのように、ロシア文学のさまざまな作品を引用したり、言及・仄かし・借用したりして、文学的意匠を凝らしている。

本作を例にとるなら、主人公ファンドーリンのファーストネームは現代ロシアでは滅多に出会わない「エラスト」というが、これはカラムジンの代表作『あわれなリーザ』（一七九二年）の主人公リーザの恋人となる男の名前と同じである。エラストとリーザと聞けば、ロシア文学に精通した人ならすぐにこの作品を思い出すはずだ。本書でも、エラスト・ファンドーリンはリーザに一目惚れするし、リーザ自身が『あわれなリーザ』に言及する場面さえある。ただし、アクーニンはカラムジンの物語をただ単に借用するのではなく、農民だったリーザの身分をエラストよりはるかに高い位の貴族にして、男女の関係を逆転させている。さらに、ファンドーリンはすぐに顔を赤らめる癖があるが、感情を「紅潮」や「卒倒」などといった身体的現象で表すのがカラムジンを代表とするロシア・センチメンタリズムの特徴の一つだったことを思い出せば、ここにもカラムジンとのつながりが見てとれる。

また、謎の美女アマリヤが取り巻きの男たちを思いのままに操り翻弄するところは、トゥルゲーネフの『初恋』（一八六〇年）の美しく誇り高い公爵令嬢ジナイーダの振る舞いを思わせる。アマリヤもジナイーダも自分の部屋に男たちを呼んで、同じ「ファント」というゲームに興じているし、ファンドーリンも『初恋』の主人公ウラジーミルも（どちらも純真無垢！）幸運なくじを引いて、ヒロインと二人だけで話す機会を得る。そのくじを買いとらせてくれと懇願する男がいるところまで同じだ。明らかにアマリヤは、トゥルゲーネフが得意とした「強い女」の形象を引き継いでいるといえよう。

もう一つだけ付け加えれば、なにげない場面だが、ファンドーリンが汽車でペテルブルグからモスクワに向かう途中、息抜きのため駅に降り立つところは、トルストイの『アンナ・カレーニナ』をなぞったものと思われる。アンナの後を追ってモスクワからペテルブルグに向かう（またしても方向が逆転しているが）列車に乗ったヴロンスキーは、途中駅に降り立ったアンナに愛を告白する。つまりどちらの作品においても、恋愛の重要な起点として、出会いと別れの場である鉄道の駅が選ばれているのである。もっとも、ファンドーリンとリーザの初々しい恋は、ヴロンスキーとアンナの激しい「不倫の恋」とはまったく違う展開を見せることになるのだが……。

ほかにもこのようなロシアの古典文学とのつながりは随所に見られ、それを見つけることもアクーニン・ファンの楽しみだという。カラムジン、トゥルゲーネフ、トルストイ、ドストエフスキーといった文豪たちの作品をさまざまな方法で縦横に取り込み、自ら格調高い一九世紀的な文体を用いて、「偉大なロシア文学」を推理小説の枠組みの中で現代に蘇らせること——これがアクーニンの文学手法であり、一九世紀ロシア文学へのオマージュなのである。

チハルチシヴィリ＝アクーニンの軌跡

グリゴーリイ・チハルチシヴィリは一九五六年、ソ連のグルジア（ジョージア）共和国のゼスタフォニという町に生まれた。二歳になる前に家族がモスクワに移住。このためグルジア系だが、グルジアへの帰属意識は薄く、ロシア語を母語とするモスクワっ子というほうが当たっている。モスクワ大学文学部で、日本の歴史や文学を専攻。一九七〇年には、日本の東海大学に留学している。

卒業後、二〇〇〇年まで月刊文芸誌『外国文学』の編集部で働き、一九九四年からは副編集長を務めた。同誌で二度、現代日本文学特集を組み（一九九三年五月号、一九九七年八月号）、手ずから丸山健二、中上健次、井上靖、開高健、村上春樹、島田雅彦、荻野アンナ、遠藤周作らをロシア語に訳している。日本文学翻訳の分野における最も大きな功績は、旧ソ連時代に事実上タブーだった三島由紀夫の『金閣寺』をはじめとする諸作品をみごとなロシア語に翻訳し、すぐれた解説を付して、ロシア語読者に紹介したことだろう（『金閣寺』の初版はセヴェロ・ザパド社、一九九三年）。この三島由紀夫のロシア語翻訳で、二〇〇七年に野間文芸翻訳賞を受賞している。

また現代日本の小説を集めた二巻のロシア語アンソロジー『彼』『彼女』（『新しい日本小説』、イノストランカ社、二〇〇一年）を沼野充義とともに編纂し、古代から現代にいたる日本文学の名作を集めてロシア語訳で紹介するという、全二十巻の『日本文学の至宝』の総監修者も務める。

そのかたわら幅広く文芸評論をおこない、日本の文芸誌にも機知とアイロニーに富む洒落たエッセイや社会評論を何度も寄稿している。この経歴からもわかるとおり、彼は雑誌編集者・翻訳家・評論家であり、気鋭のジャパノロジストであった。そして、川端康成や芥川龍之介、三島由紀夫らの作家研究が引き金となって、作家と自殺の関係を考えるようになり、前述した『自殺の文学史』(ザハロフ社、一九九九年)を執筆し、その合間に日本語の「悪人」から考えついたというペンネーム「アクーニン」で、歴史探偵小説を書くようになったのである。

チハルチシヴィリ＝アクーニンの才能はとどまるところを知らず、二〇〇〇年以降は「ファンドーリンの捜査ファイル」シリーズと同時並行して、尼僧ペラギヤを主人公とする新しいシリーズ「シスター・ペラギヤの冒険」と、エラスト・ファンドーリンの孫を主人公とする、もう一つ別のシリーズ「学士の冒険」を随時刊行している。前者は、やはり一九世紀を舞台にしており、文体的にたいへん凝った「文学的推理小説シリーズ」、後者は、現代を舞台にしていて文学的意匠はなく、ストーリーを最大限に重視する「非文学的推理小説シリーズ」であると位置づけられている。

それだけではない。さまざまな文学ジャンルを網羅しようという野心的な試みである「ジャンル」というシリーズも立ち上げ、エラスト・ファンドーリンの曾孫にあたるラスチクを主人公に、「児童文学」や「幻想小説」を含む数冊の本を出している。今後は「家族年代記」や「ホラー小説」「女性文学」などといった〈ジャンル〉の作品が予定されているという。また、戯曲ではチェーホフの『かもめ』を推理劇に仕立てなおした『かもめ』や「喜劇・悲劇」、エッセイと推理小説を組み合わせた『墓地の物語』、その他シリーズには入らない小説を何冊も驚嘆すべきエネルギーで書いている。

さらに、二〇一三年には『ロシア国家史』と称する大プロジェクトを始めた。一〇年間で、一般向けの啓蒙的な歴史概説書全八巻と、それぞれの時代に対応する小説や資料集を並行して出版するという。第一巻は『ロシア国家史——起源からモンゴル襲来まで』で、ロシアが国家として成立した時期から一三世紀にモンゴルに支配されるまでを扱い、この時代に題材をとった小説集『炎の指』とともに出版した。このことは『あわれなリーザ』を書いた後、カラムジンが後半生を全一二巻の『ロシア国家史』の執筆に捧げたことを思わせ、アクーニンを「第二のカラムジン」たらしめている。

知的な遊び心と読者へのサービス精神、該博な知識と教養、次から次へと湧きでるアイディア、それを支えるに足る圧倒的な文章力、長らく『外国文学』編集部で培った世界文学の素養、飽くなき創作意欲——「アクーニン」とは、これらが渾然一体となった一大文化現象であるといえよう。

アクーニンは根っからの文学者だが、プーチン政権に対しては一貫して批判的な姿勢をとっており、近年はインタビューやブログによる社会的な発言が注目されている。とくに、二〇一二年三月の大統領選挙に向け、二〇一一年末から各地で「反プーチン」のスローガンを掲げた市民の大規模なデモが起きたとき、アクーニンはリュドミラ・ウリツカヤやドミートリイ・ブィコフといった作家や芸術家らとともに、モスクワで積極的にデモに参加し、率先して人々の前に出て「公正な裁判、公正なマスメディア、公正な政治、国家と市民の公正な関係」を訴えた。

残念なことに、現在、ロシア社会は愛国主義的・排他的な傾向が急速に強まっている。二〇一四年のロシアによるクリミア併合に際して、アクーニンやウリツカヤが強権的なロシアの実力行使に反対する発言をすると、彼らを「裏切り者」「非国民」として弾劾する言説がメディアやネット上に飛びかった。ロシア文化の伝統からすれば、作家や芸術家が権力と対峙するのは珍しいことではないが、盲目的民族主義《ショーヴィニズム》がはびこり、異論に対する不寛容が広がる大衆社会が相手となるとこれは厄介である。アクーニンはさぞやりきれない思いを抱いていることだろう。

しかし、それでも彼はロシアの未来を信じることをけっして諦めたりはしないだろう。ロシア文学に「古き良きロシア」の最大の価値を置いている知識人として、前人未踏の新しい文学のあり方を探っている作家として、そしてあまりにも悲劇の多かった過去のロシアを学ぶ歴史家として、「新しき良きロシア」の運命の決定に何らかの形でたずさわっていくにちがいない。

『聖愚者ラヴル』　エヴゲーニー・ヴォドラスキン／日下部陽介訳

現代ロシア文学界にまたひとり、超大型新人が現れた。エヴゲーニー・ヴォドラスキン。一九六四年キエフ生まれの五二歳だから「新人」というには成熟しすぎているかもしれないが、二〇一二年に『聖愚者ラヴル（原題は「ラヴル」）』（モスクワ・アスト社、二〇一三年）で「ボリシャヤ・クニーガ（大きな本）賞」と「ヤースナヤ・ポリャーナ賞」というロシアの権威ある文学賞をダブル受賞してから、評価はうなぎのぼりである。現在、『聖愚者ラヴル』は二〇カ国語以上の外国語に翻訳されており、ロシア国内のみならず国際的な評価も高まりつつある。

「成熟」と書いたが、あながち誇張ではないと思う。というのも、ヴォドラスキンはシェフチェンコ名称キエフ国立大学を卒業した後、サンクト・ペテルブルグの科学アカデミー・ロシア文学研究所（通称「プーシキン館」）の大学院で中世ロシア文学を専攻し、一九九〇年より研究員としてこの研究所に勤めている学者なのである。当時この中世ロシア文学部門を率いていたのが、ロシアの誇る優れた知識人で中世文学の泰斗ドミートリイ・リハチョフ（一九〇六―九九）だったというから、ヴォドラスキンはリハチョフの直接の弟子ということになる。二〇〇〇年には博士論文「古代ルーシ文学における全世界の歴史」で、博士号を取得している。

長らく文学研究に携わってきたヴォドラスキンが作家として有名になったのは、長編『ソロヴィヨフとラリオーノフ』（モスクワ・新文学評論社、二〇〇九年）によってである。歴史学の大学院生ソロヴィヨフが白衛軍を指揮したラリオーノフ将軍の生涯を博士論文のテーマにするよういわれ、将軍の残した文書を調べるという設定の物語で、文学研究に精通したプロによる完成度の高い「人文小説」として、いきなり「ボリシャヤ・クニーガ賞」と「アンドレイ・ベールイ賞」の最終候補作に選ばれ、注目を浴びたのだった。

ヴォドラスキンの書いた二冊目の長編が『聖愚者ラヴル』である。前作とは違い、作者が熟知している一五世紀を舞台にした、いわゆる「聖者伝」風の小説だ。学者の書いたはるか昔の聖人の物語などと聞くと、教訓的で退屈なものなのではないかと思われるかもしれないが、そんな懸念は少しでもページを繰れば、たちまち吹き飛んでしまうに違いない。説教臭いところは露ほどもなく、主人公アルセーニーの思索し、行動し、永遠の愛を貫く姿がさまざまな出来事とともに生き生きと描かれているので、読者は起伏に富んだ物語展開にかならずや引き込まれることだろう。

アルセーニーは祖父から薬草に関する知識や医術の知恵を受け継いだが、出産を控えた愛するウスチーナを救うことができなかった。それを自らの罪であると考え、一生をかけてその罪を償うことを誓う。人々の病を治し、痛みを和らげ、救済をもたらしながらルーシをめぐり、「聖愚者（ユロージヴイ）」となってウスチンと名のり、苦労を重ねてエルサレムへの巡礼を果たし、修道士アムヴローシイとなり、さらに過酷な修行生活を続けて、ついに最高位のスヒマ修道士となって、ラヴルの名を与えられる。こうして、彼は一生に四つの名前を持つにいたる。それに呼応するように、小説は四つの「書」に分けられている（「認識の書」「拒絶の書」「旅の書」「平安の書」）。しかし、名前を変えようと、役割を変えようと、アルセーニーのウスチーナへの愛は変わることはない。たとえ返事がこなくても、彼はいつもウスチーナを思い、語りかける。だから本書は「大いなる愛の物語」でもある。

『聖愚者ラヴル』の最大の特徴は、聖者伝の体裁でアルセーニーの生涯が通時的に語られているにもかかわらず、単線的・一元的ではなく、内容・形式のさまざまなレベルで重層的な工夫が凝らされているところといえよう。心理描写があまりなく、平板に感じられることもある中世文学とは違い、この作品ではアルセーニーについては一人称としても三人称としても語られているため、立体的な人物造形がなされている。また、舞台となっている一五世紀より後の時代のエピソードが預言や夢の形で挿入されている場面があり、過去と未来が混交している。これは、本作全体を貫く「いかに時を超越するか」というテーマと密接に関連しており、やがて主人公は死の淵から蘇った後、「時間がたんに進むのをやめて、止まったままになった。アルセーニーは世の中に起こる出来事を目にしても、それらが不思議な形で時間から離れ、もはや時間に束縛されていないことに気づいた」という、独特の時間感覚を得ることになる。

語りに目を向ければ、大部分は現代ロシア語で書かれているものの、ところどころに古代ロシア語が混じっており、それにより複層的な文体と「中世らしさ」の彩りが与えられている。古語といってもさほど難解ではなく、現代ロシア語のわかる読者であれば、文脈からおおよその意味が推察できる程度にとどめられている。

ヴォドラスキン自身はこう語っている。

もし私が一五世紀にワープしたとしたら、古代ロシアの良い作家になれるのではないかと思います。その時代にどんな作風が求められていたか、知っていますからね。とはいえ一五世紀に私を待っていてくれる人はいないので、逆に自分の持っている知識を二一世紀の文学に移すことにしたのです。それで古代ロシアの文学手法をたくさん用いましたが、数十年前だったら、そんなのは単に珍奇な趣味と思われ、こんなのは文学じゃないと拒絶されていたでしょう。でも、今はかえってぴったりです。ポストモダニズムのおかげで、現代文化はそういうものを受け入れるようになっているのです。

（ヴォドラスキン『家と島、あるいは言葉の手段』）

このように、ヴォドラスキンは現代と中世の融合を『聖愚者ラヴル』の詩学として、意図的に選んだのである。一九九〇年代にロシア文壇を席巻したポストモダニズムでは、テクストの断片化や合成、パロディや模倣、自在に変わる時空間、遊戯感覚など、ありとあらゆる実験が試みられた。それを踏まえれば、逆説的に聞こえるかもしれないが、聖者伝という枠組みを「借用」し、未来の時間を取り込み、古語を実験的に用いた『聖愚者ラヴル』は、中世文学を蘇らせたものではまったくなく、ポストモダニズムを経て、生まれるべくして生まれた超現代的な作品ということができそうだ。

本書に繰り返し出てくるキーワード「聖愚者（ユロージヴイ）」について、言及しておく必要があるだろう。ユロージヴイ（女性は「ユロージヴァヤ」）というのは、正教会において「キリストのために」狂人を装い、さすらいながら修行する者のことで、しばしば自ら首や手足に重い枷や鎖をつけ、裸足にぼろをまとって歩き回った。奇声を発したり、社会的ヒエラルキーや常識を超越して権力者を批判したり、奇跡を行うこともあったという。ロシアでは一三世紀から現れるようになり、一八世紀に西欧化を進めたピョートル大帝によって非合理的な存在であるとして禁止されるまで、「神に近い者」として民衆の信を得ていたという。ビザンツ帝国におけるよりもロシアのほうが聖愚者に対する尊敬の念が強かったようで、本書が舞台とする一五世紀と一六世紀には、それぞれ一〇名以上の聖愚者が正式の「聖人」として列聖されている。

最も有名な聖愚者と言えば、この当時モスクワに生きたワシーリイ・ブラジェンヌィであろう。民衆に「雷帝」と恐れられたイワン四世にとって唯一頭の上がらない存在だったのが、この聖愚者である。冬でも衣服を身に纏わなかったため、イコン（聖像画）には裸の姿で描かれている。存命中も死後も奇跡を起こしたことで知られ、赤の広場にある大聖堂は彼の名にちなんで「聖ワシーリイ大聖堂」と呼ばれるようになった。

聖愚者を敬う伝統はロシア文化に深く根づき、ピョートル大帝の弾圧にもかかわらず、その後も生き延びたようで、一九世紀にはドストエフスキーの作品の中にその形象を見出すことができる。『罪と罰』では、事件の巻き添えを食らってラスコーリニコフに殺されるリザヴェータが「神を見る」ユロージヴァヤであるといわれるし、『白痴』の主人公ムイシキンも、『カラマーゾフの兄弟』のアリョーシャもユロージヴイとされる。

また、二〇〇六年に作られたパーヴェル・ルンギン監督のロシア映画『島』でも、主人公は聖愚者のように描かれている。第二次世界大戦のさなかに仲間を撃ち殺してしまったと思い込み、その後ずっと罪の意識に苛まれている男が、うらぶれた修道院のボイラーマンとして働きながら、神に直接語りかけて赦しを乞い、しだいに聖性を帯び、人々の病気を治したり、悪魔祓いをして奇跡を起こすようになる物語である。

これら聖愚者はいずれも物的欲望とは無縁で、純真無垢な「義人」である。ただし、ヴォドラスキンは現代文学で義人を取り上げることには難しさを感じているようだ。

肯定的な主人公というのが、そもそも現代文学には頭痛の種なんです。中世文学にはそうした問題は生じません。それはもしかすると、必ずしも文学と言えるようなものではなかったからかもしれません。言い換えれば、私は「肯定的な素晴らしい人間」を書くために、そういう人に似つかわしい歴史的文学的環境を選んだということです。

（『いかに書くか』電子書籍、アズブカ・ベストセラー）

つまり、善人の生の軌跡という素材が中世の聖者伝という形式を選んだということだろう。こうして『聖愚者ラヴル』は、贖罪に一生を捧げたアルセーニーの苦しくも晴れやかなる一生を縦糸とし、彼の兄弟のようなイタリア人アムブロージョの生きざまや予知夢、聖愚者フォマーやカルプの常軌を逸した振る舞い、ときおり閃光のように放たれる未来の出来事などを横糸として、このうえなく魅力的な作品に織りあげられた。

現代ロシア文学の文脈に『聖愚者ラヴル』を位置づけるとしたら、近年増えてきている宗教関連の作品の一つと捉えることもできるだろう。話題になったものをちょっと拾ってみるだけでも、ユダヤ人のカトリック神父の数奇な運命を追ったリュドミラ・ウリツカヤの『通訳ダニエル・シュタイン』（前田和泉訳、新潮社、二〇〇九年）、現代のロシア正教会の日常を描いたマイヤ・クチェルスカヤの短編集『現代の聖者伝――憂鬱に陥った人のための読本』（モスクワ・ヴレーミャ社、二〇〇五年）、チーホン掌院の手になる現代の宗教説話集『「聖ならぬ聖者たち」とその他の物語』（モスクワ・スレチェンスキー修道院、二〇一二年）など、宗教をテーマとする優れた文学作品が多く出版され、人気を集めている。その背景にあるのは、ソ連崩壊後の宗教への関心の高まり、社会におけるロシア正教の地位の上昇があることはいうまでもない。

ヴォドラスキンの最新作『飛行士』（モスクワ・アスト社、二〇一六年）は、いっさいの記憶をなくした男が何とかして記憶を呼び起こし、自分自身を取り戻そうとして綴る一人称の「回想録」を内容としている。二〇世紀に舞台を移したため、『聖愚者ラヴル』とはまったく趣を異にしているが、罪と赦し・償い、あるいは単線的ではなく、周期的な時間の捉え方といったモチーフは『聖愚者ラヴル』から引き継いだものと言えそうだ。

それはさておき日本語読者としては、稀有な愛を貫き、どこまでも清く人間らしく生きた聖者ラヴルの物語を日本語で読むことができる僥倖を悦びたい。それこそアルセーニーの起こした数々の奇跡と同様、私たちに心の癒しをもたらしてくれる得がたい奇跡なのではあるまいか。

『むずかしい年ごろ』アンナ・スタロビネツ――訳者あとがき

ここにお届けするのは、アンナ・スタロビネツが若干二六歳のときに出版したデビュー作品集『むずかしい年ごろ』の全訳である。初版は真っ白な表紙の真ん中に小さなアリが一匹描かれているだけの、何の飾り気もない小型本だったが（*Анна Старобинец.* Переходный возраст. СПб.: Лимбус пресс, 2005）、その後、多少の修正がほどこされ新装版が出されたので（*Анна Старобинец.* Переходный возраст. М.: АСТ, 2011）、こちらを翻訳の底本とした。

スタロビネツはこの一冊で、「ロシアのホラー作家」という特異な存在として注目を浴びた。とりわけ表題作の中編『むずかしい年ごろ』（ロシア語原題は直訳すれば「過渡的な年齢」）は、背筋が凍りつくような恐ろしい内容といい、独創的な物語構成といい、文体の実験的な試みといい、ホラー小説というジャンルにさほど馴染みのなかったロシアの読者にとって、かなり衝撃的な作品だったのではないかと思う。アンソロジーとしてはすでに英語、イタリア語など数カ国語に訳されているが、二〇一三年にスペイン語に翻訳されるや、この中編にスペイン・ホラー作家協会が主宰する文学賞「プレミオス・ノクテ」（外国の小説部門）が与えられた。

訳者としてこの表題作に強く惹かれるのは、何といってもマクシムの身体がアリに侵されていくプロセスが、彼のつける日記の文体に巧みに反映されているところだ。六歳の利発な少年が日記をつけ始めたころはまだ綴りにたくさんの間違いがあって可愛らしく、日本の小学一年生が書く夏休みの絵日記を読んでいるような楽しさがあるが、少し成長して作文が上達してきたとき、突然そこに女性の声が混じり（ロシア語では、動詞の過去形によって主語が女性であることがわかる）、少しずつその比重が増えていく。それがマクシムの脳に棲みついた女王アリの威嚇的な声で、幼い男の子の意識をコントロールしていくさまをあらわす文体的変容なのだということがわかるにつれ、読者はひたひたと忍び寄る恐怖を実感することになるだろう。やがて女王アリはどんどん「働きアリ」を産み、今度は熱狂的に女王を愛する働きアリたちの集団的意識が、ところどころに一人称複数形で差し挟まれるようになる。

意識の変化を文体が模写するのは、アメリカの作家ダニエル・キイスの『アルジャノンに花束を』やロシアの作家ミハイル・ブルガーコフの『犬の心臓』といったSF作品に見られる手法だが、スタロビネツの『むずかしい年ごろ』では、ひとりの人（あるいは生物）の意識や心理が変化するというより、「他者」の侵入により「自己」が破壊されていく不気味さが際立っている。翻訳に際しては、一人称にさまざまなヴァリエーションのある日本語の特性を生かして、マクシムに「ぼく」、女王アリに「わたくし」、働きアリたちの集団の声に「われら」という一人称を充てて、それぞれの違いを出すことにした（「われら」としたのは、もちろんエヴゲーニイ・ザミャーチンのアンチユートピア小説『われら』を念頭に置いてのことだ）。

ついでにこの作品の形式的なことをもう少し述べておくと、前半は双子の兄妹の日常が六歳から一六歳まで三人称で綴られており、後半はそれと時を同じくするマクシムの日記で占められ、最後にもう一度、三人称の叙述に戻る。安定した三人称の語りで前後を「枠」のように囲われた日記部分では、先ほど紹介したとおり、マクシムと女王アリと働きアリたちの声がしだいに錯綜していくなか、さらに昆虫（とくにアリ）についての無機質的な文体も混じり、重層的な語りが展開されていく。このように『むずかしい年ごろ』は非常にユニークな構造を持っているわけだが、それでいて単なる「形式の実験」に終わることなく、日常の光景がありありと目に浮かぶように描写され、母マリーナの狂気に至る悲しみと絶望が切ないほどに伝わってくるのは、スタロビネツの才能がデビュー当初から並々ならぬものであった証拠といえるだろう。

本書に収められている他の短編も、短いながら完成度の高いものが多く、また作品ごとに幻想の度合いや色調が異なるところが興味深い。たとえば、「生者たち」は革命と呼ばれる殺戮が続くなか、生き残った者が人造人間《アンドロイド》を購入するという黙示録的未来小説だし、「家族」は、ロストフ・ナ・ドヌーからモスクワに向かう列車の中で主人公が目覚めると、別の家族がいて、自分自身の名前も職業も前とは違う「もうひとつの世界」に迷い込んでしまうというフィリップ・ディック風の物語。そうかと思えば「ヤーシャの永遠」は、あるときふと心臓が止まっていることに気づくが、それから後もずっと生き続ける男の物語で、ダニイル・ハルムスの不条理小説のような趣がある。

しかし程度の差こそあれ、どれも薄ら寒い恐怖を読者に呼び起こさずにはいないという点は共通している。そのため当初から、スタロビネツはしばしば「ロシアのスティーヴン・キング」と呼ばれてきた。彼女自身、かつて「ステパン・コロリコーフ」という男性のペンネームにしようかと考えたことがあるというくらいだから（「コロリコーフ」とはロシア語の「король コローリ（王＝キング）」からきている）、アメリカのこのホラー作家をそうとう意識していることは間違いない。本書に収められている短編「エージェント」で、クライアントの持ち込む本としてキングの『シャイニング』『ミザーリ』『ドリームキャッチャー』などに言及されているところを見ても、スタロビネツがキングを読み込んでいることがわかる。ちなみに、あるインタビューで彼女は自分が強い影響を受けたロシアの作家としてゴーゴリ、ブルガーコフ、ドストエフスキー、ヨーロッパの作家としてホフマン、カフカ、ブラッドベリ、現代作家としてキングとニール・ゲイマンの名を挙げている。

アンナ・スタロビネツは一九七八年にモスクワで生まれた。モスクワ大学文学部を卒業した後、『ニュースの時代』紙の記者となり、その後『論拠と事実』、『エクスパート』、『グドーク（汽笛）』などといった新聞・雑誌の編集や文化欄担当記者として活躍。現在は『ロシア・リポーター』誌に籍を置いているようだ。映画やテレビのシナリオも手がければ、村上春樹論もある。つまり、ジャーナリスト、文芸批評家でもあるわけだが、最近は作家としてめざましい「成長」を遂げている。

二〇一六年八月現在、『むずかしい年ごろ』の他に作品集が二冊、長編が三冊出ている。短編集『Икарова железа イカロス腺』（二〇一三年）は副題に「メタモルフォーゼの本」とあるとおり、一見ありふれた普通の日常に思える「現実」がいつのまにか恐ろしい姿に変貌するといった作品を多く収録している。浮気ができないよう「イカロス腺」という器官を除去する手術を受けた男が魂まで失ってしまう話、乗っていた列車が知らぬまに地獄に向かっていた話、天使のような赤ん坊が生まれたと思ったら、翼（羽）だけでなく六本足まで生えていたというカフカの『変身』を想起させるような話……。モダン・ホラーの旗手キングが、典型的なアメリカの幸せな家庭の情景を丹念に描き、そこに恐ろしい出来事や非日常が侵入してくるという筋立てを得意としていることを思えば、スタロビネツの作品はこの点でもキングに通じるといえそうだ。しかし、ロシア文学の文脈で考えるなら、ペトルシェフスカヤの特異な想像力の産物である怪奇・幻想小説群にもまた非常に近いということを指摘しておこう。それはペトルシェフスカヤの邦訳『私のいた場所』（河出書房新社、二〇一三年）を読んでいただければ、一目瞭然なはずだ。スタロビネツが「新世代のペトルシェフスカヤ」といわれることがあるのも頷ける。このアンソロジー『イカロス腺』は二〇一四年に「ナショナル・ベストセラー賞（青年ナショナル・ベストセラー部門）を受賞している。

スタロビネツは自作の特徴を訊ねられ、「ヨーロッパの幻想小説をロシア文学やロシアの現実に適応させ、現代的なテクストにしているところだと思います。つまり、カフカやキングによって接ぎ木されロシアの土壌で育ったようなもの。その結果、おそらく珍しいハイブリッドになったのでしょう」と答えている。また「幻想的な神話と日常を交差させるのが好き」とも語っている。さすがに文芸評論も手がけるだけあって、自作の分析も見事だ。

長編『**Живущий** 生命体』（二〇一一年）は、オーウェル、ハクスリー、ザミャーチンの系譜を継ぐディストピア小説で、ここでは人類は自己再生するひとつの統一体となっている。永久に人口が三〇億人に保たれているその生命体は、全能で不死。ひとりひとりの脳にマイクロチップが埋め込まれており、「ソツィオ」という全体のシステムにつねにアクセスできるようになっているのだ。この小説は二〇一二年、ウクライナの幻想文学賞であるポルタル賞（大きな形式部門）を受賞した。

そう言えば、別の長編『**Первый отряд. Истина** ファーストスクワッド』（二〇〇九年）は、第二次世界大戦が始まった頃を舞台に、ドイツとソ連の双方が死者を蘇らせて闘うというファンタスティックな物語だが、興味深いことに、これを原作として二〇一一年に芦野芳晴監督が日露合作の長編アニメーションを作っている。超能力を持った一四歳の少女ナージャがナチス・ドイツに立ち向かうところが、アニメ向きなのだろうか。

この他、スタロビネツは子供のための本も数冊書いている。少女の冒険譚『Страна хороших девочек よい女の子の国』(二〇〇九年)、時空を旅する猫のファンタジー『Котлантида コトランチーダ』(二〇一一年)だ。これらには、大人向けの作品に見られる「恐怖」の要素はほとんどないようだ(未見)。このように、ホラー小説から始まったスタロビネツの作家活動はホラーというジャンルに留まることなく、SF、ファンタジー、児童文学などに広がって、テーマも作風も多様化し、現在進行形で脱皮を繰り返しているように見うけられる。今後、作家としてどのようなメタモルフォーゼを果たすのか、目が放せない。

『五月の雪』　クセニヤ・メルニク／小川高義訳

「越境」という言葉はすでに使い古されてしまった感があるが、クセニヤ・メルニクはいわゆる越境作家である。一五歳のときロシアの極北マガダンからアラスカに家族と移住し、その後、ニューヨークの大学・大学院を出て、英語で執筆するようになった。『五月の雪』（二〇一四年）は彼女のデビュー短編集で、英語圏ではかなり話題になっている。少女少年のみずみずしい感性、大人たちがたどった複雑な人生、諦めや野心などが、繊細な観察をもとに魅力的に語られており、著者のたしかな才能を感じさせる。

収められた九編はゆるやかにつながっている連作である。最初のうちは、時代も舞台も視点人物もまちまちの独立した短編が並んでいるように見えるが、後半になると、登場人物同士の関係が明らかになってくる。

何度か登場するソーニャは――主役のこともあれば端役のこともある――メルニクと同じ一九八三年生まれという設定で、著者自身の姿が色濃く反映されているようだ。「夏の医学」という作品では、医者志望の一〇歳のおませなソーニャが母方の祖母オーリャの勤める病院に仮病を使って入院して、医学の知識をひけらかしている。「イチゴ色の口紅」では、オーリャおばあちゃんのけっして幸福とは言えなかった最初の短い結婚生活が語られる。「上階の住人」では、一四歳のソーニャが父方の祖父ミーシャに話してもらう、テノール歌手の波瀾万丈の生きざまに感動しつつ、別居中の両親のデリケートな関係に心を痛めている。

こうして、ソーニャの家族や彼女の友人たちの物語がところどころ、スポットライトを浴びるように浮かび上がってくる。「五月の雪」というタイトルを持つ短編はなく、数カ所で横断的に雪の降る五月の光景が現れるというのも心憎い演出だ。「ディマは駆けだした。五月に雪だ！荒れ狂ったように、うれしくてたまらないように、熱に浮かされてディマは走った。雪に匂いがある。その匂いは、切ったばかりのキュウリにも、おじいちゃんの家ですごす夏にも似ていた」。あるインタビューで、メルニクは「私にとって五月の雪というのは神秘、魔法、浄化、刷新への希望を表すシンボルで、私のテーマにぴったりだと思う」と述べている。

本書に独特の雰囲気を与えているのは、マガダンという呪われた町の歴史である。この町は「かつてスターリン時代に網の目のように張りめぐらされた収容所の群れの中で最も過酷な地域の入り口」だったからである。この「過酷な地域」とはコルィマのことだが（ちなみに、作家ワルラム・シャラーモフが囚人としての体験を綴った『コルィマ物語』はソ連収容所文学の傑作である）、マガダン、コルィマの惹起する絶望的な過去のイメージが、逆に清廉な「五月の雪」を必要としたということかもしれない。

本書が越境文学として興味深いのは、英語のテクストのあちこちにロシア語の単語やフレーズが挿入されていることだ。原書の最後にはそれらの意味を記した「用語集」が添えられているが、「ヌトロ（内臓）」や「クルチーナ（哀しみ）」のように、何の説明もなく使われている語もある。メルニクは、英語に置き換えられないような独特のニュアンスを持っていても、読者が直感で理解できる語には意味を付さなかったと語っている。

日本語訳は、若干、名前の表記の誤りが気になったものの、読みやすく、ソ連・ロシアの現実をよく伝えている。ユーモアとペーソスを併せ持ったメルニクの作品が日本にいち早く紹介されたことを喜びたい。

「交信」と「かもめ」のモチーフ　黒川創『かもめの日』

『かもめの日』は映像的な作品である。

たとえば、こんな場面がある。スポーツジムでランニング・デッキの上を走っている男がふとガラス窓の外を見ると、信号待ちしているバスの中の少女と一瞬目が合う。ここは、それまで並行して進んできたいくつかの物語が初めて交差するところだ。読者に、このふたりが何らかの形でつながっていくのかと予感させる心憎い伏線であり、映画『ドクトル・ジヴァゴ』で、ジヴァゴが恋人ラーラと初めてすれ違ったときに衝撃が走る、あの印象的な場面を想起させる。

『かもめの日』はジグソーパズルのような小説である。

最初はばらばらに見えるいくつかの物語が小さな断片によって少しずつ語られ、しだいに輪郭を形作っていく。やがてクライマックスである「かもめの日」へと収斂し、パズルの最後の一枚が嵌められると、全体の風景が見渡せるようになる。

いくつかのまとまりを持った絵模様が描かれていくが、そのうちの一つは「光の塔」といい表される高層ビルのFMラジオ局で、毎週金曜夜の番組を進行しているナビゲーター幸田昌司の物語。番組の最後に短編を朗読するコーナーがあり、その台本を書いているのが作家の瀬戸山晴彦で、ひと月ほど前、妻に突然先立たれた。これが二つ目の模様を成す。三つ目は、ヒデという雲の研究者が一八歳の絵理と知りあい、数年前三人の男にレイプされて以来、心の傷が癒えない絵理を放っておけずに寄りそっている物語。さらに、幸田と組んで番組を担当しニュースなどを読むフリーアナウンサー西桂子、番組制作でこき使われているアシスタントの森ちゃん、交通博物館に長年勤めた坂上さんも、それぞれ四つ目、五つ目、六つ目の独自の模様を描いていく。

しかし、最初のうちはとりとめもなく複雑に思えるこれらの断片には共通するモチーフがあって、あちこちで呼応し合っていることがわかってくる。それは「交信」と「かもめ」のモチーフである。

「交信」のモチーフは、ソ連の女性宇宙飛行士テレシコワが「私はかもめ」で始まるメッセージを地球に送ってきたこと、終始ラジオから番組が流れてくること、他人の発信する微細な感情のシグナルを「パラボラアンテナみたいに」受け止めることなどの形をとって、繰りかえし現れる。

一方「かもめ」のモチーフとしては、テレシコワの言葉の他に、チェーホフの戯曲『かもめ』への言及がある。瀬戸山はかつて、チェーホフの妹がテレシコワの宇宙飛行の年まで生きながらえてソ連当局に電報を送るという架空の小説を書いたことがあり、これがチェーホフとテレシコワを結ぶ線になっている。

『かもめの日』はチェーホフ晩年の戯曲に似ている。

それは、特定の主人公がいない点である。登場人物のどの一人も全体を貫く「視点人物」になっておらず、各人が互いを相対化している。ジグソーパズルのような構造になっているのは、まさにこのためだともいえよう。ロシア文学者・浦雅春氏によれば、チェーホフは『かもめ』で初めて主人公を排し、「演劇に新境地を開いた」という（浦雅春『チェーホフ』岩波新書）。「中心の喪失」とは、裏返せば「中心の偏在」でもある。存在感に濃淡はあるものの、みなそれぞれ同等でかけがえのない生をいきているということを印象づける。

『かもめ』の登場人物ニーナは華やかな女優の道に憧れて人気作家と駆け落ちしたが捨てられ、行きずりの人間に撃ち落とされたかもめの運命をなぞることになる（彼女はそれを自覚して「私はかもめ」というのだ）。現代日本のかもめ＝絵理は、ニーナよりさらに残酷な体験を強いられ、飛び立つ前から翼を折られてしまっている。

でも、それだからこそいっそう人との交信、人とのつながりが求められるのではあるまいか。それだけいっそう現代のかもめは切なく、胸を突かれる。

詩的言語とメタ言語の均衡　大石雅彦『モスクワの声』

『モスクワの声』は、変幻自在の巨大都市モスクワを、卓越したリアリティとみずみずしい感性で描いた、きわめて魅力的な都市小説である。と同時に、ロシア文化史上最も活力に満ちていた二〇世紀初頭、「ロシア・ルネサンス」と呼ばれる時代の前衛精神を受け継いだ言語実験的な作品でもある。作者の大石雅彦氏はこの時代のロシア芸術の専門家・ロシア文学者だが、『モスクワの声』は学者の手すさびなどではまったくない。最後まで一定の強度を保ちつづける清新かつ洗練された文体による、激しく切ない愛の物語として、完成度の高い「現代のおとぎ話」にもなっている。

文体を重視すべき作品である以上、物語を要約してもあまり意味はないが、大よその雰囲気を伝えるために敢えて概要を簡単にご紹介しよう。

主人公はハイという日本人。日本で雑誌の編集をしていたが、失職してモスクワに行き、エコーという女性と愛しあうようになる。やがてエコーを介して「ニチェヴォキ」というカルト集団の存在を知り、活動場所を求めて冒険に出る（「ニチェヴォ」とはロシア語で「何もない」「何でもない」という意味）。結局ニチェヴォキの拠点「塔」がモスクワにあることがわかり、ハイはモスクワに戻って「塔」に潜入し、ワークに参加するが、失敗に終わる。エコーは死んでしまい、集団もロシアも、跡形もなく消え去る……。

物語の舞台であるモスクワのリアリティは、ハイの目を通して生き生きと描かれている——ウズベク料理店でふるまわれる孔雀の卵、雪解け水の上で乱反射する陽光、ボヘミアン風の芸術家たちがたむろする文化スポット、インターネットカフェ、空を舞うポプラの綿毛、いかがわしいショー——ロシア文化を研究している読者でなくとも、魅惑的で胡散臭くてどこか懐かしい、多彩なモスクワの相貌に心躍る思いがするにちがいない。こうしたディテールがきちんと現実に根ざしているからこそ、物語のファンタスティックな展開も迫真力を持つのであり、紛うことなき幻想小説として成りたっているのである。

言語実験という点で最も印象的なのは「ことばのワーク」の場面で、そこでは「表面に浮いたミルクの表皮のようなもの」である意味を言葉から徹底的に剝ぎとる訓練がなされる。これぞまさに、ロシア未来派の詩人たちが実践したことだ。そのプロセスが一種の快感をもって体感できるのは圧巻である。

主人公たちの名前のつけ方にも同じ実験精神が感じられる。「ハイ」は日本語の肯定語であると同時に英語の挨拶でもあり、「高い」をも意味する。つまり「いろんな方向に意味のアンテナを張りめぐら」す「原初の言葉」である。恋人「エコー」は、最初「コーエ（＝声）」と名のっていたが、ある時点で名前をひっくりかえす。こうしたアナグラムや言葉遊びは、本文にあるとおり「意味を軽やかにすべらせたり散らす」手段にほかならない。

洗練された比喩にも触れておきたい。「脚韻のように点々と散らばるネギ坊主の屋根」「（食事とセックスの）二つを軸に、ぼくたちはアゲハチョウの二枚の羽のように暮らした」「意味の世界というのはこの黒と白の結合によって生じる、二つのはざまに漂う色とりどりの小島のようなもの」。全編にこうした独創的な表現が鏤められているので、いくつも引用したくなる。

アンドレイ・ベールイの『銀の鳩』をも想起させるこの力作では、確固たるリアリティに裏付けられた詩的言語と、「言葉そのもの」をめぐるメタ言語とが絶妙な均衡を保っていると言えるだろう。

水のメタファーに貫かれた静寂の自由　小川洋子『猫を抱いて象と泳ぐ』

唇に畸形をもって生まれ、一一歳でそれ以上成長するのをやめ、身を折るようにしてからくりチェス人形「リトル・アリョーヒン」に潜《もぐ》りこんだ少年。中からはチェス盤が見えず、駒の音を聞き分けることでしかその動きを知ることはできないが、人形の左手を巧みに操作してチェスを指す。

ロシアの伝説的なチェス選手アレクサンドル・アリョーヒンに憧れていた少年は人形と一体となり、素晴らしい才能を発揮する。アリョーヒンとは、美しいゲーム展開のゆえに「盤上の詩人」と称され、亡くなるときまで世界チャンピオンの座にいた実在の人物である。彼にちなんで、人形に隠れた少年は「盤下の詩人」と呼ばれるようになる。おおよそ『猫を抱いて象と泳ぐ』はそういう物語だ。

詩のリフレインのように何度も繰りかえされるのは、「チェス盤には人格のすべてが現れる」ということ。だから「強さ」よりも「善」を求めなければならないこと。狭く限られたチェス盤に縛りつけられているように見えて、じつはその向こうにひろがる広大な海を自由に泳ぎまわれるのだということ。

このパラドクスがチャーミングな題名に連なっていることは言うまでもない。作者は英米文学者の若島正氏との対談（『文學界』二月号）で、「いちばん充実感を得られたのは、やっぱり（少年が）初めてマスターに出会って、バスの中でチェスの手ほどきを受ける場面でした」と語っているが、そのマスターに初めて勝つときの情景こそ、この作品の白眉をなしている――「水面は頭上はるかに遠く、海底はあまりに深く、水はしんと冷たいのに少しも怖くない。怖くないどころか、ゆったりとして身体中どこにも変な力が入っていない」。このとき彼は、デパートの屋上から降りられなかった象のインディラや、壁の隙間に閉じこめられていたミイラと一緒に、悠々と海流を漂ったのだ。

お菓子が大好きな太っちょのマスター、耳の大きなインディラ、いつも肩に白い鳩を載せているおとなしい少女ミイラ、利口な猫のポーン、愛情深い祖父母、神秘的な老婆令嬢、白衣の総婦長さん……。どこか懐かしく、心地よいおとぎ話のような香りがするのは、こうした個性豊かな脇役たちが活躍するからだろう。みな主人公の仲間であり、連携してキング＝主人公を助けるチェスの駒のようでもある。その証拠に、マスターが死んでクレーンで吊り上げられる場面はビショップ＝マスターが対戦相手に取られたことを暗示しているし、「人間チェス」でポーンを演じたミイラは実際「下品な男」に取られて犠牲になってしまう。でも、それはゲーム＝人生を先に進めるうえでやむを得ない試練だったのかもしれない。中古バスに始まり「海底チェス倶楽部」を経て山上の老人専用マンション「エチュード」へと続く主人公の生の冒険そのものが、叙情詩のような棋譜《きふ》を描く優美で繊細なチェスの一局のように感じられる。

ナボコフの有名なチェス小説『ディフェンス』では、主人公ルージンがしだいに現実とチェスの世界を見分けられなくなり、最後には現実が狂気に呑まれて絶望の音楽が鳴り響いたが、水のメタファーに貫かれた『猫を抱いて象と泳ぐ』では反対に、静寂がリトル・アリョーヒンを自由にしてくれた。水のゆらめきに身をまかせていれば、「チェスの海は果てしなく、海底ははるかに遠いが、不安など一かけらもなく、唇の奥で沈黙を温めながらどこまでもどこまでも深く沈んでゆく」ことができるのだから。

『放浪の画家 ニコ・ピロスマニ――永遠への憧憬、そして帰還』 はらだ たけひで

真っ青な空のもと、かなたに山々を戴き、傾いだ木と木のあいだで、厳めしくもユーモラスな表情をした人々が饗宴を繰り広げる。酒を注がれたら飲み干すしかない、グルジア特有の「角杯」をおもむろに掲げる人。自然の恵みである魚を誇らしげに差し出す人。大きな甕《かめ》には赤ワインがたっぷり入っており、料理はテーブルに置ききれず、地面にまで並べられている。

これは、グルジアが生んだ孤高の天才画家ニコ・ピロスマニ（一八六二―一九一八）が友人のために描いた『家族のピクニック』の祝祭風景だ。この作品に限らず、ピロスマニの絵はどれも一度見たら、まず忘れられない。聖性と俗性を兼ね備え、エキゾティックなのに、どこか切ないような懐かしさが感じられる。ピロスマニの作品に内在するこの魅力はいったいどこから来ているのか――本書はその問いに捕われ、長年にわたって考えつづけてきた著者によるピロスマニへのオマージュである。作品とじっくり向きあい、ものいわぬピロスマニと対話してきた著者の「入魂の書」といってもいい。

著者をピロスマニに結びつけたきっかけの一つは、一九七八年、勤務先の岩波ホールで公開されたギオルギ・シェンゲラヤ監督の映画『ピロスマニ』だった。「それまでの人生がすっかり変わるほどに、映画から大きな影響を受けた」という（じつは私も、まるで主人公の画風そのもののように、素朴で美しいこの映画に心を動かされて以来のピロスマニ・ファンである）。

ピロスマニは謎に包まれた芸術家だ。華やいだエピソードといえば、マルガリータという女優のために金をはたいて街中のバラを贈ったことくらいだろう。貧しかったので居酒屋の看板を描いて暮らし、家族もなく孤独のうちに放浪していたが、何事にも束縛されることなく、鳥のように自由だった。せちがらい功利主義の社会に生きている私たちの心に強く訴えかけてくるのは、こうした誇り高く清廉な精神のありようではあるまいか。

著者は、ピロスマニの作品が聖像画《イコン》と共通点を持っていることをわかりやすく説き、繰り返し現れる「切り株」のモチーフが画家自身の悲しみをあらわしているようだと教えてくれる。独創的なのは、動物を描いた作品数点が「自画像」なのではないかと指摘していること。たしかに、限りなく優しい目でこちらを見ているシカの神々しさと繊細さは画家自身のものだったにちがいないと思えてくる。

いずれも説得力のある考察で、まるでピロスマニの魅力という宮殿に入って、その秘密を探るための鍵をいくつも与えられたようなものだ。これらの鍵で次々に扉を開け宮殿の奥に進んでいくと、そこには最後の決定的な鍵が用意されている。それは、ピロスマニが属するグルジア文化の本質が「ポリフォニー（多声）」だという洞察である。「この国の人々が夢見て、形づくってきたポリフォニーのハーモニー。音楽に象徴される、異なる要素がぶつかりあって、絶妙な調和が作り出されるこの世界に、私は、グルジアの生活や文化のエッセンスがあると考えている」。

ピロスマニの作品に感じられる一種独特のハーモニーは、さまざまな声を融合するグルジア文化の特質そのものだということである。だからこそ、ピロスマニについて語る著者もいろいろな連想を呼びさまされたのだろう、本書ではヘッセやルスタヴェリ、サン＝テグジュペリ、オクジャワ、八木重吉、原民喜といった多様な人々の声が響きあっている。

ピロスマニを生んだ「サカルトゥヴェロ」（グルジア語で「グルジア」のこと）に乾杯！

『クリミア発女性専用寝台列車』　高橋ブランカ

日本人とセルビア人の「ハーフ」ドリナが東京で夫と息子と過ごす、忙しくも愉快な日常が描かれた短編「ピカソで夕食を」。ベオグラードのマンションではクレイマーに悩まされ、モスクワのマンションでは日本的な習慣に驚くセルビア人女性が一人称で語る「隣人たち」。初老の画家マルコと音楽家ヴラダンが気立てのいい美女と知り合い、マルコの余計な策略によって彼女を失う物語「わが老後のマリアンナ」。ここでは二人の手記が交互に置かれ、マリアンナの魅力が立体的に浮かび上がる。

こんなふうに、題材もさまざまなら語りの形式も多様。すべてに通底した資質を挙げるなら、明るくて痛快、軽やかで機知に富み、ちょっぴり辛辣でユーモラスといったところか。会話が生き生きしていて、スピード感があるのも心地よい。

作者の高橋ブランカさんは旧ユーゴスラヴィアに生まれ、ベオグラード大学で日本語を専攻。驚くべきは、セルビア語・ロシア語・日本語という三つの言葉で小説を書いているところだ。正真正銘のトライリンガルなのである。いや、アリストパネスの『女の平和』を現代的にアレンジした芝居に女優として出演したこともあるが、それは五カ国語による多言語パフォーマンスだった。この「越境的」な才能が日本文学という土壌で二輪目の花を咲かせたことを喜びたい（一輪目は『東京まで、セルビア』という作品集で、これもユニークで見事な花だった）。

本書の表題作「クリミア発女性専用寝台列車」は、セルビア人の「私」がクリミアのシンフェローポリからキエフまで三等寝台列車で旅する物語だ。男がひとりもいない車両で、女同士の気のおけない会話が弾む。「私」のフェミニズム観も開陳される。女たちのいろいろな側面が描かれ、「ピカソで夕食を」に出てきたピカソの絵「ドラ・マールと猫」を連想させられた。キュビズムで多層的に描かれた個性的なドラ・マール。彼女がユーゴスラヴィアに縁が深いことはおそらく偶然ではあるまい。

ピカソ『ドラ・マールと猫』1941年

第三章　芸術編

「ロシアの女」　美の十選

イワン・クラムスコイ『忘れえぬ女《ひと》』

ロシアの絵画はどのような女性像を生みだしてきたのか。一九世紀から二〇世紀初頭にかけて制作された作品に、その多様な表象を探ってみたい。

＊　＊　＊

日本でロシア美人のイメージといえば、クラムスコイ（一八三七―八七）の作品に負うところが大きいのではなかろうか。

霧にかすむ幻想的なペテルブルグを背にして、最新モードに身を包んだ高貴なたたずまいの女性がじっとこちらを

見詰めている。羽根飾りのついた帽子、毛皮と繻子のリボンに縁取られたマント。しかし、他ならぬそのいでたちからして、彼女が高級娼婦であることは間違いないとされている。

原題は「見知らぬ女」。タイトルも謎めいているが、誇り高さの中に憂いと悲しみを秘めた表情もまた神秘的だ。馬車の下から見あげる角度で描き、社会の底辺にいる女性を逆に鑑賞者より上に位置づけたところに、画家の情理が感じられる。

人はこの姿にトルストイのアンナ・カレーニナを重ねるというが、それもそのはず、小説が発表されたのは一八七〇年代後半、ふたりはほぼ同じ時代を生きたのだ。アンナは娼婦ではないが、矛盾と欺瞞の逆巻く当時のロシア社会の犠牲者という意味で、「見知らぬ女」と同じ悲運を担わされていたと言えるだろう。

（一八八三年、油彩、カンバス、七六・一×一〇二・三センチ、トレチャコフ美術館蔵）

アレクセイ・ヴェネツィアーノフ『鎌と熊手を持つ農婦（ペラゲーヤ）』

最も印象的なのは、頭に被っている緑色のスカーフが白いブラウスや淡い金色の背景と調和して、厳しくも恵み深い広大なロシアの「自然」をシンボリックに表しているところである。モデルは、ボルガ川流域に位置するトヴェーリ州の農婦ペラゲーヤ。

撓《たわ》わに実るライ麦の収穫に出かけるところだろうか。これ見よがしに前景に置かれた大きな手が、勤勉さと逞しい生命力を物語っている。

思い出されるのは、作家トゥルゲーネフが農民たちの生態を綴った『猟人日記』。その中に二葉亭四迷の翻訳で有名になった短編「あひびき」がある。「とり分け自分の気に入ッたはその面《おも》ざし、まことに柔和でしとやかで、とり繕ろッた気色は微塵《みじん》もなく、さも憂わしそうで、そしてまたあどけなく途方に暮れた趣きもあッた」。このくだりなど、まるでペラゲーヤのことをいっているかのようではないか。

ヴェネツィアーノフ（一七八〇―一八四七）はロシアにおける風俗画の創始者といわれている。とりわけペテルブルグを去りトヴェーリに移ってから、田園風景や農民の肖像を多く手がけた。それら牧歌的な作品には、被写体に対する画家の限りない愛情があふれている。

（一八二四年、油彩、木、二二・五×一七・五センチ、ロシア美術館蔵）

ミハイル・ヴルーベリ『白鳥の王女』

ここには、白鳥が王女に変身しようとする、まさにその瞬間が永遠に刻みこまれている。人間と白鳥の境界とは、現実と空想のあわいでもあり、さらにはヴルーベリ（一八五六―一九一〇）が身を置いていた正気と狂気のはざまでもあるかもしれない。

白鳥は羽を広げて振り向いたところだ。人間の顔であり

ながら、夢のように大きくつぶらな瞳を輝かせている。被っているのは古来ロシアの女性たちが髪につけた「ココーシニク」と呼ばれる飾りだが、王女であることを示す冠として、まばゆい宝石が鏤められている。背景の冷たそうな夜の海が、幻想性をいっそう深めている。

白鳥の王女は、ロシアの昔話をもとにプーシキンが書いた叙事詩「サルタン王物語」に登場する。一九〇〇年リムスキー＝コルサコフが作曲してオペラ化し、ヴルーベリが美術を担当、妻でオペラ歌手のナジェージダ・ザベラが王女を演じた。当然のことながら、この絵にはナジェージダの面影が色濃く滲んでいる。彼女はプリマドンナであると同時に、ヴルーベリのミューズでもあったのだ。

オペラもこの絵も世紀のちょうど境目に制作された。それも単なる偶然ではないような気がする。

（一九〇〇年、油彩、カンバス、一四二×九三・五センチ、トレチャコフ美術館蔵）

ワシーリイ・カンディンスキー『クリノリンの貴婦人たち』

ここには大きな屋敷やエレガントな女性たちが、まだそれとわかる形態で描かれている。カンディンスキー（一八六六―一九四四）が初めて抽象画を手がけるのは、この絵を描いた翌年（一九一〇年）のこと。そのためだろう、この作品には憧れにも似た「過去」への追憶とともに、具象から抽象に向かって「未来」へと飛翔しようとする、画家の高揚した息遣いを感じることができる。

クリノリンはクジラのヒゲや針金を半球状に組み立てた「下着」で、一九世紀半ばフランスで流行し、ロシアにも飛び火した。コルセットでウエストを締め、クリノリンでスカートを膨らませるという不自然な格好はまるで機能的ではなかったが、カンディンスキーにとって大事だったのは現実的な機能などではなく、光を含んだようなドレスの広がりと、風景に溶けこむ楽しげな明るい色合いだったにちがいない。

当時、カンディンスキーはロシアとドイツを行き来しており、最終的にロシアを去るのは革命後だが、故郷モスクワの色鮮やかな光景は終生忘れなかったという。「太陽がモスクワ中を支配し魂を揺さぶる」ときが「最高のモスクワの瞬間」だ、と回想で語っている。印象派の画家と同様、「光の芸術家」だったことが納得させられる。

（一九〇九年、油彩、カンバス、九六・三×一二八・五センチ、トレチャコフ美術館蔵）

ワレンチン・セローフ『オルロワ公爵夫人の肖像』

作家や芸術家のみならず子供まで描いた肖像画家として有名なセローフ（一八六五―一九一一）の最高傑作と言われるのが、この絵である。

オルロワ公爵夫人はセローフより七、八歳年下で、ペテルブルグの社交界きっての麗人として名高かった。ただし、この上なくエレガントでお洒落だけれど、あまり知的ではなかったという証言もある。当時の美術評論家で画家

のイーゴリ・グラバーリによると、「彼女は立っても歩いても座ってもとても気取っていて、自分はそんじょそこらの貴族じゃなくて、宮廷一の貴婦人なのよと誇示していた」という。
そう言われてみると、肩の大きく開いたドレスの上に「パランチン」と呼ばれる毛皮の肩掛けを羽織り、長い真珠のネックレスを両手で弄んでいるが、左手は誇示するかのごとく自分を指し示しているように見える。おそらくセローフもグラバーリと同意見だったのだろう。彼は夫人に異様に大きな帽子を被せ、「これがなくては公爵夫人らしくないでしょう」と皮肉めいたことを言っていた。
ロマノフ王朝末期の驕奢な徒花と言ったら、穿ちすぎだろうか。ちなみに、夫人自身はこの作品が気に入らなかったらしく、画家の死後、美術館に売却してしまったという。
（一九一一年、テンペラ、カンバス、二三七・五×一六〇センチ、ロシア美術館蔵）

ジナイーダ・セレブリャコワ『身支度、自画像』

寝室で髪をとかしている下着姿の美しい女。朝起きたばかりだろうか。それにしてはずいぶん晴れ晴れとした表情をしている。何のためらいもなく、自らの若さと才能と幸福を確信しているように見える。

これはセレブリャコワ（一八八四―一九六七）が二五歳のときに描いた自画像だ。ロシア画家同盟の展覧会に初めて出品したこの作品で、彼女は一躍注目を浴びることになる。当時すでに著名な画家で、舞台装飾家でもあった伯父のアレクサンドル・ベヌアは「まったくひたむきで純朴だ。これこそ本物の芸術家気質。何か響くような若々しいもの、楽しげで太陽のように明るいものがある」と絶賛した。

手前のアクセサリーや香水の壜から察せられるように、カンバスは鏡台の鏡に見立てられている。だから鑑賞している者もこちら側から鏡を覗いて、そこに写った自分がセレブリャコワになったような錯覚を覚えるはずだ。

女性特有の細々した化粧道具と、意志の強そうな目がコントラストをなしている。女性が被写体でしかあり得なかった時代は終わり、描く主体として自由に活躍できる世紀がやってきた。この作品はそうした喜びを率直に、のびのびと表しているように見える。

（一九〇九年、油彩、カンバス、七五×六五センチ、トレチャコフ美術館蔵）

ボリス・クストージエフ『お茶を飲む商人の妻』

青い空にバラ色の雲が浮かぶ屋外のテラスで、豊満な美女がゆったりとお茶を楽しんでいる。食卓に並べられた南国の果物やとりどりの菓子が、彼女の家の裕福さを物語っている。

向かって左手に見えるのは「サモワール」と呼ばれるロ

シア特有の湯沸かし器。磨きあげられたサモワールのふっくらした輪郭が被写体の肉感的な肩の線と呼応しつつ、まるで存在感を競いあっているかのようだ。

クストージエフ（一八七八—一九二七）は風俗画家といわれている。たしかに一九世紀末から二〇世紀初頭のロシア人の日常を描くのに長けていた。でもこの有名な絵に関して言えば、はるか遠くに「古き良きルーシ（ロシアの古称）」を思わせる地方都市の風景を配し、食卓の豊饒さをグロテスクなほど強調することで日常性から逸脱し、ほとんど神話的ともいえる雰囲気を醸しだしている。写実的な描写でありながらユートピア的理想を体現した作品になっているのだ。

この絵が描かれたのはロシア革命の翌年。貴族や裕福な商人階級は抹殺される運命にあった時代である。鮮やかな色彩と大胆な構図の中に、画家の哀惜の思いとアイロニーが込められているような気がしてならない。

（一九一八年、油彩、カンバス、一二〇×一二〇センチ、ロシ

ア美術館蔵）

クジマ・ペトロフ=ヴォトキン『一九一八年ペトログラードで』

ロシア帝国の首都サンクト・ペテルブルグが「ペトログラード」と名前を変えたのは第一次世界大戦のとき。その三年後（一九一七年）に町は革命を迎えた。だからこの作品の背景には、ロシア革命勃発直後のきな臭い空気が漂っている。それを表しているのは、ベランダから見おろす位置に描かれた人々のどこか不安げな様子だろう。

中央に描かれているプロレタリアートとおぼしき若い母親は町の喧噪に背を向け、何が何でも守り抜こうと意を決したかのように子供をひしと抱きしめている。母と幼子のこの姿は、聖母マリアが幼いキリストを抱いたイコン（聖像画）を想起させる。

女性労働者の穏やかで慈しみに満ちた表情がそう思わせ

るだけでなく、被っている頭巾や肩にかけた上衣が明らかに聖母の衣服になぞらえられているし、平面的で様式化された描き方がイコンの作風そのものである。実際ペトロフ＝ヴォトキン（一八七八―一九三九）は中世ロシアのイコンを愛好していたという。

こうして、名もないひとりの女はシンボリックな革命の聖母に昇華させられた。この絵が「ペトログラードのマドンナ」と呼ばれるのも故なきことではない。

（一九二〇年、油彩、カンバス、七三×九二センチ、トレチャコフ美術館蔵）

リュボーフィ・ポポーワ「一九二四年夏」

ロシアの前衛芸術家ポポーワ（一八八九―一九二四）が手がけた、ショーウィンドーの飾りつけ用エスキースである。抽象画を描いていた彼女は一九二〇年代になると、カンバスを捨て生活に役立つ仕事をしようと、本の装幀やフ

アッションなど実用的な領域で才能を発揮した。

その服飾デザインは、来るべきユートピア社会をイメージした幾何学模様が圧倒的に多い。三角形、菱形、円、ストライプ。これらの形状と何種類かの色彩を組み合わせて、ポポーワは驚くほど多彩なリズムを生みだした。無機的なフォルムを突きつめた先に、思いがけず豊かで人間らしい表情があったというのは逆説的ともいえる。

この作品のデザインも、縦と横のストライプを三角形のリボンや台形の襟と呼応させ、「新しい女」にふさわしい明るさと軽やかさを主張しているように思える。モスクワの織物工場で専属デザイナーとなったポポーワはこう語っていたという。「他の芸術分野でどんなに成功しても、私の作った洋服を着た農婦や女性労働者たちの姿ほど深い喜びをもたらしてくれたことはない」。

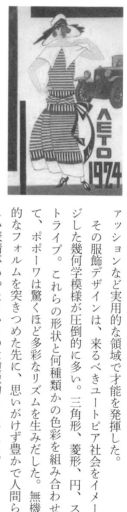

アヴァンギャルドたちが革命の理想と自由を信じて生きることのできた、輝かしい時代であった。

（一九二四年、紙、雑誌切り抜きと色紙のコラージュ、グワッ

シュ、四一・三×二八・三センチ、個人蔵、モスクワ）

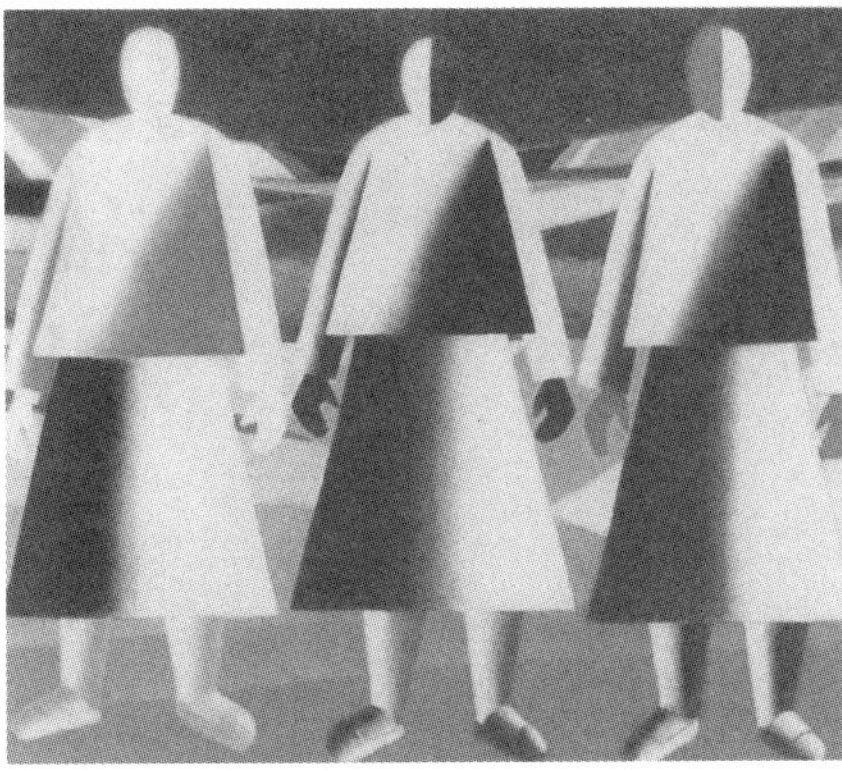

カジミール・マレーヴィチ『畑の娘たち』

マレーヴィチ（一八七八―一九三四）が抽象絵画を究極まで押し進め、「シュプレマティズム（絶対主義）」に到達したのは一九一五年。白いカンバスに大きな赤い四角形が一つ描いてあるだけの『赤い正方形』は副題こそ「農婦」だが、どう見ても農婦には見えない非対象絵画である。

それに比べるとこの『畑の娘たち』（一九二八―二九）には少なくとも三人の人間が描かれていることがわかる。ぎりぎりまで単純化された輪郭に円錐や円筒の幾何学的造形だが、明らかに具象性が戻っている。

しかし「娘」であることを示すのはスカートだけだし、個性を表すはずの顔も描かれていない。マレーヴィチは純粋に芸術的模索をしていただけかもしれないが、これら記号化された人物像によって図らずも画一的な全体主義体制を予言したのではなかろうか。

　従来アヴァンギャルドはスターリンの圧政によって終息させられたと考えられてきたが、最近は前衛芸術家も世界を同一ヴィジョンで統一しようという理念を持ち、全体主義芸術の出現に加担したのではないかという見方が出てきた。たとえば、この作品に込められているのがアイロニーなのか均一化への志向なのかによって、その評価が分かれるところだろう。

（一九二八―三二年、油彩、カンバス、一〇六×一二五センチ、ロシア美術館蔵）

衣服の二重性　ラーマノワの挑戦

「彼女は第二のシャリャーピンだ！」
スタニスラフスキー

衣服の二重性

ロラン・バルトの言葉から始めよう。彼は「何世紀にもわたって、社会階級の数と同じ数の衣服が存在した。一つ一つの身分にそれぞれの衣服があり、身なりは何の支障もなく、真の記号の役割をはたしていた(1)」と記している。二〇世紀初頭にいたるまで、ロシア社会もまさにそのとおりだった。とくに貴族と農民の服装の間には歴然とした差があり、衣服を見れば、それを着ている者が貴族に属するのか農民に属するのかは一目瞭然だった。

アレクサンドル・プーシキンの作品集『ベールキン物語』（一八三一年）に収められている中編『農民＝令嬢』は、そのことを端的に示すよい例だろう。バルトはフランスの劇作家マリヴォーの名を挙げているが、プーシキンの『農民＝令嬢』もマリヴォーを引き継ぐかのごとく、ヒロインが衣服を取り換え、社会階層を交換することによって、愛の戯れのきっかけが生まれ、物語がヴォードヴィルのような展開を見せる。つまり、貴族の令嬢リーザが農民の衣服を着て農民アクリーナに変装し、気になる男性の目をごまかそうとするのである。次の引用は、リーザが衣裳の交換を思いつき、下女のナースチャに話す場面だ。

「……そうだわ、ナースチャ！　こういうのはどうかしら？　私が農民の女の子に扮装するの！」

「たしかにそれはいいですね。だぶだぶのルバーシカとサラファンをお召しなさいませ。それでトゥギロヴォに堂々とおいでなさいまし。ベレストフ様はお嬢様だってこと、ぜったいにおわかりになりませんよ」

「それに私、この土地の言葉だって上手に使えるもの。ああ、ナースチャ、可愛いナースチャ！　なんて素敵な思いつきかしら！[2]」

こうしてリーザはルバーシカとサラファンを着て農民の娘のふりをし、隣家の貴族の子息アレクセイに会うが、アレクセイはリーザが貴族の令嬢だとは気づかない。ここでルバーシカとサラファンが、農民をあらわす記号となっていることはいうまでもない。「ルバーシカ」とは古来ロシアで着用されてきたブラウスまたはシャツのこと、「サラファン」は主に農民女性が着るワンピースのことをいい、しばしば袖のない、いわゆるジャンパスカートのようなものを意味する。図版1は、ロシアの一九世紀前半の農村風景や農民の肖像に優れた才能を発揮した画家アレクセイ・ヴェネツィアーノフの『井戸端での出会い』(一八四三年)だが、ここに描かれているように、真っ白いルバーシカに赤いサラファンという恰好が無垢な若い農民娘の定番スタイルだった。たしかにロラン・バルトが指摘するとおり、社会階層を交換するには「衣服の文法[3]」にしたがって衣服を交換しなければならなかったのである。

図版1

しかし、衣服は記号としての役割だけでなく、防寒性、機動性、装飾性その他さまざまな役割を担う「モノ」であるという実用的な面があることも見逃せない。この点に関しては、ロシアの記号論学者ピョートル・ボガトゥイリョフが、「衣裳はいつも実用的な役割を演じており、いつも記号であるだけでなく、モノでもある」[4]と的確に規定している。ボガトゥイリョフによれば、衣服にはさまざまな機能があり、実用的機能と美的機能の一部はモノとしての衣裳そのものに属しているが、その他の多くの機能は、モノに属すると同時に記号としても何らかの意味を持っているという。衣服が具体的な三次元のモノであることを〈身体性〉と呼ぶならば、この〈身体性〉と〈記号性〉を併せ持つという「衣服の二重性」は、二〇世紀初頭ロシアに起こった衣服の変容を考えるうえでも重要な意味を持ってくるに違いない。

たとえば、コルセットから女性の身体を解放すること。この問題に関しては後で詳しく考察するが、女性解放の理念と分かちがたく結びついていることは明らかである。そうなるとコルセットは、現実に女性の身体をいびつなものにし、極端な場合は病的なものに変形してしまう拘束具としてのモノ（身体性）であると同時に、女性という階層の隷属性を表すシンボル（記号性）でもあるということになる。

また、革命前後に現れた職業革命家や人民委員《コミッサール》が、それ以前は主として運転手が着ていた革製のジャンパーを着ることを好んだという事実を思い起こしてもいい。これは、実際に当時、革ジャンパーが流行したという現実的な意味合いがあるとともに、革命家という新しい階層が革ジャンパーを自らの記号として獲得したということも意味している。そのささやかな証拠として、作家ボリス・ピリニャークが、ロシア革命を実験的な手法で描いた小説『裸の年』（一九二一年）において、「新しい世界」の建設に情熱を燃やす革命的な男たちを「革ジャンパー」というメトニミーで表象したことを持ちだしてもいいかもしれない。小説の中でも革ジャンパーは、実用的・身体的な機能と記号としての役割の二重性を付与されているのである。

一九一〇年代から二〇年代にかけて、ロシアは革命と内戦で社会全体が疲弊し、経済が大打撃を被ったため、衣服の分野においても仕立てる布すらないという悲惨な状況に陥った。そうした混乱のさなか、不平等と悪弊に満ちた「古い世界」が破壊された後、新たに建設されるのは自由で平等な社会であるはずだという革命の夢が共有される一方、衣服の〈記号性〉の前提だった階級社会が消滅した世界で、人はいったいどのような装いをするべきなのか、理想の社会に住む「新しい身体」に見合う民主的な衣服とはいったいどのようなものなのかということが課題になった。

図版2

こうして革命後のロシアで「新しい衣服」の問題が浮上したとき、いち早くそれに取り組み答えを探求しようとしたのが、ナジェージダ・ラーマノワ（図版2）というデザイナーであった。

ラーマノワとは何者か

ラーマノワについて驚異的なのは、ロシア革命が起こるまでは上流階級の顧客の注文に応じて華やかなドレスを作る名高いクチュリエとして活躍していたのに、革命後、一転して民衆のためのシンプルで実用的な衣服を作るべく、革命の理念にしたがって精力的に活動したというところだ。それは単に、彼女が社会の激変に巧みに合わせた「変節」的な処世術に長けていたということなのだろうか。それとも時代精神を敏感に感じ取り、革命に夢を託して新しい道を模索したということなのだろうか。

いったいラーマノワとは何者なのか？　以下、主としてソヴィエト・ファッションとラーマノワ再評価に貢献した先駆的な文献であるタチヤーナ・ストリジェノワの研究書『ソヴィエト衣服の歴史より』と、大量の写真を惜しげもなく配したロシア・ファッションの通史であるアレクサンドル・ワシーリエフのアルバム『ロシア・ファッション：写真に見る一五〇年』に依拠しながら、ラーマノワの生涯を再現してみよう。(5)

ナジェージダ・ラーマノワは一八六一年、ニジェゴロド県シュジロヴォ村の軍人の家に生まれた。両親とも早く亡くなり、家は裕福でなかったため、幼い妹たちを養うために自ら仕事をしなければならなくなった。そこで中学（ギムナジウム）八年を終了したラーマノワは、当時モスクワで評判だったオリガ・スースロワの洋裁学校で二年学んで手に職をつけることになる。その後、マダム・ヴォイトケヴィチの工房でデザイナーとして働き始めると、たちまち頭角を現した。そしてこの頃、アンドレイ・カユトフと結婚し、一八八五年には夫の経済的援助を得て、モスクワに自分のメゾンを開いた。

カユトフは保険会社「ロシア」のモスクワ支店長を務めていたが、大の芝居好きで、自らヴロンスキーという芸名でアマチュア演劇にも携わり、俳優たちに知人がたくさんいた。彼は女優やバレリーナに妻の店を紹介して、妻のクライアントを増やすのに一役買ったようだ。事実、ラーマノワの得意客には、グリケリヤ・フェドートワ、ヴェーラ・ホロドナヤ、オリガ・クニッペル、アーラ・タラーソワ、エカテリーナ・ゲリツェルなどといった名だたる女優陣が顔を揃える

図版３

ことになる。ちなみに、図版3は、チェーホフの妻でモスクワ芸術座の看板女優だったクニッペルがラーマノワのデザインしたコートを着ている写真（一九一三年）である。

ラーマノワは店を開いたとき、夫の苗字ではなく、自分の苗字「ラーマノワ」を店の名とし、ロゴは、白いリボンの上に「ラーマノワ」のサインを金でかたどったものにした。才能が認められたのだろう、一八九〇年代には「皇室御用達」の看板を店に掲げることを許され、ロシア皇室最後の皇后アレクサンドラ・フョードロヴナにドレスやガウンを納めるようになる。

サンクト・ペテルブルグのエルミタージュ美術館には、ラーマノワの店で作られたドレスの実物が一四点残っている。そのうちの一点（図版4）は、一九一〇年代の初めに製作されたラーマノワのロゴ入りで、黄色いビロードでできたエレガントな舞踏会服（ボディスとスカート）だ。

図版4

これもアレクサンドラ・フョードロヴナ皇后が所有していたことがわかっている。襟ぐり（デコルテ）の大きく開いたフェミニンなシルエット、細く絞られたウエスト、長い引き裾が特徴で、咲き誇るアジサイをアップリケ、レース、刺繍でかたどった大胆な図柄は「アール・ヌーヴォー」風といえる。

ワルワーラ・ドルゴルーカヤ公爵夫人は二〇世紀初頭を回想する著作で、ラーマノワの才能についてこう述懐している。

モスクワの有名なファッションデザイナー、ナジェージダ・ペトローヴナ・ラーマノワは驚くべき才能、趣味、スタイルを持っていました。優雅さにかけてロシアの産んだ天才。私たちの誇りでした。彼女はだれとも比べものになりませんでした。もちろん、フランスの大きなファッションメゾンと比べても引けを取らなかったことはいうまでもありません。(6)

ここで、公爵夫人がラーマノワをフランスのデザイナーと比較しているのは理由のないことではない。一八世紀以来、ロシアの貴族文化はフランス文化の圧倒的な影響を受けており、流行に敏感な女性ファッションに関してはとりわけ追随が激しかった。ラーマノワも頻繁にパリに行っていたので、最先端のパリ・モードを参照していたことは間違いない。それでも、同時代のロシア人貴族には、ラーマノワのセンスの良さがパリ・モードにも劣らないと思えた、あるいは思いたかったということだろう。

ラーマノワは、フランスのファッションデザイナー、ポール・ポワレと親交を結んでおり、一九一二年にポワレがロシアを訪れたときは、自分の店で彼のショーを開いている。ポワレはコルセットを用いない画期的なハイウエスト・ドレスを一九〇六年に発表したことで有名だが、ラーマノワも一九〇〇年代後半には、図版5のような、コルセットをつけずウエストのくびれていないドレスを製作している。

こうしたすとんとした直線的な筒型のドレスを見ると、身体を外側から人工的に造形するという志向を捨て、「自然な身体の表出」(7)をテーマにしたポワレやマリアノ・フォルチュニィと、時代感覚をラーマノワも共有していたことがわかる。仕事をする女性のためにスカート丈も短くな

図版５

り、主体的に活動する女性のための衣服を目指したココ・シャネルのシンプルなデザインにも通じるものになる。

ラーマノワは一九〇一年から演劇の仕事を始めた。モスクワ芸術座の演出家コンスタンチン・スタニスラフスキーに招かれて舞台衣裳を手がけたのが最初だが、以後ずっと芝居の仕事を続け、革命後もモスクワ芸術座、ワフタンゴフ劇場、革命劇場、赤軍劇場などで、亡くなるまでの約四〇年間、舞台衣装を作り続けることになる。

一九二六年、『フィガロの結婚』の演出をしていたスタニスラフスキーは舞台衣装の下絵を描いたゴロヴィンに宛てて手紙を書いている。

ラーマノワは素晴らしい芸術家です。あなたの下絵を見るや、本物の芸術的な炎でぱっと燃え上がりました。彼女は、どの衣裳のためにも自分の手で縫製手法を探してくれますよ。それも、型にはまった流行の手法などではなく、それぞれに合った手法を。(8)

長年舞台衣裳を依頼していたスタニスラフスキーは、ラーマノワの「芸術家」としての腕をよほど信頼していたのだろう。しかし、彼女は長い時間をかけて顧客の身体に布を合わせ、たくさんの待ち針を用いて仮縫いはするが、自分では縫製をしなかったという。自分の役割は建築家のようなもので、建築家は自分で石を積み上げたりしないと語っていたらしい(9)。自分のことを単なる裁縫師ではなく「衣裳の建築家」であると考えていたところに、彼女の誇りがあったのだろう。

一九一七年にロシア革命が起こったとき、ラーマノワはすでに五六歳だった。店は閉鎖させられ、財産はすべて没収されてしまった。彼女には亡命する道もあったはずだ。いや、まがりなりにも貴族階級に属しており、皇室や貴族のための贅沢なドレスを作っていたというキャリアからしたら、むしろ身の安全を考えて亡命するほうが自然だったのではなかろうか。実際、ペテルブルグのクチュリエだったアンナ・ギンドゥスのように亡命したデザイナーもいたのだが、ラーマノワは亡命の道を選ばなかった。

この頃、夫のカユトフが一時的に逮捕された。ラーマノワ自身も逮捕され、約二カ月間ブティルカ監獄に収容されている。作家マクシム・ゴーリキーの妻がラーマノワの顧客だった関係でゴーリキーが口利きをしたため、釈放されたという。

一九一九年、ソヴィエト政権の教育人民委員部（文化・教育の分野を管轄する文化教育省にあたる部署）に「現代服スタジオ」が創設され、ラーマノワが率いることになる。彼女が自らルナチャルスキー教育人民委員（文化教育大臣）にスタジオを作るよう提言したのだった。

やがて、党幹部や俳優たちのためのより上質の衣服もデザインするようになる。一九二一年「新経済計画《ネップ》」により市場経済のメカニズムが一部取り入れられると、ソヴィエト経済は息を吹き返し、同時に「ネップマン」と呼ばれる成金が現れた。ラーマノワにも裕福な顧客が再び増えたのではないか、と思われる。

そうした当時の状況を風刺的、戯画的に描いているのが、ミハイル・ブルガーコフの戯曲『ゾーヤのアパート』（一九二五年執筆）だ。パリへの亡命を夢見るゾーヤが自分のアパートに縫製アトリエを開いているのだが、亡命資金を稼ぐため、夜は売春宿まがいの商売も同時におこなっているという設定である。割り当てられた面積以上に部屋を確保しようと管理人を賄賂で買収し、退廃的なパーティーを開くゾーヤ。ここに描かれているのは、誇り高い芸術家ではなく、商売上手でしたたかな女と、彼女のアパートに出入りする人たちのさまざまな思惑、そして欲望である。ゾーヤのアトリエを金持ちの婦人たちが訪れ、高級注文服をあつらえる。仮縫いの場面を見てみよう。

婦人A　ねえ、だぶついてるわ。絶対、すごくだぶついちゃってるわよ。スカートのところも身体のラインが出ていないし。

裁断師　たしかにラインが少し出ていないようですね。すぐにフィッティング担当にまわします。

婦人A　あ、ねえ、待って。ウエストもしぼってよ。でなきゃ、私の肋骨が二本足りないようなひどい仕上がりになっちゃうわ。おねがい、しぼって、細くしぼってちょうだい。(10)

旧世界の規範に囚われているこの婦人は太い腰まわりを何とか細く見せようとしているわけだが、その虚栄心と衣裳への執着に対する作者の皮肉はなかなかに辛辣である。興味深いのは、この『ゾーヤのアパート』が実際に一九二〇年代後半にワフタンゴフ劇場で上演されたとき、ラーマノワが舞台衣装を担当したということだ。古い価値観と新しい世界観が拮抗する端境期を生きるデザイナーとして、はたしてラーマノワは自分とゾーヤの境遇を重ねてみたりしただろうか。

さて、一九二五年のパリ万国博覧会では、ソヴィエトのデザイナーとして参加したラーマノワのロシアの民族衣裳をモチーフにしたデザインがグランプリを獲得している。民族衣裳への関心については後述する。

彼女はまた、舞台のみならず、映画の衣裳も何点か手がけている。中でも特に注目されるのは、映画衣裳史上に残るヤコフ・プロタザーノフ監督の『アエリータ』（一九二四年）だ。アヴァンギャルド芸術家のアレクサンドラ・エクステルに、ラーマノワが協力したようである。これはアレクセイ・トルストイ原作のSF小説を映画化したもので、構成主義的な装置と衣裳を伝える数少ない貴重な映像である。その他、グリゴーリイ・アレクサンドロフ監督のコメディ映画『サーカス』（一九三六年、図版6）やセルゲイ・エイゼンシュテイン監督の映画『アレクサンドル・ネフスキー』（一九三八年）でも衣裳を担当した。

こうしてラーマノワはソヴィエト時代も引き続き、縦横にその才能を発揮した。やがて大祖国戦争（第二次世界大戦）の始まった一九四一年、モスクワ芸術座の仕事を続けていたラーマノワ

図版6

は、劇団仲間が疎開に出発したことを知らず、いつものように劇場に行ったが、だれもおらず劇場は閉鎖されていたため、家に帰ろうとして途中で心臓発作を起こし、亡くなったという。見事なほど最後までデザイナーであり続けた一生である。

逆説のジャポニスム

二〇世紀初頭パリで、ポワレがコルセットを放棄して女性の身体を解放したことは前述した。じつは、コルセット放棄を宣言したのは一九〇六年だが、それ以前の一九〇三年に、ポワレはくびれのないゆったりしたデザインの「キモノ・コート」をすでに発表している。ウエストを締めつけることが常識だったそれまでの価値観をひっくり返すという意味で、彼のデザインは「ヨーロッパのモード界における革命」とまでいわれる画期的な変革であった。すなわち、ロシアで政治革命が起こる一九一七年に少し先んじて、衣服の世界ではすでに革命が起こっていたということである。

そこで、この〈締めつける／ゆったり〉という女性のウエストに関する二項対立の意味について考えてみたい。先にブルガーコフの『ゾーヤのアパート』を引用したが、そこでは二〇世紀初頭のモスクワを舞台に、成金とおぼしき婦人の抱く資本主義的価値観の比喩として「ウエストを細くしぼる」というセリフが登場した。一九世紀に目を転じるなら、進歩的批評家ニコライ・チェルヌィシェフスキーの長編『何をなすべきか』（一八六三年）に言及しないわけにはいかないだろう。女性解放をテーマにしたこの作品で、主人公ヴェーラは偽装結婚をして旧弊な家庭を飛びだし、やがて「自由恋愛」によって理想的な相手キルサーノフと巡り合う。主体的な考えの持ち主であるヴェーラはコルセットについて、彼にこんな話をしている。

——わたしはコルセットなんて不便なものを早くやめてしまってよかったと思っているわ。血液の循環を妨げるようなことはぜひとも辞めなくてはいけないわ。コルセットをやめて皮膚の色がよくなったからと言ってびっくりすることはないのよ。当然のことなんだもの。

（……）こういう服もなくなるかしら。なくなると思うわ。いまでも少しずつ減っているから、そのうちなくなるでしょう。そうなったらうれしいわ。婦人服の裁ち方ってほんとうによくないのね。ギリシャ人たちの方がかしこかったということがとっくに理解されていいはずなのにね。服というものはギリシャ人のように肩のところから広くゆったりと作るべきなのよ。わたしたちの着る服はすがたをそこねるような裁ち方をしているのね(11)

小説としてはかなり観念的であり「空想社会主義」的ではあるものの、一九世紀半ばに、女性の身体をコルセットから解放することが女性の解放につながることを見抜いていたという点で、チェルヌィシェフスキーは慧眼であったといえよう。しかも、女性の経済的な自立を目指すヴェーラは洋裁店アトリエを開いて、利益を女子労働者全員に平等に分配する(ブルガーコフの「やり手婆」的なゾーヤ像は、チェルヌィシェフスキーのヴェーラを反転させたパロディかもしれない)。ヴェーラは裁縫師というプロの目で、身体を締めつけるコルセットの現実的な弊害を見抜き、ギリシャ人の服(キトン)が広くてゆったりしていることを称揚している。

一九二〇年代にコルセットが消滅していくとき、「ネオギリシャ・スタイル」の衣裳が流行したのも偶然ではあるまい。フォルチュニィが自分のドレス・シリーズを「デルフォス」と名づけたのも、古代ギリシャを下敷きにしているという。そうだとすると、〈締めつける/ゆったり〉という対立は〈近代ヨーロッパ文化/古代ギリシャ文化〉の対立とパラレルの関係にあるといえそうだ。

もう一つ興味深いのは、この二項対立にジャポニスムが関係してくることである。より端的にいえば、キモノの影響である。このことが顕著に表れている興味深い例として、シンボリスト詩人で作家のアンドレイ・ベールイの長編『ペテルブルグ』（一九一三―一四年）を挙げたい。日露戦争さなかの一九〇五年のペテルブルグを舞台にしたこの作品では、ソフィヤ・リフーチナが部屋に浮世絵をたくさん飾り、自らはキモノを着ている。しかし、ソフィヤは帯をしていないようだ。「東か西か」というロシアのアイデンティティを問うたこの幻想的な物語の中で、ベールイは次のようにソフィヤの「ジャポニスム」をアイロニカルに描いている。

ソフィヤ・ペトローヴナ・リフーチナは日本の風景画を壁に掛けていたが、ひとつ残らず富士山《フジヤマ》が描かれていた。この風景画には遠近画法《パースペクティヴ》がなかった。そして長椅子や肘掛椅子やソファや、扇や、日本の菊の生花がいっぱいにつまっている部屋のなかにも遠近画法《パースペクティヴ》はなかった。遠近感覚のあるものといったら、ソフィヤ・ペトローヴナがそのなかからはばたいて飛び出してくる繻子張りの壁にはめこんだ寝椅子《アルコーヴ》か、戸口のさらさら音を立てるロシア葦（ここから飛び出す時もソフィヤ・ペトローヴナははばたくように出るのだった）ぐらいだった。そしてこの富士山は彼女のすばらしい髪の背景であった。ソフィヤ・ペトローヴナ・リフーチナが毎朝、薔薇色の「キモノ」を着て戸口から寝椅子へと飛んで行く時など、彼女は本物の日本娘のように見えたということは言っておかねばならぬ。(12)

このようにソフィヤは浮世絵に囲まれキモノを着て暮らしている。ちなみに、キルギス系の血をひくとされる主人公のニコライも、ブハラ風の部屋でブハラ風のガウン、タタール風のスリッパや帽子を身につけており、ふたりして、ロシア人が自らの内に「東」の要素を有していることを衣服で比喩的に表象している。ここで注意したいのは、ソフィヤが「はばたいて飛び出して」きたり「戸口から寝椅子へと飛んで」いったりと、軽やかな身のこなしで部屋の中を動きまわっているところからして、どうやらキモノはガウンのような「部屋着」として想定されていたのではないかということである。その証拠に、彼女は外出するときにはキモノを脱ぎ捨ててコルセットをつけ、小間使いのマヴルーシカにぎゅうぎゅう締めさせているのだ。

「あらあら、急いで、さあ急いで……コルセット、マヴルーシカ！　黒のウール、そう、それそれ。それからブーツ、あれよ、それじゃないの、ヒールの高いのよ」。そしてピンクのキモノがテーブルを乗り越えて寝台に飛んで行った……マヴルーシカはまごついてしまった――マヴルーシカはテーブルをひっくり返してしまった……。
「だめ、だめ、それじゃ、もっときつく、きつく……あんたの手は手なんてもんじゃない――丸太ん棒だわ……靴下どめはどうしたのさ？　何べんも言っておいたのに。」コルセットがきゅっきゅっ鳴った。[13]

こうしてソフィヤは、ピンクのゆったりしたキモノを脱ぎ、コルセットを着用して黒いウールの外出着に着替えた。つまりキモノは外出着ではなく、あくまでも室内着と見なされているのだ。だから、きちんとオビを締めるのではなく、細い紐で結ぶだけでも、あるいは極端なことをいえば前をはだけていてもかまわないのである。〈外出着ドレス／室内着キモノ〉つまり〈拘束的／解放的〉という、ここにもやはり〈締めつける／ゆったり〉の二項対立が見られるということである。

しかし実際の和装はどうかと言えば、ウエストを細く見せる必要がないとはいえ、硬くて幅の広いオビでかなりきつく身体を締めつける。だから、二〇世紀初頭のロシアにおいてキモノが「部屋でくつろぐための衣服」で「解放的」であると考えられたのは、ある意味で逆説的だったといわざるを得ない。日本ではもちろん昔からキモノは家の中でも外でも着る衣服であり、室内にのみ限定されるものではない。ロシアでキモノが受容されたとき「室内用」という制限が課されたことは、本来の着方とは異なる「ガウンのように羽織るキモノ」を出現させ、結果的にその表象にも変容を引き起こしたことになる。

たしかに、体型を立体的に強調するために曲線で作られるヨーロッパの衣裳に比べ、キモノはほとんど直線のみで成り立っているため、身体にぴったり合うのではなく、身体と衣服の間に空間的なゆとりができる。だから「ゆったりした衣服」であるといえないことはないが、逆にそうした長方形の布を立体的な身体に合わせて纏うためには紐やオビでしっかり固定しなければ、だらしない恰好になってしまう。したがって、きちんと装うためには、何本もの紐でキモノを固定し、さらにその上に幅の広いオビを何重にも巻くのである。日本人の感覚からすると、ヨーロッパのコルセットがドレスの下につける「見えない拘束具（隠された下着）」だとすると、幅が広くて硬いオビはキモノの上から締めつける「可視的なコルセット」といえなくもない。

服飾研究家の深井晃子によれば、ヨーロッパとくにフランスでは一九世紀後半からキモノを「身体を圧迫しない自由な」衣服と捉えており、やはり「室内着」として取り入れていたという。[14]フランスでジャポニスムが起こったのは一九世紀後半で、ロシアよりはるかに早かったから、ロシアは「ゆったりした室内着としてのキモノ」という用法そのものをフランスから学んだのかもしれない。

さらに深井は一九〇〇年に、女優・川上貞奴がパリで芝居の公演をおこなったことがヨーロッパのファッションに大きな影響を与えたと指摘している。[15]ピカソ、ジイド、ロダン、モロー、クリムトなど多くの芸術家がサダヤッコに魅了されたことはよく知られているが、ロシアの詩人ニコライ・グミリョフも当時パリにいて、サダヤッコの公演を見て詩を書いている。

サダ・ヤッコ（一九〇八年）

（……）

あなたは優雅な棚の上の
可愛いお菓子入れのように見えた。
あなたの小さな足は
白い猫のように
遊んでいる子供のように
寄木の床の上で揺れ動いた。
黄色いコガネムシのように
あなたの名が輝いた。

あなたが話すと
私たちは遥かなるものを愛した。
あなたは未知の
芸術の花や
不可解な言葉を投げて
私たちの心を虜にした。

私たちは信じた、太陽は
日本人の考え出したものに違いないと。[16]

グミリョフは、自分の文化とは異なる「遥かなるもの」を愛したアクメイスト詩人らしく、「サダヤッコ」の名前や踊りがエキゾティックで優雅なものであることを褒めそやしている。彼はキモノに言及しているわけではないが、じつはサダヤッコが着ていたキモノは、その踊りや演技とともに聴衆にかなり大きなインパクトを与えたらしく、その結果、パリでは「キモノ・サダヤッコ」と名づけられた衣裳が売り出されるようになった。そして、これが「室内用」と限定されていたのである。もっとも、「キモノ・サダヤッコ」を売り出した「オー・ミカド」という店は、一九〇三年頃から『フェミナ』誌に広告を出しており（図版7）、それを見ると、日本のキモノに似ているところは大きく長い袖だけで、ウエストが細いところ、太いオビがなく紐を垂らしているところは日本的というより、むしろヨーロッパ的である。キモノというよりは、キモノの要素を少し採り入れた部屋着といったほうが正確だろう。

深井は、ポワレの「衣服革命」のきっかけの一つになったのがキモノなのではないかと考えている。[17] たしかにポワレが一九〇三年にキモノ・コートを作ってからというもの、ポワレその他のフランスのデザイナーたちは、キモノのような形の袖、直線的に布を裁断する方法、ウエストを締めつけないゆったりしたシルエット、前身頃を左右に打ち合わせる形、日本的な図柄など、キ

図版７

モノの特徴を盛んに取り入れるようになる。

私たちにとってさらに興味深いのは、ポワレがロシアの芸術やファッションにたいへん深い関係を持っていたという事実だ。彼は一九〇九年から始まったバレエ・リュスの公演に熱狂し、しばしばレオン・バクストの影響を受けているのではないかとの指摘を受けている。自伝的回想録に「わたしはいつだってバクストの発想をアレンジなしで生のまま取り入れたことはない」[18]と記しているが、こうした記述があること自体、ポワレが服飾に関するバクストのコンセプトに共鳴していたことを意味するのではなかろうか。

伝統的な「ヨーロッパ的」ファッションであるコルセットを拒否して、「東洋」である日本のファッションを取り入れようとしたポワレであるから、バレエ・リュスが披露した『シエラザード』『クレオパトラ』など「東洋的な」志向の濃い公演に夢中になったのも頷ける。バレエという「動的な身体」の衣装にも関心があったにちがいない。ロシア・アヴァンギャルドの研究者ジョン・ボウルトは、バクストについて次のように述べている。

コルセットや時にはブラジャーもなく、流れるような襞《ひだ》のついた長くゆったりしたドレスをバクストが重視したのは、女性の身体が「静的」な8型ではなく、「動的」なものだという概念にもとづいている。この点に、バクストのデザインの原則がもつ「民主的」な特徴があった。つまりどのような肉体もそれ自身にリズムがあるという考え、そうしたリズムは衣服がゆったり、緩やかなほど容易に投影されるという考えである。(19)

すなわち〈締めつける／ゆったり〉の対立が、さらには〈静的／動的〉という対立にも連動しているということである。ポワレもバクストも「身体の拘束」という、それまでのヨーロッパ的発想を一八〇度転換させ、非ヨーロッパ的な領域に「身体の自由」を模索した。そのパラダイムシフトにキモノが一役買ったのだとすれば、それは本来必ずしも「身体の自由」を志向するものではなかったキモノに、ヨーロッパの人々が新しいコンセプトを見出し、積極的な価値を付与したということである。日本人にとってはあまりに見慣れた衣服であったキモノの表象がヨーロッパやロシアで変容し、それがかえってコルセットを追いやるきっかけとして、ポジティヴな価値をもたらしたといえるのではないだろうか。
一九一〇―一九二〇年代にラーマノワがデザインした作品にも、キモノの影響を思わせるものがある。図版8は、彼女が一九一〇年代に作った夜会用ワンピースで、素材は白いシルクとシフォン。エルミタージュ美術館で行われたラーマノワ展のカタログによると、「コルセットは想定されておらず、デコルテは正方形、袖は短く、キモノの裁ち方」[20]だという。この「キモノの裁ち方」というのが、単にキモノのように長方形に布を裁つことを指しているのか、それとも別の何かを意味するのかは明らかでないが、前身頃のV字、主要な部分と同じ「ともぎれ」を使用したオビのような太い布ベルトはキモノを彷彿させる。むしろ、隠されたコルセットではなく、可

図版 8

視的な太いオビをしているところが、何よりもキモノ風であるといえる。また非シンメトリックなデザインはそれまでのヨーロッパのデザインにはない日本的なものだといわれているが、浮世絵の大胆な構図をも思わせるスカート部分の斜めの線が斬新で、印象的である。

こうしてロシアでも、キモノを媒介にして衣服の革命が進んでいた。とはいえ、衣服のコンセプトがこれほど変化したのは、主に上流階級の女性の衣裳についていえることであって、農民の衣服はほとんど変わることなく、冒頭で見たような、動きやすいルバーシカとサラファンが基本だった。サラファンが農作業に適した、ゆったりした形であることは、あらためて指摘するまでもないだろう。そうであれば、〈締めつける/ゆったり〉の対立には最後にもう一つ、〈貴族/農民〉という対立が呼応することを付け加えておかなければならない。そのことは、次で述べるように、ラーマノワがロシアの民族衣裳に注目したことにも深く関わっているにちがいない。

構成主義との接近、民族衣裳の重視

革命後、とりわけ一九二〇年代は、ソヴィエト・ファッションにとって極めて重要な時期であった。それは、高度なテクノロジーに支えられた階級のない理想社会を築こうという高邁な目的に、アヴァンギャルド芸術家たちが「新しい身体」の探究という具体的な課題をもって突き進んでいったときである。「イデオロギー＝内面」だけでなく、それを支える「身体＝外面」の重要性も強調され、両者があいまって社会主義の建設が実現するとされた。シニフィアンである「新しい衣服」が、「階級」をシニフィエとしなくなったのであれば、記号体系そのものを変えなければならず、そうであれば大衆のための民主的な衣服を緊急に作る必要があった。

構成主義者の中でも、リュボーフィ・ポポーワとワルワーラ・ステパーノワの二人は、芸術を工業生産に直結させるべく、二次元のイーゼル絵画を捨て、三次元の服飾デザインに携わろうと、一九二三年にモスクワの第一国立織物捺染工場のインダストリアル・デザイナーになっている。そして実際、リズミカルで多様な幾何学模様に彩られた、さまざまな織物デザインや衣服のデザインを残した（図版9はポポーワによるコートのデザイン）。

図版9

一方、革命前は皇室お抱えのクチュリエだったラーマノワが、革命後は新しい体制に順応し、民衆のための新しい衣服を作るという使命をもって活躍し始めたことは先に述べたとおりだ。彼女は一九一九年、第一回全ロシア生産芸術大会でこう述べている。

芸術は、日常生活のあらゆる分野に浸透しなければならず、大衆の芸術的な嗜好や感覚を発達させなければなりません。衣服というのは、それに最も適した媒介物のひとつです。（……）服飾産業において芸術家はイニシアティヴを取って、シンプルな素材から、シンプルだけれど人を喜ばせるような衣服を作りださなければなりません。それは、私たちの労働生活の新しい社会構造にふさわしい衣服となるでしょう。(21)

革命直後の段階で、ラーマノワがいち早く「労働生活」を重視して、シンプルな衣服を作る必要性を強調していることは注目に値する。このことは、彼女が以前からそのような志向を持っていた可能性を示唆してはいないだろうか。ラーマノワ自身ずっと「仕事をする女」だったのだから、自分が着るものとして、仕事をするのに適した、動きやすい機能的な服装を好んでいたことは充分考えられる。ストリジェノワがラーマノワのアーカイブで発見したらしい、次のような回想の断片がある（日付が特定されておらず、出典の記載がないので、やや信憑性に問題はあるが）。

衣服を機能的で美しくするというのは、つまり、特権階級の人たちだけでなく、いろいろな階層の人々の生活をより快適に美しくするということです。そのことを私はずっと以前から考えていました。（……）革命は私の財政状態を変えましたが、私の一生の信念を変えたわけではなく、むしろその信念をより大きな規模で実現する可能性を与えてくれたのです。[22]

つまりラーマノワは革命の前も後も、デザインに対する自分の考えを変えてはおらず、一貫して機能的で美しいものを目指していたと記しているのである。一見すると、革命を境に「貴族のクチュリエ」から「民衆のデザイナー」へと豹変したように見えるラーマノワだが、そもそも服飾デザイナーとは注文主のニーズを最大限に汲まなければならない職業である以上、ラーマノワにしてみれば、顧客が上流階級の個人から大衆という名の集団に変わっただけということなのかもしれない。変わったのはラーマノワではなく、クライアントのほうだったということだ。

ポポーワとステパーノワも「機能性」と「機動性」を重視したシンプルなデザインを目指したという点で、ラーマノワのデザイン哲学に近かった。しかし、ポポーワは一九二四年に早逝してしまい、ステパーノワも工場付きデザイナーとして服飾デザインを手がけたのは一年ほどと、ごく短期間だった。それでも、ほんの一時《いっとき》だったとはいえ、構成（生産）主義のポポーワ、ステパーノワとファッションデザイナーのラーマノワとは、一九二〇年代に大接近していたというのが興味深い。

〈締めつける／ゆったり〉の二項対立でいうなら、三人とも当然のことながら、身体を締めつけない、ゆったりした衣服デザインのカテゴリーに属していたわけだが、大接近したものの、アヴァンギャルド芸術家の二人とラーマノワとの間には決定的な違いがあった。それは、ポポーワとステパーノワが衣服を「空間的フォルム」と捉え、身体のプロポーションを等閑視してアヴァンギャルド美学を衣服に持ち込もうとしたところである。[23] つまり、逆の言い方をするなら、世界全体を一つの美学で統一しようとした二人にとって、衣服のデザインとは絵画、舞台装飾、家具、本の装丁、ポスターなどで展開したアヴァンギャルド運動の一部にすぎなかったということだ。それに対して、あくまでもファッションデザイナーだったラーマノワは、生身の身体から出発し、ひとりひとりが異なる体形であることを前提にしている。だから、両者のアプローチは正反対といってもいいのである。あたかも、〈記号性〉と〈身体性〉を併せ持つ「衣服の二重性」を反映しているかのようではないか。かたや、アヴァンギャルド美学による〈記号性〉を衣服の分野で極めようとしたポポーワとステパーノワ。かたや、実用的なモノとしての〈身体性〉を拠りどころとしたラーマノワ。

両者にはそれぞれの「問題点」があった。ポポーワとステパーノワの場合は、個別の身体の差異を切り捨てる傾向のため全体主義に行きつく可能性があるということで、近年ボリス・グロイスらが提起しているアヴァンギャルドの「加害者性」に通じるものだ。[24] 一方ラーマノワの場合は、逆に個々の身体にこだわるあまり、大量生産に向かない可能性が高いということである。全体的な理念への志向と個の身体への拘泥――これもまた、衣服の持つ二重性から導きだされる矛盾でもある。

ラーマノワは、ポポーワ、ステパーノワの他にも、アレクサンドラ・エクステルやヴェーラ・ムーヒナといった輝かしい芸術家たちと一緒に仕事をした。一九二三年に一号だけ刊行されたロシア服飾史上画期的な雑誌『アトリエ』には、名前こそ出ていないがラーマノワも協力したといわれており、エクステルのデザインが表紙を飾っている（図版10）。ポワレ同様、日本の「羽織コート」を意識しているのではないかとも思える、エレガントなイラストである。

エクステルは優れた色彩感覚を持ったアヴァンギャルドだった。デザインイラストも描けなか

図版 10

ったラーマノワに絵の手ほどきをしたこともあったが、一九二四年、エクステルはフランスに亡命する。一方、ロシアに残ったラーマノワはこの頃、実務の他に、モードの方法論を理論化する論文を雑誌『赤い畝』に何度か投稿している。そのうちの一本が「ロシアのファッション」という論文だ（『赤い畝』一九二三年第二〇号）。この中で、ラーマノワは次のように述べている。

現代の衣服の分野で興味深い課題のひとつは、民族衣裳のフォルムや特性をどう加工し、どう私たちの日常生活に適合させるかということだ。民族衣裳は何世紀ものあいだ民衆が集団で作りあげてきたものなので、合理的にできている。だから、現代の都市の衣服として、イデオロギー的素材にも、造形的素材にもなり得る。民族衣裳の基本的な形はいつも理知的だ。[25]

これより前の一九一九年、すでにラーマノワは「現代服スタジオ」を創設するにあたり、そこで学ぶべきこととして「民衆芸術、ロシアの農民や外国のデザインの重要性」を挙げていた。[26] そして一九二〇年代になると、図版11（一九二五年）のように、ロシアの農民が古来日常的に着ていたサラファンを模した、ゆったりした衣服をデザインするようになる。ちなみに、ここでモデルを務めているのは、未来派詩人で画家のウラジーミル・マヤコフスキーの恋人リーリャ・ブリークとその妹エリザ・トリオレである。またマヤコフスキーの実妹リュドミラ・マヤコフスカヤは、一九一〇年頃から工場付きインダストリアル・デザイナーとして働いていたという。

図版11

さらに一九二五年、ラーマノワは彫刻家で年来の友人ムーヒナと『日常生活の中の芸術』というアルバムを刊行し、だれにでも簡単に作れる洋服や帽子を提案している。ムーヒナはのちに社会主義リアリズムを代表することになる、巨大な彫像作品『労働者とコルホーズ女性』の作者である。アルバム『日常生活の中の芸術』では、たとえば、図版12のように、二枚の亜麻布のタオルを縫い合わせて女性用の「カフタン（長い上衣）」の作り方が記されている。ここでもタオルに施された赤い刺繍が、民族衣裳で使われる模様だ。

一九二〇年代を通して、ラーマノワはずっと伝統的な民族衣裳に関心を持っていたようだ。そのハイライトともいうべき出来事は、アルバムを出したのと同じ一九二五年、パリで開催された万国博覧会において、彼女のデザインしたロシア民族衣裳風のドレスがグランプリに輝いたことである。

それにしても、革命前にパリ・モードを志向し「西」を向いていたラーマノワが、革命後ロシアの民族衣裳の要素を積極的に採り入れたのは、「東」に視線をシフトさせたということを意味するといえるのだろうか。先にも指摘したが、バレエ・リュスがパリで評判になったとき注目されたのが「東洋」のモチーフだったことを、もう一度思い出したい。ロシアも含めた広い意味での「東洋」のエキゾティシズムがヨーロッパでもてはやされたのだった。バレエ・リュスは二〇年間にわたってヨーロッパで公演を続けたので、東に対するヨーロッパの関心は一時的なもので

図版 12

はなく、ずっと続いていたと考えられる。

ロシアのアーティストからすると、芸術の最先端を目指して「西」であるヨーロッパに留学したり公演に行ったりしたあげく、逆に自分たちの文化が注目されているのを発見し、「東」としての自分たちのアイデンティティを自覚させられるとともに、ロシア芸術の価値を再評価することになるという、ブーメランのような「回帰」現象であるともいえそうだ。ポワレとの親交を通して、ラーマノワも大なり小なりこれと同じような「自己発見」をしたのではないだろうか。

こうした現象は、アヴァンギャルド芸術家のナターリヤ・ゴンチャロワがその軸足を西から東へと旋回したこととも共通しているだろう。一九一三年にゴンチャロワは個展のカタログにこう記した。

修行の最初に、私はとりわけフランスの現代画家たちに学びました。彼らに意識を啓発されて、私は自国の美術の大きな意義と価値を知り、さらにそれを通じて東洋美術の価値の大きさを知りました。これまで私は西洋が自分に与えてくれるかぎりのものを学んできたのですが、しかし実際のところ、西洋が生みだすものはすべて、すでにわが国が創りだしたものなのです。[27]

外からの視点で自らの文化・芸術を「異化」して捉えなおすという方法を、衣服の領域で実践したのがラーマノワだったと言い換えることもできるかもしれない。彼女はここでも、アヴァンギャルド芸術家の立場のごく近くまで接近していたわけである。

最後に、ラーマノワがロシア古来の民衆の衣服に注目したのは、衣服の機能性と機動性を重視した結果から導かれた論理的必然だったのではないかということを改めて指摘しておきたい。革命後の「新しい衣服」の目的が「仕事をするための動きやすさ」であったとするなら、長い歳月、厳しい農作業に耐えてきたロシアの農民の着ているものこそ、それにふさわしかったはずだ。その意味では、女優アレクサンドラ・ホフロワの躍動感あふれるポージングの写真（図版13、一九二三年）は、ラーマノワのデザインの意図を非常によく体現した一葉といえるだろう。

ストリジェノワによると、「それまでは人間の体形を様式や素材に合わせており、体型や個人的な特質はあまり重視されなかった。だから身体の線を損ねるようなコルセットが長く君臨したわけだが、ラーマノワの理論の要《かなめ》はその逆で、体形が素材や色を決めるべきだと主張している」(28)という。ラーマノワは、仕事をする人間ひとりひとりの身体に合わせた動きやすい衣服を作ることを目指し、その結果、ロシアで古来愛されてきた民族衣裳がそれに適っていると考えたのである。ラーマノワのデザインした衣服はロシアの農民たちが着るルバーシカやサラファンを思わせる、ゆったりした衣服である。それらの直線的なシルエットがキモノのシルエットにも似ていることはもう繰り返す必要もないだろう。

こうして、革命前は貴族や皇族の豪華なドレスを作っていたクチュリエは革命を経て、ロシア

図版13

の農民が着ていた民族的な衣服をデザインに取り入れることになる。新しい日常のための「新しい衣服」を求めた先にあったものが、ロシア文化の伝統的な「古い衣服」であったというのは、一種のパラドクスといえるかもしれない。
ラーマノワは人間の身体を知りぬいたプロフェッショナルであった。そして二〇世紀初頭の激動のロシアにあって、本来は異なる理念をもちつつも彼女はアヴァンギャルド芸術家たちと理想を共有することになり、大いに接近した。しかし、彼女が社会情勢に合わせて変容を遂げたというよりは、クライアントが交代しただけで、彼女自身の姿勢はあまり変化しなかったと考えることもできるだろう。それは、クライアントを尊重するという、ファッションデザイナーという職業に特有の資質が要求するものであった。
ロシアの服飾研究家ライーサ・キルサノワは、ラーマノワのことを「自らの仕事を芸術に変えたロシアで初めての裁縫師[29]」と評している。

【付記】本稿は、日本学術振興会「頭脳循環を加速する若手研究者戦略的海外派遣プログラム」による東京外国語大学研究事業「20世紀以降の文化横断現象としての表象変容に関する日欧共同研究」の一環として行われた二〇一三年九月一四日モスクワにおけるシンポジウム「文化の変容、パースペクティヴの変容」、および二〇一四年一一月二四日ボローニャにおけるシンポジウム「身体のランドスケープ――変容の知覚・記述・体現」で筆者がおこなった二つの報告（それぞれロシア語、英語）を日本語でまとめたうえ、大幅に加筆したものであることをお断りしておく。

注

（1）ロラン・バルト『ロラン・バルト　モード論集』山田登世子編訳、筑摩書房、二〇一一年、三六ページ。

（2）*Пушкин А.С.* Собрание сочинений в десяти томах. т.5. М.: Художественная литература, 1975. С.88.

（3）バルト、前掲書、三六ページ。

（4）ピョートル・ボガトゥイリョフ『衣裳のフォークロア（増補・新訳版）』桑野隆・朝妻恵里子訳、せりか書房、二〇〇五年、一一三ページ。

（5）*Т. Стриженова.* Из истории советского костюма. М.: Советский художник, 1972.

（6）*Александр Васильев.* Русская мода: 150 лет в фотографиях. М.: Слово, 2004.

（7）Princesse Varvara Dolgoruky, *Au temps des Troikas* (Paris, 1978) // *Васильев.* указ.соч. С.147. 能澤慧子「ポワレとフォルチュニィ：共有された時代、そして向き合う個性」// カタログ『ポワレとフォルチュニィ：20世紀モードを変えた男たち』東京都庭園美術館、二〇〇九年、六ページ。

（8）*К. Станиславский.* Собрание сочинений, т.8. М.: Искусство, 1961. С. 136-137. // *Стриженова.* указ.соч. С.36.

（9）*Александр Кондрашов.* "Две капли《Коти》// Новая газета. 2003.6 марта. No.17. http://www.novayagazeta.ru/society/21045.html （二〇一四年九月二六日一五時〇〇分アクセス）

（10）ミハイル・ブルガーコフ『ブルガーコフ戯曲集　1』秋月準也・大森雅子訳、東洋書店、二〇一四年、五三ページ。

（11）チェルニヌィシェフスキー『何をなすべきか』金子幸彦訳、岩波文庫、二〇〇四年、第五刷、二一六―二一七ページ。

（12）『世界文学全集　82　ゴーリキイ／ベールイ』佐藤純一／川端香男里訳、講談社、一九七七年、三〇九ページ。

（13）同前、三五〇ページ。

（14）深井晃子『ジャポニスム・イン・ファッション：海を渡ったキモノ』平凡社、一九九四年、一七二ページ。

（15）同上、一七四―一七七ページ。

（16）*Н. Гумилев.* Собрание сочинений в четырёх томах / Под редакцией проф. Г. П. Струве и Б. А. Филиппова. Вашингтон: Изд. книжного магазина Victor Kamkin, Inc., 1962. Т. 1. С. 60.

(17) 深井、前掲書、二〇〇―二〇四ページ。

(18) ポール・ポワレ『ポール・ポワレの革命　20世紀パリ・モードの原点』能澤慧子訳、文化出版局、一九八二年、一六二―一六三ページ。

(19) John E. Bowlt, "Constructivism and Early Soviet Fashion Design," // A.Gleason, P.Kenez and R.Stites eds. *Bolshevik Culture — Experiment and Order in the Russian Revolution* (Bloomington and Indianapolis : Indiana University Press, 1985) , p.207.

(20) *Т. Т. Коршунова.* Русский модельер. Надежда Ламанова 1861-1941. СПб.: Издательство Государственного Эрмитажа, 2002. С.38.

(21) John E. Bowlt "Manufacturing Dreams: Textile Design in Revolutionary Russia" // Lidya Zaletova, Fabio Ciofi degli Atti, Franco Panzini, and others, *Revolutionary Costume: Soviet Clothing and Textiles of th 1920s* (New York: Rizzoli Publications, 1989), p.21.

(22) *Стриженова.* указ.соч. С.38.

(23) 沼野恭子『アヴァンギャルドな女たち　ロシアの女性文化』五柳書院、二〇〇三年、二六三―二六五ページ、参照。

(24) ボリス・グロイス『全体芸術様式スターリン』亀山郁夫・古賀義顕訳、現代思潮新社、二〇〇〇年、参照。

(25) *Н. П. Ламанова.* Русская мода // Красная нива. 1923, No.30, С. 32. // *Стриженова.* указ. соч. С.41.

(26) Zaletova and others, *Revolutionary Costume*, op.cit. p.170.

(27) John E. Bowlt ed. and trans. *Russian Art of the Avant-garde: Theory and Criticism 1902-1934* (New York, the Viking Press, 1976) p.55. J・E・ボウルト編著『ロシア・アヴァンギャルド芸術　理論と批評、一九〇二―三四年』川端香男里・望月哲男・西中村浩訳、岩波書店、一九八八年、八七ページ。

(28) *Стриженова.* указ.соч. С.44.

(29) *Р.М.Кирсанова.* Русский костюм и быт XVIII–XIX веков. М.:Слово, 2002. С.217.

『この道は母へとつづく』　アンドレイ・クラフチューク監督

ペテルブルグのはるか北方に位置する、うらぶれた片田舎の孤児院。吐く息がそのまま白く凍ってしまいそうな冬のある日、イタリア人夫婦が訪ねてきた。ワーニャ・ソーンツェフという六歳の男の子を養子にする打ち合わせのためである。

引き取り手の決まった子は、孤児院では羨望の的だ。とりわけ暖かくて豊かなイタリアに行けることになったワーニャは、みんなに「イタリア人」と呼ばれ、羨ましがられる。ところが、養親に引き取られてから、実の母親が探しにやってきたケースがあることを知ったワーニャ少年は、なんとしても自分で本当の母を見つけようと決意する。

そして母の居場所を突きとめたい一心で、調書を読めるようになろうと必死で字を覚える。たどたどしく絵本を読むワーニャが「お母さん《マーマ》」という言葉に行き当たったときに見せる輝くばかりの愛らしい表情は、きっと観る者の胸を熱くせずにはおかないだろう。やがて、少年は「マーマ」という甘く懐かしい響きに導かれるようにして、数々の困難を切り抜け、乗り越えていく……。

ストーリー自体はさして珍しいものではない。それどころか、ありふれた「母捜し物語」と要約してしまうこともできるかもしれない。でも、アンドレイ・クラフチューク監督の映画『この道は母へとつづく』が陳腐なセンチメンタリズムに陥っていないのは、第一に、細部がたいへんリアルであり、第二に、それにもかかわらず、どこかおとぎ話のような幻想性も帯びつつ、第三に、現代ロシアの抱える社会問題がきちんと取り込まれているためだろう。

たとえば、孤児院の無秩序さや、年長の子たちによる荒々しい「自治」、列車の旅、母の住む町の様子などには、生々しいリアリティが感じられる。私は、シベリアを舞台にしたヴィターリイ・カネフスキー監督の『動くな、死ね、甦れ！』と通じるものがあるような気がしてならなかった。たしかに子供の目を通して、過酷な現実を描くという設定そのものが共通しているのだが、両監督がともにレンフィルムに所属していることとも関係があるのだろう。すぐれたドキュメンタリー・タッチの作品を世に送り出してきたレンフィルムの伝統を、クラフチューク監督も受け継いでいるのではないだろうか。

とはいえ『この道は母へとつづく』は、悲劇的なカネフスキー作品よりはるかに希望と人々への信頼に満ちている。そのことは、ワーニャの苗字が「ソーンツェフ」つまり「太陽」をあらわしていたり、列車の通過する駅にさりげなく「再生・復活」を意味する名がつけられていたりするところにも感じられるし、またワーニャが母のもとにたどり着くまでに何人もの善良な人たちが手を差し伸べてくれることにも現れている。

この「善意の連鎖」を断ち切ろうとするかのようにしてワーニャの前に何度も立ちはだかるのが、マダムと呼ばれる養子縁組斡旋業者である。マダムはさながら、ロシアの民話によく登場する魔女バーバ・ヤガーのようだ。なにしろ、バーバ・ヤガーは小さな子供をさらって食べてしまうという、恐ろしい一面を持っているのだ（！）。空飛ぶ臼ならぬ、お抱え運転手付き四輪駆動でワーニャを追いまわすマダムは、資本主義の悪弊を体現したまさに現代の魔女だが、すんでのところでいつもワーニャを取り逃がす。こうした展開が限りなくおとぎ話に近い印象を、観る者に残すのだろう。

現実のロシアでは、国際的な養子縁組を仲介する業者が暴利を貪っていることが社会問題化している。また孤児院をとりまく環境も劣悪で、飲酒、犯罪、売春が渦巻いている（日本でも、児童売春や虐待、いじめが深刻な社会問題になっているわけだけれど）。現代ロシアを悩ませているさまざまな社会問題を、凝縮した形で抱えこんでいるのが、孤児院という場所である。この悪夢のような場所から合法的に抜けだせるのは、実の親か養親のいずれかが迎えに来てくれるときだけなのだ。

ワーニャ少年のすごいところは、人々の善意に助けられながら、自分の意思で奇跡的に母のもとに行きつくことができたという点である。クラフチューク監督自身が語っているように、これは「母への回帰」の物語である。二〇〇三年にヴェネチア国際映画祭でグランプリを受賞したアンドレイ・ズビャギンツェフ監督の『父、帰る』が「父の帰還」をテーマにしていたことを思い合わせると、両作品とも家族の再生・復活を希求する魂のほとばしりなのではないかという気がしてくる。ロシアの良心的な映画人たちが今、家族や子供の問題に真剣に取り組んでいることは、けっして偶然ではないだろう。

その意味で、ワーニャのお母さんがヴェーラという名前なのは象徴的だ――「ヴェーラ」とは、ロシア語で「信じること」を意味するからである。そう、「マーマ」という響きに込められた夢は母を信じ、「ヴェーラ」を探しあてることで実現したのである。

おそらくクラフチューク監督は、子供たちの夢が叶えられる未来のやってくることを心から信じているのだろう。ワーニャ少年と同じ、愚直なまでの頑なさで。

『この道は母へとつづく』

『ラフマニノフ　ある愛の調べ』　パーヴェル・ルンギン監督

セルゲイ・ラフマニノフ（一八七三―一九四三）は、「ロシア的憂愁」をたたえた美しい旋律で知られる作曲家であり、類いまれな名ピアニストでもあった。モスクワ音楽院を優秀な成績で卒業し、作曲家としての道を歩んでいた彼がロシア革命を逃れて、家族とともにアメリカに移ったのは四五歳のとき。以後、生活費を稼ぐために、多くの時間と労力を演奏活動に費やさなければならなくなった。故国を深く思いやりながらついに帰ることもできず、作曲に強く心惹かれながら思うようにいかなかったラフマニノフ。ロシアと亡命、作曲と演奏に魂を引き裂かれた悲劇の音楽家である。

パーヴェル・ルンギン監督の詩情あふれる映画『ラフマニノフ　ある愛の調べ』は、おおよそこうした伝記にもとづいて作られている。たとえば、規律の厳しいズヴェーレフの私塾で音楽の指導を受けたこと、幼馴染みの従妹《いとこ》ナターリヤ・サーチナと結婚し生涯支え合ったこと、アメリカでピアノ・メーカーのスタインウェイと親交を結んだことなど、どれも事実である。

また、『交響曲第一番』を捧げた運命的な恋人「A《アー》・Л《エーリ》」が、アンナ・ロディジェンスカヤという、ロマの血が流れる情熱的な人妻だったこともわかっている。一八九七年に行われたこの交響曲の初演はさんざんの失敗に終わり、ラフマニノフはひどく神経を参らせてしまった。彼を立ち直らせたのが、ナターリヤ一家の温かい心遣いと、医師ニコライ・ダーリの心理療法だったというのも実際そのとおりで、ラフマニノフはのちに代表作となる『ピアノ協奏曲第二番』を恩人ダーリに捧げている。

　しかし、ルンギン監督はインタビューでこう語っている。「これは伝記的な映画ではなく、ラフマニノフの生涯を自由に解釈した、愛の物語です」。「重要なのは、ラフマニノフの愛、絶望、恐れ、子供時代の思い出――つまり内面世界を描くことなのです」。

　愛のモチーフとして用いられているのがライラックである（映画の原題も『ライラックの小枝』だ）。いつの頃からか、どこで行われようと、ラフマニノフの演奏会には必ず白いライラックの小枝が匿名で届けられるようになったという。ライラックは彼の子供時代の大切な思い出であるとともに、ときめきの象徴、創造力の源泉でもある。この伝説をもとに、まるでスクリーンのこちら側まで香ってくるようなライラックが効果的に何度も立ち現われる。そして、最後に明らかになる贈り主……。

　ラフマニノフがアンナについて「ライラックの香りがする」と言ったら、朋友で世界的な歌手のシャリャーピンが悲恋を見越して「彼女は不幸の匂いがする」と応えたというエピソードが残っているが、シャリャーピンばかりでなく、ラフマニノフのまわりには著名な人たちがたくさんいた。ルンギン監督は当初チャイコフスキーの配役まで考えていたというが、結局、チャイコフスキーもシャリャーピンも登場しないことになった。ラフマニノフと女性たちとの関係に照準を絞って彼の精神世界を描くという姿勢に徹したのだろう（ちなみに、ルンギン監督の前作『島』も、ひとりの人間の内面的な「罪の意識」を扱った話題作だった）。

マリエッタの役どころは、実際にラフマニノフのファンだった作家マリエッタ・シャギニャンとの交流の実話を下敷きにしているが、かなり大胆な「解釈」が施されているようだ。

そして、何といっても素晴らしいのは妻ナターリヤの形象である。ラフマニノフの複雑な性格を知り尽くし、彼の絶望を献身的な愛で補おうとしたナターリヤのけなげな姿が胸を打つ。ふたりが結婚した一九〇二年に、ラフマニノフは「ライラック」という歌曲を作曲している。彼自身、愛着を持っていたというこの作品に次のような歌詞があるのも、おそらく偶然ではないだろう。「私の定めは人生に幸せだけを見出すこと、その幸せはライラックに宿っている」

『ラフマニノフ　ある愛の調べ』

『STAR SAND ―星砂物語―』　ロジャー・パルバース監督

ロジャー・パルバース監督の映画『STAR SAND ―星砂物語―』（二〇一七年）を観て映像の美しさと題材の切実さに心打たれ、原作をまた読みたくなった。原作は、パルバース監督自身が日本語で書いた小説『星砂物語』（講談社、二〇一五年）である。再読して、映画が原作にかなり忠実に作られていることを確認すると同時に、違いにも気づくことになった。

両者の最も印象的な違いは、日本の軍隊から脱走したイワブチとアメリカの軍隊から脱走したボブが、互いに言葉が通じないながらも心を通わせていく場面に現れている。小説では、ボブが（胸を指して）自分のことを「coward カワード（卑怯者）」というと、イワブチも（鼻を指して）自分のことを「カワズ（蛙）」と答え、ふたり合わせて「カワーズ」つまり「（二匹の）卑怯な蛙」だという言葉遊びがユーモラスに語られている。それが映画では、薄暗い洞窟の中でふたりが向かいあって真っ白い髭剃りクリームを塗りあう場面に変わっている。ふたりの姿がまるで鏡像のように配され、どの国に属するかにかかわりなく、イワブチとボブが「同類」「分身」であるということが視覚的にはっきり示されているのである。言葉の芸術である文学から、視覚芸術である映画への見事な転換といえよう。見つめ合うふたりを眺めるヒロミは、おそらくふたりの間に鏡があるような錯覚を覚えたにちがいない。そして約七〇年後に、ヒロミの日記を通して学生シホがこの場面を幻視し、さらに観客がそれを見て追体験する……。この仕組みは、視線が二重、三重に重ねられていて、たいへん興味深い。

鏡といえば、水平線をはさんで空と海がやはり鏡像関係にあることも、映画のほうがよりいっそう鮮やかに明示している。それは、ヒロミが海で集めた星砂をボブが空に蒔いて文字どおりの星に見立てる忘れがたい場面だ。かつて生きていた原生生物の殻である星砂。水底にあった星砂が天空に舞い、銀河をなして永遠の命を得るという壮麗な想像力により、空と海が入れ替わるだけでなく、戦争で死んだ人たちが永遠に不死になるという逆理が提示され、ひいては、人を殺さないことこそが最も勇気のある行いであるという、逆説的なメッセージへとつながっていく。

とりわけ美しいのは、洞窟の中から外を眺めるときに浮かび上がるシルエットである。黒々とした岩がユニークな輪郭の額縁をかたどり、きらめく海を背景に、あたかも登場人物たちの内面であるかのような影絵が静かに物語を進行させる。反対に、外から洞窟の中を覗きこむ場面は岩肌もリアルで、人間関係も生々しい。こうした洞窟の内側からの逆光の光景と外側から見た洞窟の中の様子が交互に描かれることで、物語展開にめりはりが生まれるとともに各人の立場も相対化され、映画ならではの効果がもたらされる。

ところが、イワブチ、ボブ、ヒロミが一種のアルカディアを作りあげかけていた矢先に闖入するのが、残酷で狂信的な国家主義者、イワブチの兄だ。牧歌的だった洞窟に、たちまち緊張と恐怖をはらむ戦争の論理が持ちこまれる。

いったい、人間にとって国家とは何なのか。なぜ国のために闘わなければならないのか——複眼的なまなざしが交錯して、画面全体から痛烈な、そして最も重要な問いが放たれる。戦前に回帰していくかのような昨今の風潮を思うと、『STAR SAND —星砂物語—』の出現はまさに時宜を得ているといえる。観る人ひとりひとりに、国家と人間の関係についてもう一度よく考えるようにと迫ってくるからだ。

原作の小説には、パルバース監督が敬愛するロシアの詩人オーシプ・マンデリシュタームの言葉「わたしは何世紀も燃える炎に囲まれている」がエピグラフとして添えられている。過酷な二〇世紀前半のスターリン時代を生き、弾圧され、収容所で亡くなった詩人の畢生の大作『無名兵士についての詩』の一節である。マンデリシュタームは独裁者の時代に翻弄される自分自身を「無名兵士」になぞらえ、こう記した。

わたしは血の気のない唇で囁く
生まれたのは一八九一年
一月二日から三日にかけての深夜。

希望のない年――そして何世紀も
燃える炎に囲まれている
（マンデリシュターム『無名兵士についての詩』）

この無名兵士が忍び寄る死を予感したように、イワブチもおそらく戦争をやり過ごすことを期待しつつも、圧倒的な暴力を前にして死を覚悟するしかなかっただろう。原作のエピグラフは映画にもそのままあてはまるのである。

なお、原作と映画では、先に挙げた言語（言葉遊び）から視覚（鏡像）への変容の他に、もう一つ決定的に異なっている点があることを指摘しておこう。物語の根幹に関わることで最後のほうの場面なので、ここに書いてしまうわけにはいかないが、興味のある方はぜひ両者を比較していただきたい。原作の小説と映画化された作品との異同について考えることは、私たち読者＝観客に与えられた秘められた楽しみなのだから。

『STAR SAND ―星砂物語』

『神聖なる一族 24人の娘たち』 フェドルチェンコ監督

おおらかで、愛らしく、ユーモアに満ちた映画『神聖なる一族24人の娘たち』は、マリ人の女たちの日常と性に捧げられた賛歌である。

丘の上でスカートをたくしあげ、風と交合する「風の恋人」**オ**ナルチャ。ふくよかなおばさんに服を脱がされ、「美しさを引きだすために」と布で身体を拭かれる少女**オ**カナイ。投げられたコインを捜しまわり、未来の夫に出会う**オ**シャルゲ。醜い森の妖怪に自分の夫を寝取られ、自殺してしまう**オ**ロプチ。歌を勉強するために都会に出た娘**オ**シャリャクはストーカーまがいの男に、墓から掘り出した死者を送りこまれそうになる……。比較的長めのものもあれば、短いスケッチ風のものもある、現実離れしたこれらの物語がオムニバス風に次から次へと続いてゆく。内容からしても、形式からしても、きわめてユニークで忘れがたい作品である。

しかし「マリ人」と言われても、どういう民族なのかピンとこない方が多いに違いない。マリ人は、ロシア人とはまったく異なるフィン・ウゴル系の少数民族で、五世紀頃にはすでにヴォルガ川流域にいたことを示す記録があるといわれている。つまり、ロシア人よりも早くからこの地に住みついていた「先住民」なのである（現在では、大部分がロシア連邦内のマリ・エル共和国に居住している）。ルーシ（ロシアの古称）では、一〇世紀末にキエフ大公ウラジーミル一世がキリスト教（正教）を国教と定めて取り入れ、布教を広げていった。一神教のキリスト教から見ると「異教」となる各地の土着信仰はしだいに駆逐されることになるが、根強く残ったものもあれば、正教と混じり合ったものもある。

マリ人たちは古来マリ語を話し、驚くべきことに、昔ながらの自然崇拝的な慣習や風俗の多くを未だに保っているという。マリ人たちの話すマリ語というのは、ウラル語族に属するフィン・ウゴル語派の中の一言語。『神聖なる一族 24人の娘たち』では、ほぼ全編にわたってマリ語が用いられている。この映画をマリ語で制作するというのは、監督であるアレクセイ・フェドルチェンコ（一九六六年生まれ）のこだわりだったようだ。出演しているのは素人のマリ人が多いが、ロシア人の俳優たちも演じていて、彼らはマリ語のセリフを必死で覚えたという。

フェドルチェンコ監督は、自分が作る映画は「大人のためのドキュメンタリー的おとぎ話」だと語っている。あくまでも綿密な調査にもとづく現実の素材を生かしてはいるものの、純粋の「ドキュメンタリー映画」とは異なる、芸術性の高い作品を志向しているのである。風変わりな現実と幻想的な神話がかぎりなく近づき、ときに混然としているようなめくるめく世界――それがフェドルチェンコ作品の特徴と言えるだろう。

現実と幻想の境界を取り払ったようなこの映画の原作は、気鋭のロシア語作家デニス・オソーキン（一九七七年生まれ）の小説『草原マリ人の天の妻たち』である（映画の原題も同じ）。オソーキンは、非ロシア系少数民族の風習やフォークロアを調査・研究し、それをテレビ番組や小説にしてきた。彼の小説を評して、現代ロシアの著名な作家タチヤーナ・トルスタヤは「彼が描きだす奇妙な光景の中では、生きたものも死んだものも不可解な形でよみがえる。なぜなら、この世にもあの世にも死んだものなど存在しないからだ」と述べているが、生と死の境界をも無化してしまうこの不思議な感覚は、映像化されてもそのまま生かされた。フェドルチェンコ監督は、『サイレント・ソウルズ』（二〇一〇年）もオソーキンの中編『ホオジロ』をもとに撮っているし、『神聖なる一族24人の娘たち』（二〇一二年）の後に作った『革命の天使たち』（二〇一四年）もオソーキンの処女作を下敷きにしている。二人は芸術観と感性を同じくする絶妙のコンビなのである。

　ちなみに、本作の最後のほうにオソーキン本人が詩人の役で出演している。少々エロティックな詩を朗読する彼の声に聴衆がうっとり聞き入っている場面だが、これは、オソーキンとフェドルチェンコの詩的世界に魅せられている、私たち観客の姿を反映してもいるだろう。

　原作の小説でも、映像化された本作でも、登場するマリの女たちの名前はみな「オ」で始まっている。それはまるで、彼女たちのエピソードが数珠つなぎになって「O《オー》」の文字を形作っているかのようであり、めぐりくる季節の循環を象徴しているかのようでもある。彼女たちは荒立つ感情も、静かな欲望もありのままに受け入れ、森の精霊たちと交感しながら、「自然」の中のかけがえのない一部として、「自然」とともに生きている。何しろ彼女たちは「天の妻」なのだから。

太古の香りと明るい光にあふれたこの蠱惑的な万華鏡のような映画を、どうぞ心ゆくまでお楽しみください。

『神聖なる一族　24人の娘たち』

歌が私たちの呼吸する空気になった　一九六〇年代のソ連の弾き語り文化

はじめに

マルレン・フツィエフ監督の映画『イリイチの哨所』（一九六四年）の中に、有名な「詩の朗読会」のシーンがある。一九六〇年代初頭のモスクワを舞台に、三人の青年の青春を描いた初々しいこのドラマは、ソ連の雪どけ時代の活気を伝える傑作である。[1] 映画の中で、主人公のセルゲイが科学技術博物館の大ホールに行くと、舞台にスター詩人たちがずらりと並んでいる。当時たいへんな人気を博していた本物の現役詩人たちが次々に自分の詩を朗読していく、半ばドキュメンタリーの貴重な映像である。

ホールはぎっしり埋め尽くされ、聴衆は詩人たちの声に一心に聞き入っている。舞台の上で自作の詩を朗読するのは、エヴゲーニイ・エフトゥシェンコ、アンドレイ・ヴォズネセンスキー、ロベルト・ロジェストヴェンスキー、ベッラ・アフマドゥーリナら。その中にひとり、朗読するのではなく、ギターを爪弾きながら歌う詩人がいる。それがブラート・オクジャワ（一九二四—

九七）だ。雪どけ期に活躍した「吟遊詩人」たちの草分け的存在で、やがて圧倒的な支持を受け、多くの人に愛されることになる。

語りかけるような独特の声。切ない短調のメロディー。オクジャワは、エフトゥシェンコのように大仰な仕草で観衆を熱狂させるのではなく、深く胸に沁みる、控えめでもの静かな歌い方で聴く人の心を魅了する。最後のリフレインでは、会場全体が一つになって、やはり少し控えめに唱和する。それは、オクジャワの歌が人々のものになっていたことを、見事に視覚化したシーンだ。歌われているのは「センチメンタル・マーチ」。

ナジェージダ、ぼくが戻るのはラッパ吹きが「撤退」の合図を鳴らすとき、

『希望の声―
ブラート・オクジャワについて』
（図１）

ラッパを唇に近づけ、とがった肘をあげるとき。
ナジェージダ、ぼくはきっと無事でいるよ、湿った土はぼくのためじゃない。
ぼくにあるのはきみの心配、きみの心遣いに満ちたやさしい世界。(2)

「ナジェージダ」とは女性の名前だが、普通名詞ならロシア語で「希望」を意味する。だからこそ「ナジェージダ」と何度も呼びかけるこの詩は、「スターリン批判」後のソ連社会が戦争と粛清の記憶を引きずりながらも、いかに強く激しく希望を渇望していたかを端的にあらわす、象徴的な歌となったのである。「湿った土はぼくのためじゃない」とは、勇ましく闘って湿った土に還ること、つまり死んでしまうことを拒む意志をあらわすとともに、「やさしい世界」に住むことを夢見る心情でもある。そうした姿勢は、検閲を通さずに出版され、すぐさま批判を受けて発禁となった有名な文集『タルーサのページ』(一九六一年)に掲載された、彼の自伝的な処女小説『少年兵よ、達者で』のアンチ・ヒロイズムに直結するものだ。そこでもオクジャワは、英雄的な死ではなく、かけがえのない生を選ぶよう呼びかけている(与謝野晶子の「君死にたまふことなかれ」が思い起こされる)。当局のイデオロギーに逆らってでも、弱くて繊細な者、頼りなくてやさしい者の側に立とうとする、彼の凛とした意思が感じられる。

オクジャワを初めとする「弾き語り詩人」たちが何人も輩出し、人々の熱い支持を受けたことは雪どけ時代の一大文化現象であった。彼らの存在とはいったい何だったのか、あらためて振り返り、その文化史的な意義について考えてみたい。

ロシアの吟遊詩人（バルド）とは

二〇世紀後半のソ連で一世を風靡した「歌う詩人」のことを、ロシア語では、ケルト語由来の「бард《バルド》」という言葉であらわす。もともとケルト人社会で「バルド」といえば、神話や歴史を琴の調べに乗せて歌う祭司のことを指したというが、一二世紀頃フランスやドイツに現れた、詠唱しながら宮廷を遍歴した恋愛詩人も同じ語であらわされる。日本語では「吟遊詩人」と訳されることが多いが、ソ連時代の一群の「歌う詩人」たちに共通しているのは、何よりも自分の詩に自分でメロディーをつけて、ギターを爪弾きながら歌ったことである。彼らの歌は「**авторская песня**（作者の歌）」、あるいは「**самодеятельная песня**（アマチュアの歌）」と呼ばれるが、いずれにしてもプロの歌手がだれか別の作詞家・作曲家に提供された作品を歌うのではなく、「詩人＝作曲者＝演奏者」、つまり詩人による「自作自演」であるというところが大事なのである。

そのため、重視されるのはあくまでも詩・ことばであり、音楽（メロディー）は二の次であることが多い。その意味では、作家性の強い歌詞を得意とするシンガー・ソングライター、たとえば二〇一六年に「新たな詩的表現を生みだした功績」によってノーベル文学賞を受賞したボブ・ディランに近いといえるかもしれない（かならずしもディランの音楽が二義的なものだというわけではないが)。しかし、「シンガー・ソングライター」という言葉はどうしても英米の音楽シーンを連想させるコノテーションが強いため、二〇世紀後半のソ連で湧き起こったこの文化現象をあらわすものとして用いるのはためらわれる。それよりは、やはり「吟遊詩人」あるいは「弾き語り詩人」と呼ぶほうがいいだろう。

実際、彼ら自身が、自分たちの活動をいろいろな表現であらわしている。オクジャワは「自分の詩を歌う詩人」がつくりあげる「ものを考える人間のための、ものを考える人間の芸術」という言い方をしているし、アレクサンドル・ガーリチ(一九一八—七七)は「現代人の誠実な姿」が反映されている歌だといい、ウラジーミル・ヴィソツキー(一九三八—八〇)は「ギター伴奏によって表現され、韻律に基づいた詩」、ノヴェラ・マトヴェーエワ(一九三四—二〇一六)は「知識人のフォークロア」だといっている。さまざまに定義されるということ自体、一九五〇年代後半から六〇年代にかけて弾き語りが急速に広まっていく過程で、それぞれの詩人たちがこの新しい芸術スタイルのジャンル、またはアイデンティティーを模索していたことを物語ってもいよう。

この時期に弾き語り文化が花開いた理由を考えると、まずそこには詩を朗読するという文化的伝統が大きく関わっていたことが指摘できるだろう。ロシアでは、そもそも「詩」は黙読するだけでは不完全であり、朗読し声を媒介にリズムや抑揚を体感して初めて、詩の芸術的営為がまっとうされると考えられてきた。詩人による自作の朗読は昔からずっと続いてきたし、朗読会に行って詩人の肉声を聴くのが何よりの楽しみだという人も珍しくない。そうした朗読会の伝統は現代にいたるまで続き、(3) 詩の朗読という身体的な行為を通して、親密で信頼に満ちた、詩人と読者の交流の場が形成されてきた。バルドたちのコンサートも当初は、この朗読会に限りなく近いものだったのだろうと想像される。

朗読が発達した背景には、ロシア語そのものの特質が朗読に向いていることが関係しているのではないだろうか。ロシア語はアクセントのある音節を強く長めに伸ばす強弱アクセントの言語なので、そもそも韻律の整った詩を朗読すると、それだけで充分「音楽的」になり、少しメロディーを付すだけで、れっきとした音楽になるのである。

たとえば、一九六八年ノヴォシビルスクで行われた「吟遊詩人の祭典」に出演した時の（亡命する前のソ連で最後の公の舞台となった）ガーリチの弾き語りをドキュメンタリーフィルムで見ると、まるで「詩の朗読」と「歌」の境界を取り払うかのように、朗読から歌へ、歌から朗読へと自在に変化している。(4) これはガーリチに特有の歌い方で、彼のパフォーマンスは「歌」ではなく、「伴奏付き朗読《メロデクラマーツィヤ》」だという見方もあるほどだ。とりわけ、この祭典で披露されたガーリチの「パステルナークの思い出に」には、ボリス・パステルナークの詩の一節が引用され、詩人たちの面影が暗示的に取り込まれていることもあって、「詩と音楽の往還」とでもいうべきこの傾向が顕著である。一九六〇年のパステルナークの死について、ガーリチはこう歌っている。

同時代の俺たちは、どんなに誇ってもいい、
彼が自分のベッドで死ねたこと！
楽師たちがへぼ演奏でショパンを苦しめ、
別れの会がしめやかに行われたこと……。
彼はエラブガで縄に石鹸を塗ることも
スチャンで発狂することもなかった！

（略）

「どこもかしこも吹雪、吹雪
見わたすかぎり。
蠟燭がテーブルで燃えていた。
蠟燭が燃えていた……」

いや、蠟燭なんかなかった――
燃えていたのはシャンデリア！
迫害者の面《つら》のメガネが

ぎらぎら光っていた！(5)

「どこもかしこも吹雪、吹雪……」以下四行がパステルナークの「冬の夜」という詩の冒頭である。エラブガとはマリーナ・ツヴェターエワが縊死した町、スチャンはオーシプ・マンデリシュタームが亡くなった極東スチャン川近くにある収容所の名である。このふたりの詩人に比べ、パステルナークが自分のベッドで死を迎えられたことをせめて喜ぼうという、何とも苦々しく痛烈なアイロニーだが、この祭典の後ガーリチは、「反ソ的」であるとの烙印を押されて厳しい非難を受けるようになる。詩のほかに戯曲や映画シナリオも書き、社会的地位も人気も高かったにもかかわらず、彼は、一九七一年に作家同盟からも映画人同盟からも除名されたあげく、一九七

ガーリチ　（図2）

四年には亡命を余儀なくされた。

少し先走ってしまったようだ。

ロシア語の言語的特質が詩を歌へと昇華させるうえで好都合だったということに加え、もう一つバルドたちの歌が広まった技術的な理由として言及しておかなければならないことがある。それは、一九五〇年代後半から一九六〇年代にかけて家庭用カセットテープが急速に普及したことだ。当時のソ連社会にとってカセットテープは、おそらく中世のグーテンベルクの活版印刷技術や現代のインターネットの普及や浸透に匹敵するような革命的な技術革新だったといえるだろう。「магнитиздат《マグニトイズダート》」という言葉があるが、これは「магнитофон（テープレコーダー）」と「издательство（出版社）」の下線部分を合成したもので、検閲を経ずに録音した音源を流布させることをいう。発禁となっていた詩や小説をタイプライターで書き写して秘かに信頼できる友人知人に見せたり与えたりすることを、「сам（自分で）」と「издательство（出版社）」を組み合わせた「самиздат《サミズダート》（地下出版）」という言葉で表すが、「マグニトイズダート」も広い意味での「サミズダート（地下出版）」の一種と考えることもできる。一般に、サミズダートは主にタイプライターによる詩や小説の無検閲の複製、マグニトイズダートはテープレコーダーによる音源の無検閲の複製だ。もちろん「地下出版」とはいってもコピー機が自由に使えるわけではなかったから、一度にわずかな複製しかできない「手作り」製品であり、たいていの場合、売り物ではなかった。つまり、あくまでも自分や親しい友人知人のために自分で作ったコピーが非商業ベースで流布したのであり、まさしく草の根的な文化的行為だったのである。

フォークロアとしての弾き語り

ソ連時代の弾き語り詩人たちはそれぞれが独創的で多様だったため、一つのグループを成したり集団で行動したりすることはほとんどなかった。とはいえ、総体として彼らの作品やパフォーマンスには、時代の刻印とも呼べるような特徴が認められる。それはどのようなものか。

先にも述べたとおり、彼らのパフォーマンスでは、音楽的要素よりも詩的な内容が優先され、何よりも作者である詩人の私的な世界観や個性が重んじられていた。それまで共産主義イデオロギーや戦争プロパガンダで「私たち」という複数形で語られていた自己が、個人の愛や喜び、哀しみ、憂い、孤独を表現することのできる、どこまでも私的な単数形の「私」として表されることになったのである。戦争と粛清で疲弊しきっていた人々にとって、それはたとえささやかであっても、かけがえのない「私」の世界を肯定していいのだという「承認」を意味したであろうし、また集団主義に対する密やかながらもしたたかな抵抗でもあったろう。

一九五六年のフルシチョフ共産党書記長による「スターリン批判」をきっかけに、ソ連社会には「自由」の予感、「希望」の予兆が共有されるようになるとともに、「私」の自由と希望を願い、「私」の私生活や心情を吐露する吟遊詩人たちが熱狂的に歓迎されたのだ。彼らの歌う詩の多くが、大上段に構えた「国のため」「正義のため」という大げさな理念ではなく、あくまでも個人としての倫理、人間としての気高さを称揚したことは、まさに時代の要請、人々の心からの切なる願いだったといえるだろう。

弾き語り詩のアンソロジーに解説を寄せているロラン・シーポフによると、人々は吟遊詩人らの「誠実なところ、感覚に正直なところ、開明的なまなざし、市民的義務感の強さ、人間性、辛抱強さ」に共感を寄せたという。そして「吟遊詩人たちは、あたかも知恵と心情と世界観を持った集合的な〈(大文字の)詩人〉像そのものだった」と述べている。[6] プーシキンを初めとして、ロシアで崇拝されてきた〈詩人〉。歌う詩人たちがその集合的なイメージを託されていたのだとすれば、それは限りなく「神」の形象に近いものだったのではないか。

想起されるのは、オクジャワの「モスクワの蟻の歌」である。あるとき蟻が自分の姿に似せて女神を作ろうとすると、七日目に突然、本当に生きた女神が現れる。

七日目のある瞬間
夜の炎から女神が現れた。
天上の兆候《しるし》など何もなく……
着ているコートは薄っぺら。

すべてを忘れ——喜びも悲しみも
彼は家のドアを開け
彼女のかさついた両手と
古びた靴に口づけをした。

ふたりの影が戸口で揺れ
無言の会話を交わす
神のように美しく賢く
地上の人間のように悲しげに。(7)

神の仕草を真似ているのはちっぽけな蟻に譬えられた「小さな人間」だが、どこまでも地上的なふたりの人間が、「神のように美しく賢い」のである。愛のときめきの中における地上と天上の振幅。慎ましやかな人間が神性を帯びる愛の瞬間を捉えた、いかにもオクジャワらしい繊細な詩である。蟻のようなこの「小さな人間」に、どれほど多くの同時代の人々が心動かされ、自分自身を重ねたことだろう！　どれほど多くの人がどれほどの感慨を込めて、自分でギターを弾きながら、リフレインの最後の二行を口ずさんだことだろう！　神々しい「集合的な詩人像」に溶けこんでいたのは吟遊詩人たちばかりでなく、彼らの歌を愛したすべての人々であった。こうして、歌はオクジャワという「著者」の手を離れて人々のものになり、フォークロアとなったのである。

弾き語り詩人の歌が「現代のフォークロア」であることはよく指摘される。たとえば、亡命作家で評論家のアンドレイ・シニャフスキーはこう述べている。

歌が、私たちの人生に付き従うただの伴奏としてではなく、この人生を自然に描くものとして、人生はこれでいいのだと認めてくるものとして、私たちのもとに戻ってきたことは大きな幸せだ。歌が私たちの呼吸する空気になったことは大きな幸せだ。その意味で歌は、作られたものを経験するものではなく、雰囲気を醸成するものである。歌い手のものではなく、民衆や社会のものであるという雰囲気を醸成したのである。私たちは、二〇世紀という現代では珍しい感情を抱くことになった。詩人が歌っているのに、まるでその歌をつくったのが彼ではなく私たちであるかのような感覚を抱いているのだ。(傍線筆者)(8)

歌がこの時代を生きた人々の「呼吸する空気になった」という表現に注目すべきだろう。ふだんはその存在を意識しなくても、それなくしては生きていけないもの。空気のようなもの。この「共感覚」を醸成するものこそが、吟遊詩人たちの歌だったのである。

バルドの先駆者

いったいロシアの弾き語り詩人は、雪どけ期に突然、初めて現れたのか、それとも源泉とでもいえるようなモデルが存在したのだろうか。バルドたちの先駆者としてよく名前を挙げられるのが、アレクサンドル・ヴェルチンスキー（一八八九―一九五七）という伝説的なアーティストである。彼は詩人にして歌手、映画俳優でもあった。

ヴェルチンスキーはロシア革命前、切なげな表情をしたピエロの装いで芸術キャバレー[9]や小劇場に出演し、退廃的な雰囲気と甘い歌声で一世を風靡した。日本で「悲しみの天使」というタイトルで知られる歌は、原題を《Дорогой длинною（長い道）》といい、コンスタンチン・ポドレフスキー作詞、ボリス・フォミーン作曲のロシア・ロマンスだが、革命当時、ヴェルチンスキーのレパートリーに入っていたようだ[10]。彼は革命後、一九二〇年に亡命し、世界各地を渡り歩きながら、郷愁と異国情緒を滲ませた歌を亡命ロシア社会で歌いつづけた。一九四三年にロシアに帰国するが、公式にはアーティストとして認められず、レコードも出せなかった。武隈喜一の言葉を借りるなら、「ヴェルチンスキーの名は、キャバレー文化そのものが置かれている奇妙に蔑まれた立場を象徴するかのように、『芸術』の歴史のはざまに埋もれて[11]」しまったのである。とはいえ、ソ連時代にも、使用済みのレントゲンフィルムを再利用して録音した、いわゆる「肋骨レコード」でヴェルチンスキーの歌声を聞くこともできたし、内輪のコンサートもおこなわれており、彼の歌はひそかに愛された。

先ほどの「長い道」は彼自身が詩を書いたのではなかったが、「別れのディナー」（一九三九年）という代表作の一つは彼自身が作詞作曲をしている。

わかっている、あなたを幸せにできるのは
私ではない。
それは別の男。でも待っていてもらおう、
私たちのディナーが終わるまで。
わかっている、船にだって
波止場が必要だ。
でも私のような者、私たち、
さすらい人やアーティストには必要ない。(12)

引用したのは、去りゆく恋人と最後の食事をするシーンを描いた「別れのディナー」の最後の部分である。ロマンティックな三角関係と失恋をモチーフとしながら、「私たち」のような放浪芸人には「波止場＝安住の地」はないと自らの運命を嘆く。亡命者の心境を代弁するとともに、半ば自分に言い聞かせているような痛々しいフレーズである。内容もあいまってその独特な歌い方、謎めいた雰囲気が聴衆を虜にした。

おそらく雪どけ以後のバルドたちの中で、ヴェルチンスキーに最も親近感を抱いていたのはガーリチだったのではないか。ガーリチもやはり亡命者という同じ境遇に身を置くことになるというのがその理由の一つだが、亡命するはるか以前の一九四〇年代後半、ソ連に帰国したヴェルチンスキーのサロンコンサートで強烈な印象を受け、そのときのことを、三〇年ほど後に回想している。擦り切れたレコードを何度も聞き、さんざん噂に聞いていた「伝説のヴェルチンスキー」へのオマージュなのだろう。このエッセイ自体も、ロマンスのタイトルと同じく「最後のディナー」と名づけられている。舞台に背の高い無表情の男が現れ、最初のフレーズを歌い出すと……。ガーリチはこう書いている。

ヴェルチンスキー　（図3）

私たちが目にしたのは偉大な巨匠の姿だった。驚くほど端整な顔、茶目っ気たっぷりに輝く目、なんとも表情豊かな手や動作。そうした身のこなしというのは、長年の仕事の積み重ねで得られるものであり、大いなる才能として与えられるものである。アレクサンドル・ニコラエヴィチ・ヴェルチンスキーの創作活動をどう評価するかについてはさまざまな意見があるだろうが、一世代どころか数世代にわたるロシア人のソ連での生活、そして亡命生活に顕著な足跡を残したことは、まったく疑う余地はない(13)。

またガーリチは、ヴェルチンスキーの「抒情的でサロン風の切なさには、きわめて新しい自由の感覚があった」とも述べている(14)。ちょうど三〇歳年下のガーリチが一九五〇年代後半に弾き語りを始めたとき、ヴェルチンスキーの活動を継承したいという気持ちと、逆にその影響から脱したいという気持ちが両方あったとしても不思議ではなかろう。

先に述べたとおり、雪どけ期のバルドたちはギターの弾き語りという新しい形態のパフォーマンスによって人々の支持を集め、「詩人＝作曲者＝演奏者」を何よりの特徴とするようになる。ヴェルチンスキーはあくまでもキャバレー文化に通じる芸人であり、おそらくギターの弾き語りはしていなかった。ヴェルチンスキーに魅了された後続のバルドたちは、彼と「自由」の感覚を共有しつつも、世紀末的な香りを漂わせる彼のロマンスからはしだいに遠のいていき、独自の芸術ジャンルを確立することになるのである。

ちなみに、ヴェルチンスキーには娘が二人いて、どちらも有名な女優になったが、そのうちの一人、マリアンナ・ヴェルチンスカヤは、本稿の冒頭で紹介した映画『イリイチの哨所（私は二〇歳）』でチャーミングなヒロインを演じている。こんな形でもヴェルチンスキーは、後世の希望と自由への渇望につながっていたのだ。

時代背景

興味深いのは、弾き語り詩人の輩出という一大文化現象の始まりが、あちこちの大学で生まれた学生歌だったということである。一九五〇年代前半、モスクワ国立大学の生物学部の学生たちが、簡単なギターコードによるシンプルなメロディーで、私的な感情、心配事、友情といった身近なテーマで歌いはじめた。モスクワ国立教育大学にも似たような動きが見られ、やがてここは「歌う大学」という通称で呼ばれるようになる。[15] これは、モスクワ国立教育大学のイニシャル「МГПИ」の「педагогический（教育の）」を表す「П」を学生たちが「поющий（歌う）」と読み替えたところからきたらしい。この大学の学生だったユーリイ・ヴィズボル（一九三四—八四）やユーリイ・キム（一九三六—）は、後に有名な弾き語り詩人になる。

初めは仲間内の「親密圏」で披露されていた歌のパフォーマンスが、しだいに聴衆を集めたサロンコンサートへと発展し、テープレコーダーの普及に助けられ、多くの人に聞かれるようになる。やがて、大学を卒業してからも仲間と歌や価値観を共有しつづけたいという人たちが、一九五〇年代末にこぞって「自作自演の歌クラブ」を結成し、より規模の大きなコンサートやフェスティバルを開催しはじめる。それは、「自然発生し、自由で民主的な原理と法則をもった若者たちの運動」[16]だった。一九六七年にはモスクワで弾き語り詩人に関する大がかりな大会が開かれ、翌年の一九六八年にノヴォシビルスクで弾き語りフェスティバルがおこなわれた。ロシアの弾き語り文化の大衆化が急速に進み、ピークを迎えたのはこの頃だったと考えていいだろう。

雪どけ期に現れた自由指向の強い知識人を指す言葉として、「六〇年代人」という言い方がある。一九五六年の第二〇回共産党大会でフルシチョフ書記長がスターリン批判をしたことを直接の契機としているため、「二〇回大会の申し子」ともいわれる。本稿で紹介したフツィエフ監督や一連の詩人たちの他に、この六〇年代人リストには、作家のワシーリイ・アクショーノフ、映画監督のアンドレイ・タルコフスキー、彫刻家のエルンスト・ネイズヴェースヌィ、作曲家のソフィヤ・グバイドゥーリナ、アルフレド・シュニトケ……といった錚々たる人たちの名前を加えることができる。この顔ぶれを見るだけでも、六〇年代人らの担った雪どけ期のロシア文化がいかに多様で魅力的だったたか、知れようというものだ。

この時期、ロシアの人々がどれほどアメリカに関心を持っていたか、どれほどアーネスト・ヘミングウェイ（一八九九―一九六一）に憧れていたかについては、文芸評論家ピョートル・ワイリとアレクサンドル・ゲニスが、著書『六〇年代、ソヴィエト人の世界』の中で詳しく述べているとおりだが[17]、実際、アメリカを初めとする西側世界に対する関心には並々ならぬものがあった。一九六〇年代後半は、アメリカの学生運動やフランスの五月革命が起こり、イタリア、フランス、日本でも大学紛争が起こっている。これら諸国では、学生が政治的に先鋭化し、大学当局や政府に対峙していく。雪どけ期のソ連での自由化を求める動きは、直接こうした紛争に影響を受けたわけではないにしても、リベラル化という世界的な傾向の一翼を担っていたことは間違いない。ロシアの弾き語り詩人の中にも、政治的に当局を揶揄するような内容の詩を書く者もいれば、あからさまな体制批判をしないまでも社会主義リアリズムの路線から逸脱する詩を歌う者もいた。

そうした状況の中で、周知のとおり一九六八年、「人間の顔をした社会主義」を目指したチェコスロヴァキアにブレジネフ政権はワルシャワ条約機構軍を侵攻させ、「プラハの春」を弾圧した。以後、ソ連国内でも引き締めや監視が強化され、バルドたちの活動までもが阻止・禁止されるようになる。

たとえば、キムは、父親が朝鮮人、母親がロシア人だが、父はスターリンの粛清の犠牲となって銃殺され、母は連座したとの理由で、長く強制収容所《ラーゲリ》生活を余儀なくされた。彼は弾き語りをする一方、一九六〇年代半ばから、「異分子」への迫害をやめて人権を尊重するよう要求する当局宛の声明に署名するなど、人権擁護活動も行っていたが、ソ連のチェコへの軍事介入以後、教師の職も辞さざるをえなくなるとともに、嘲笑的・アイロニカルな「反ソ的」な歌を歌うことも禁止された。仕方なくキムは「ユーリイ・ミハイロフ」というペンネームを用いて、戯曲やシナリオを書いて糊口をしのぐようになる。

反権力と気高さ

七弦ギターで弾き語りをしていたガーリチは、先に触れたように、一九六八年ノヴォシビルスクの「吟遊詩人の祭典」に招待され、芸術家を弾圧する権力を揶揄した「パステルナークの思い出に」を歌った。ソ連がチェコに軍事介入したのは、その数カ月後の八月二〇日だ。ガーリチはすぐさま、「一九六八年八月二一日」という日付を明記した詩「ペテルブルグ・ロマンス」を書いて、自らの姿勢を表明する。

……豪雨に向かうなか、傷が痛み、
鬱々たる日々が過ぎゆく……
でもぼくは叫ぶ。「迫害者ども！」
そして自由の夜明けを称える。(18)

その後、ますます締め付けが厳しくなるにもかかわらず、ガーリチは反抗的な歌を歌うことをやめなかったため、当局からのさらなる圧力を受け、結局一九七四年に亡命せざるを得なくなる。ちなみに、アレクサンドル・ソルジェニーツィンも同じ一九七四年に国外に追放させられているが、二〇年後の一九九四年、ソ連が崩壊した後ロシアに帰国した。しかし、ガーリチは亡命してから三年あまりしか生きられなかった。
彼が亡命直前に作った「ぼくが帰るとき」という詩を引こう。

ぼくが帰るとき……
笑わないでおくれ、ぼくが帰るとき、
地に足をつけずに二月の雪の上を走るとき、
かすかに見える跡をたどって暖かいねぐらへ
幸せのあまり身震いし、鳥のようなきみの呼び声に振り向くだろう。
ぼくが帰るとき。
ああ、ぼくが帰るとき……。

（中略）

ぼくが帰るとき、

二月にナイチンゲールが鳴くだろう。
あの古いモチーフ、昔の、忘れられた古くさいモチーフで。
ぼくは倒れる
自分の勝利に打ち負かされ、
頭をきみの膝に当てるだろう、波止場にするように！
ぼくが帰るとき

でも、いったいいつ帰れるんだ!?[19]

ガーリチにとって最も愛しいロシアのイメージは、二月の雪原なのかもしれない。二度と故国に戻れないことを予感していた詩人のリフレイン「ぼくが帰るとき（когда я вернусь）」が、同じフレーズでありながら反転して、最後に吐き捨てるような反語的な響き「いつ帰れるんだ!?（когда я вернусь?!）」に変わる。ここには、やるせない望郷の念とともに、自由を踏みにじる権力者への怒りがあふれている。

ガーリチとは違い、オクジャワの詩には、声高な体制批判や激しい憤りは見られず、静かな哀しみ、優しい思いやり、秘かな祈り、そして何ものにも代えがたい愛についてのテーマが多い。

とはいえ、その謙虚な物腰の奥にしたたかで強靭な信念があることはだれの目にも明らかだ。オクジャワは詩だけでなく、長編や短編など散文も書いたが、一編だけ童話を残しており、この作品にそのことが端的に現れている。一九六〇年代後半、幼い息子に何通か手紙を送る機会があり、彼はそこに続き物のお話を書いた。後に、それをまとめたのが『すばらしい冒険旅行』である。

それは、「ぼく」が気の合った仲間たち（羊のクレーグ、ヘビのヨイコ、気弱な怪物グリジグ）と一緒に船の旅に出かけ、巨人やハチや鉄カブトムシに襲われたり、アリやトンボに助けられたりするという冒険譚だが、物語の最後に、えたいの知れない悪者「ウンザリネチネチのノモカバ」に、「それぞれが好き勝手なことをしたり考えたりしてはいけない、全員が同じことをしたり考えたりするように」と命じられ、捕まって一括りに縛りあげられそうになる場面がある（ついでながら、「ノモカバ」と訳したのは、「КаруД《カルド》」。これは「バカもの」を意味する「дурак《ドゥラーク》」をさかさまにしたアナグラムなので、日本語訳もさかさまにしてみた）。

　ヘビは目のまえを飛んでいった蚊にとびかかる、クレーグは若いカミツレのほうにからだをのばす、グリジグは海へとまっしぐら、ぼくはぼくで船にむかった。
　たちまち、てんでんばらばらさ。
　そして、ぼくたちは風よりもはやく草原を走った。[20]

ノモカバとは、みなに同じことをさせようとする全体主義的な権力者のメタファーであり、子供の想像力にも訴えかける愉快な皮肉になっている。逆にひとりひとりがそれぞれ自分の好きなことをするぼくたちとは、個性を重んじる自由人であり、ソ連体制下で息苦しい思いをしていた人々のことだろう。オクジャワの生い立ちはキムとよく似ていて、グルジア（ジョージア）人の父は粛清され、アルメニア人の母は一〇年近くもラーゲリに入れられていた。「人民の敵」の子というレッテルのもとでスターリン時代を生きるのはどれほど辛かっただろう。こうした理不尽で強大な鉄拳に喘いでいた人々に向かってオクジャワが語りかけたこと、それは何よりも「人間らしさ」を失わずにいようということだった。控えめでそっと囁くようなトーンが多いなか、「かけがえのない軍勢」という次の短い詩には、その呼びかけがかなりストレートに表されている。

良心、気高さ、尊厳——
それこそがぼくたちのかけがえのない軍勢。
それに手を差しのべよう、
それのためなら火の中だって怖くない。

その面立ちは尊く、目をみはるほど。
それに自らの短い一生を捧げよう。
勝利者にはなれないかもしれない、
でもそのかわり、人間として死ぬことはできる。(21)

たとえ厳しい状況にあっても良心を捨ててはいけない、たとえひ弱であっても卑劣な振る舞いをしてはならない。人間として死ぬこと、気高くあること。それこそが「ぼくたちの軍勢」、つまり人間性を競う闘いにおいて味方になってくれる、大事な価値観なのである。そうした価値観を共有した人たちがオクジャワの声に心を震わせたのだ。

仮に、オクジャワの愛と気高さを洗練された魅力と呼ぶなら、魂の奥底から絞りだすような太くて低いヴィソツキーの声は、さしずめ野生の力強さといったところだろうか。ヴィソツキーは、オクジャワをだれよりも尊敬していた。ヴィソツキーはタガンカ劇場のスター俳優で、映画にも多数出演していたが、自身、非常に優れた詩人であり、弾き語りをし(ただし自分自身のことを大衆的な意味合いでの「バルド」とは考えていなかったという(22))、圧倒的な人気を誇るマルチタレントだった。タガンカ劇場でユーリイ・リュビーモフが演出した画期的な『ハムレット』では、一七世紀のデンマークの王子を演じたヴィソツキーが舞台でギターの弾き語りをしてい

ヴィソツキー　（図４）

る。

ヴィソツキー研究者のオリガ・シーリナによると、彼は音楽より詩のことばを重視していたものの、その詩と音楽と演奏のあいだには驚異的な調和があり、それは詩の韻律を最大限音楽的に活用したことだという。シーリナは、彼が詩の韻律と音楽の拍子（リズム）を微妙にずらすことで、絶妙な緊張感を生んでいるとも指摘している。[23] ヴィソツキーの場合、演技者としての才能が弾き語りにも生かされ、そのパフォーマンスに「詩人＝作曲者＝演奏者＝俳優」という類まれな融合が成立していたのだろう。

詩の内容はじつに多様で、彼自身を思わせる「自伝的」な語りもあれば、前線で戦った兵士やラーゲリを経験した人の心境を隠語とともに一人称で表す作品もある。一九七五年にあるインタビューで「あなたの信条は何か」と尋ねられ、ヴィソツキーは「好きじゃない」という詩がその答えになるだろうとして、その詩を弾き語りで披露している(24)。

劇的な結末なんて好きじゃない、
けっして生き疲れたりなどしない。
楽しい歌が書けないなら
どんな季節も好きじゃない。

冷たい皮肉は好きじゃない、
熱狂は信じない、それに――
他人が肩越しに覗きこんで
ぼくの手紙を読むのも好きじゃない。

中途半端は好きじゃない、
会話を邪魔されるのも。
背中から撃たれるのは好きじゃない、
面と向かって撃つのも反対だ。

（中略）

怖気づく自分が好きじゃない、
罪なき者が殴られるのは耐えられない。
心に踏みこまれるのは好きじゃない
とくに心に唾を吐きかけられているときは。(25)

この詩が一九六八年末に書かれたことは、もちろん偶然ではない。ヴィソツキーは、公的なコンサートをおこなうことを禁じられ、レコードも長らく出すことができなかった。それは、こうした反権力、反体制的色調を帯びた詩が強烈なインパクトを持つ表現力と抗いがたい魅力で人々の心を摑むことを、当局が恐れたからに他ならない。しかし、どんなに当局が禁止しても、文学と音楽の絶妙なカクテルは人々を酔わせ、夢中にさせた。音質のあまりよくないテープレコーダーで彼の歌は繰り返し聞かれ、狭い共同住宅で友人たちが集まると、だれからともなくギターを手に取る者が出てきて、オクジャワやヴィソツキーの歌をうたったのだった。

おわりに

一九八〇年、四二歳の若さでヴィソツキーが亡くなったとき、モスクワ・オリンピックの真っ最中だったが、彼の葬儀には何万人もの人が集まったという。現代ロシアの作家ミハイル・シーシキンの自伝的短編「バックベルトの付いたコート」には、一九八二年に学校でヴィソツキー追悼コンサートをしたいという生徒たちの希望を容れて許可した学校長（語り手の母）の逸話がある。追悼の夕べ（生徒たちがヴィソツキーの歌をうたい、彼が歌っている録音を聞くというイベント）の後、「見せしめの鞭」が振るわれ、校長は激しく吊るし上げられ、挙句の果てには学校を追われてしまう。[26] ことほどさように、当時「ヴィソツキー」は要注意事案だった。そして、彼の歌は公式には認められていないにもかかわらずだれもが知っていて、空気のように大事なもの、イデオロギー的締めつけの厳しい社会に生きていく上でなくてはならないものだったのである。

ペレストロイカが始まるとともに風向きは変わり、ソ連崩壊後、弾き語り詩人たちは、自由にコンサートをしたり、レコードやCDを出すことができるようになった。ヴィソツキーはいまだに非常に人気がある。二〇一八年、全ロシア世論調査センターがおこなったアンケート調査（あなたのアイドルはだれか？）によれば、ヴィソツキーは宇宙飛行士ユーリイ・ガガーリンに次いで二位にランクインしているという。[27] もっとも、もし彼がこのニュースを聞いたとしたら、「アイドルだなんて好きじゃない」というにちがいないが。

奇しくも、ヴィソツキーが亡くなった一九八〇年は、ジョン・レノンが命を落とした年でもある。しかも、ヴィソツキー（一九三八―一九八〇）とレノン（一九四〇―一九八〇）は二歳しか年の違いがない。ふたりは同じ世代の人間として、同じ時代精神を共有し、体現した。鉄のカーテン、ベルリンの壁の東側と西側で、反戦と反権力を歌いあげ、多くの人々の支持を得たのだ。正反対のように思われていた東西陣営で、それぞれ熱狂的な人気を勝ち得ていた音楽。世界は連動していたのである。

二〇世紀後半、雪どけ以後のロシアでは、ヴィソツキーを含めた一群の優れた詩人・弾き語り詩人が輩出し、多彩な顔ぶれがそれぞれの個性と感性で魂の叫びを詩にした。この一人文化現象は、アレクサンドル・プーシキンを中心とする一九世紀初頭の「詩の金の時代」、アレクサンドル・ブロークを中心とする二〇世紀初頭の「詩の銀の時代」につづく、ロシア文学史上きわめて重要な詩的ムーブメントであったと位置づけられるのではないか。ロシアの人々を熱狂させたこの時期を、ウラジーミル・ヴィソツキーを中心とする「詩の銅の時代」と呼んでみたい。

注

（1）もっとも、雪どけ期だったにもかかわらず、この映画は検閲で多数の修正を強要されたため、一九五九年に制作が始められたのに公開されたのはようやく一九六五年になってからで、タイトルも「私は二〇歳」に変更しなければならなかった。内容もタイトルも元通りになって公開されたのは、ペレストロイカ期の一九八八年のことである。

（2）Песни Булата Окуджавы. М.: Музыка, 1989. С.75.

（3）ソ連時代から崩壊後の詩の朗読会の歴史については、鴻野わか菜「ソ連崩壊後の文学——詩の朗読会の歴史」『SLAVISTIKA』No.28（東京大学スラヴ語スラヴ文学研究室、二〇一三年）二六七—二八一ページを参照。

（4）ガーリチが一九六八年三月ノヴォシビルスクで開催された「歌の祭典」で歌ったときのスチールと音声を用いてドキュメンタリーフィルムが制作されている。《Запрещенные песенки》Режиссер: Новиков В. (Новосибирская студия кинохроники, 1990). https://www.youtube.com/watch?v=-3SgXRdLngU&t=1232s（二〇一八年三月一日閲覧）。

（5）*Александр Галич*. Когда я вернусь. Полное собрание стихов и песен. Франкфурт: Посев, 1981. С.122-123.

（6）*Р. Шипов*. Поющие поэты. // Антология бардовской песни. М.: Эксмо, 2009. С.12.

（7）Песни Булата Окуджавы. С.83.

（8）*А. Синявский*.《Театр Галича》Время и мы No.14. // *Александр Галич*. Когда я вернусь: Полное собрание стихов и песен. Франкфурт.: Посев, 1981. С.11.

（9）歌や踊りなどのパフォーマンスが披露できる舞台付きのカフェやレストランのこと。

（10）山之内重美『黒い瞳から百万本のバラまで』（ユーラシア・ブックレット No.31、東洋書店、二〇〇二年）一五頁。

（11）武隈喜一『黒いロシア　白いロシア——アヴァンギャルドの記憶』（水声社、二〇一五年）一〇七ページ。

(12) http://musicgu.ru/aleksandr_vertinskiy/proshchalniy_uzhin.html（二〇一八年二月　日閲覧）。
(13) *Александр Галич.* Прощальный ужин // Время и мы. 1987 No.99. C.227.
(14) 同右。
(15) Барды и авторская песня. Русский феномен. http://ussr-kruto.ru/2015/10/24/bardy-i-avtorskaya-pesnya-russkij-fenomen/（二〇一八年二月一日閲覧）。
(16) Антология бардовской песни. М.: Эксмо, 2009. C.14.
(17) *Петтр Вайль, Александр Генис.* 60-е. Мир советского человека.М.: Новое литературное оборзение, 1996. C.64-74.
(18) *Галич.* Когда я вернусь. C.28.
(19) *Галич.* Когда я вернусь. C.299.
(20) *Булат Окуджава.* Прелестные приключения. М.: Время, 2016.C.107-108.
(21) Песни Булата Окуджавы. C.177.
(22) *Ольга Шилина.* Творчество Владимира Высоцкого и традиции русской классической литературы. СП.: ООО. Островитянин, 2009. C.182.
(23) *Шилина.* Творчество Владимира Высоцкого.C.203.
(24) オーストリアのテレビ局が「劇場通りの子供たち」というドキュメンタリーフィルムを制作したときのインタビュー。
http://vysotskiy.lit-info.ru/vysotskiy/intervyu/intervyu-vysockogo-dlya-dokumentalnogo-filma.htm（二〇一八年二月三日閲覧）。
(25) *Владимир Высоцкий.*Собрание сочинений в пяти томах. Том 2. Тула: Тулица, 1995.

C.67-68.

（26）*Михаил Шишкин*. Пальто с хлястиком. М.: АСТ, 2017

（27）https://wciom.ru/index.php?id=236&uid=116650　（二〇一八年二月三日閲覧）。

図版

図1　Голос надежды: Новое о Булате Окуджаве. Сост. А.Е.Крылов. М.: Булат, 2005.

図2　*Александр Галич*. Коллекция легендарных песен. ООО《Музыкальное право》, 2012.

図3　*М.Кравчинский, Н. Насонова*. Легенды и звезды шансона от Вертинского до Шуфутинского. СПб.: Амфора, 2008.

図4　*Владимир Высоцкий*. Собрание сочинений в пяти томах. Том 2. Тула: Тулица, 1995.

あとがき

マンデリシュタームが一九一三年にエッセイ「対話者について」でこう記している。航行していた人が遭難してしまったとき、自分の名前と自らの運命を記した手紙を壜に入れて海に投じる。いつか壜を見つけくれるであろう人に宛てて書くのである。詩とはそうした投壜通信のようなものだ、と。

それから四五年後の一九五八年、ロシア語に長け、マンデリシュタームやツヴェターエワの作品を愛しドイツ語に翻訳していたパウル・ツェランが、ある講演でこう語った。詩はその本質からいって対話的なもので、いつの日かどこかの岸辺に流れ着くだろうことを信じて書かれる投壜通信のようなものだ、と。先のマンデリシュタームのエッセイを踏まえたものであることはまず間違いない。

私はこの譬えが好きで、授業などで時おり引き合いに出すことがある。ソ連時代に抑圧され「遭難」したマンデリシュタームの投じた壜を、ツェランが拾い上げ、自分に宛てられた「手紙」として読み、共感し応答した。壜に入れられた手紙が国境を越え、時代を越えてだれかの元に届き、共鳴や交感を呼び起こし、やがて新しい土壌で新しい芽を吹く——そうした響き交わしこそが芸術作品の創造的な伝搬を促すものなのではなかろうか。投壜通信は世界文学というコンセプトを考えるうえでも有効な比喩であるように思う。

私自身、荒涼とした海辺をひとりさまよっているとき、私に宛てて書かれたのではないかと思いたくなるような手紙に何度か遭遇した。プーシキンの『エヴゲーニイ・オネーギン』、ゴンチャロフの『オブローモフ』、ツィプキンの『バーデン・バーデンの夏』、ウリツカヤの『子供時代』、オクジャワの『すばらしい冒険旅行』……。それらは長い航海の末、はるか異国から、時間という分厚い層を突き破って私の手元に届いた投壜通信だったのではなかろうか。そうだとしたら本書は、これら作家や詩人たちからの「手紙」について綴ったものである。

そして、おこがましいけれど、私も自分の書いた文章を壜に詰めてそっと海に投げ込んでみようと思う。いつの日か、だれかが気づいて拾ってくれるかもしれないから。

本書は、二〇〇七年よりおよそ十年間に書きためた文章をまとめたものである。副題にもあるとおり、第一章「社会」・第二章「文学」・第三章「芸術」の三つのパートから成っている。第一章には、『日本経済新聞』に連載した随想「プロムナード」や、文芸誌その他の雑誌に発表した身辺雑記風のエッセイを収録した。第二章には、書評やエッセイの他、現代ロシアの翻訳小説の解説などを再録した。第三章には、映画のパンフレットに寄せた解説、およびロシアのファッションデザイナーと吟遊詩人に関する少し長めの論考を入れた。

どのテクストも大半は発表・刊行したときのままだが、一部手を入れ加筆修正したことをお断りしておく。

表紙に使わせていただいたのは、現代ロシアのコンセプチュアル・アートの第一人者エリク・ブラートフさんの作品「Свобода есть свобода（自由は自由）」である。絵を見ればわかるとおり、「Свобода есть（自由がある）」と読むことも可能で、作品に描き込まれた文字（これがブラートフの特徴だが）の多義性が面白い。

最後になりましたが、本書をまとめてくださった五柳書院の小川康彦さんに心よりお礼申し上げます。最初の著書『アヴァンギャルドな女たち——ロシアの女性文化』（五柳書院、二〇〇三年）を手がけてくださったのも小川さんでした。こうしてふたたびご一緒させていただける幸せをしみじみと嚙みしめております。本当にありがとうございました。

それぞれの原稿を書くにあたってお世話になった方々のご厚情にも感謝いたします。新潮社の斎藤暁子さん、作品社の増子信一さん、エトセトラブックス（元河出書房新社）の松尾亜紀子さん、岩波書店の古川義子さん、文化出版局の小玉曜子さん、友人にして作家で映画監督のロジャー・パルバースさん、日本経済新聞文化部の赤塚佳彦さんと富田律之さん。すべての方のお名前を挙げることはできませんが、他にもたくさんの方にお世話になりました。

また、迅速に索引を仕上げてくれた土田真紀子さん（四月から東京外国語大学大学院博士前期課程に進学）にも心から感謝しています。

いつも的確なアドバイスを惜しみなく与えてくれ、どんなに忙しくても優しく誠実な態度で支えてくれる、朋友にして同志である夫、沼野充義に深い尊敬と謝意を表します。彼の『徹夜の塊（第三弾）世界文学論』（作品社）が本書と同時に刊行されることを願って。

私たちの大事な息子、晃と尭に本書を捧げます。

二〇二〇年二月

沼野恭子

初出一覧

第一章　社会編

二一二のプロムナード（「日本経済新聞」二〇一六年七月〜一二月）
きみはどこにいるの？　大砲とミューズ　運命のひとこと　奇跡について　モスクワのシャーマン
ブライトンビーチ再訪　平和への鍵　コーラかクワスか　ノブレス・オブリージュはお好き　ボルシチの風味　涙の島　ロシアの浮世絵　砂漠を愛した男　天空の妻たち　トルストイとサモワール　バイカル湖の伝説　現代ロシアの聖者伝　ノーベル文学賞あれこれ　牡丹灯籠とキャバレー　自分らしさ、人間らしさ　身近な異文化摩擦　新しい哲学
モスクワのモグラ・カルチャー（「群像」二〇〇六年一二月号）
美女と詐欺師（「新潮」二〇〇八年七月号）
左の肩には悪魔がいる？（『Coyote（コヨーテ）』二〇〇九年五月号）
オネーギンとタチヤーナ　フランスとロシアの甘く切ない関係について（「ミセス」二〇一三年八月号）
ウズベキスタンの三不思議（「群像」二〇一五年六月号）
雨の回廊　イタリアの中のロシア（「群像」二〇一三年六月号）
ロシアに精進料理？　変わる言葉、蘇る言葉（月刊「言語」、二〇〇八年七月号）
「絵に描いた餅」は食べられない　ロシアの料理書の変遷（「ヴェスタ」二〇一一年夏号）
消えたサモワール（「季刊民族学」二〇〇八年秋、一二六号）

蜜酒は髭をつたわって流れてしまい……ロシア文化における蜜酒と馬乳酒（「ヴェスタ」味の素食の文化センター、沼野恭子責任編集85号、二〇一二年冬号）

グルジア料理　豊穣な地の恵み（「文藝春秋SPECIAL」特集「世界の長寿食」二〇〇八年春号）

第二章　文学編

響きあうことば／予言することば（「pieria（ピエリア）」二〇一六年、第八号）

文学のかなでる音色を聴く（光文社PR誌『本が好き！』二〇〇七年七月号vol.12）

二葉亭に恋して（「學鐙」二〇〇七年秋号）

ロシアの「物くさ太郎」？　ゴンチャロフ『オブローモフ』（「本の雑誌」二〇〇九年六月号）

縒りあわされた糸　ドストエフスキーへのオマージュ（「ユリイカ」二〇〇七年一一月号）

強烈な風刺と賑やかなユーモア　ミハイル・ブルガーコフ『ブルガーコフ戯曲集』1・2（「週刊読書人」二〇一四年一〇月三日）

渇望から祈りへ　三角形の力学（シス・カンパニー『三人姉妹』、台本・演出：ケラリーノ・サンドロヴィッチ、公演 二〇一五年二月）

『プロコフィエフ短編集』　サブリナ・エレオノーラ　豊田菜穂子訳（「週刊読書人」二〇〇九年一〇月一六日）

物語の物語（『日本経済新聞』二〇一八年六月）

『8号室　コムナルカ住民図鑑』　コヴェンチューク／片山ふえ訳（「週刊読書人」二〇一六年六月一七日）

『私のいた場所』　リュドミラ・ペトルシェフスカヤ─訳者あとがき（河出書房新社、二〇一三年）
混乱の中に尊厳を（『図書』二〇一二年九月号）
『子供時代』　リュドミラ・ウリツカヤ─訳者あとがき（新潮社、二〇一五年）
『陽気なお葬式』　リュドミラ・ウリツカヤ／奈倉有里訳（「図書新聞」二〇一六年五月二八日）
チェルノブイリからフクシマへ　アレクシエーヴィチの祈り（「ユーラシア研究」第55号、二〇一六年）
『ラングザマー　世界文学でたどる旅』　イルマ・ラクーザ　山口裕之訳（「総合文化研究」第20号、二〇一七年）
『堕天使殺人事件』　ボリス・アクーニン─訳者解説（岩波書店、二〇一五年）
『聖愚者ラヴル』　エヴゲーニー・ヴォドラスキン／日下部陽介訳（作品社、二〇一六年）
『むずかしい年ごろ』　アンナ・スタロビネツ─訳者あとがき（河出書房新社、二〇一六年）
『五月の雪』　クセニヤ・メルニク／小川高義訳（「週刊読書人」二〇一七年八月四日）
「交信」と「かもめ」のモチーフ　黒川創『かもめの日』（「波」二〇〇八年四月号）
詩的言語とメタ言語の均衡　大石雅彦『モスクワの声』（「読書人」二〇〇八年六月一三日）
水のメモファーに　貫かれた静寂の自由　小川洋子『猫を抱いて象と泳ぐ』（「読書人」二〇〇九年三月六日）
『放浪の画家　ニコ・ピロスマニ──永遠への憧憬、そして帰還』　はらだたけひで（「週刊読書人」二〇一一年）
『クリミア発女性専用寝台列車』　高橋ブランカ（共同通信配信、二〇一八年）

第三章　芸術編

「ロシアの女」　美の十選（「日本経済新聞」二〇一〇年六月〜七月）

衣服の二重性　ラーマノワの挑戦（「総合文化研究」第18号、二〇一五年）

『この道は母へとつづく』　アンドレイ・クラフチューク監督　パンフレット二〇〇七年九月

『ラフマニノフ　ある愛の調べ』　パーヴェル・ルンギン監督　パンフレット二〇〇八年四月

『STAR SAND―星砂物語―』　ロジャー・パルバース監督　パンフレット　二〇一七年八月

『神聖なる一族　24人の娘たち』　フェドルチェンコ監督　リーフレット　株式会社アイ・ヴィー・シー　二〇一七年一〇月二三日発売開始

歌が私たちの呼吸する空気になった　一九六〇年代のソ連の弾き語り文化（「総合文化研究」第21号、二〇一八年）

ヤ行

ラ行

ワ行

マ行

ナ行

ハ行

タ行

サ行

カ行

人名索引

（**太字**は図版頁を示す）

ア行

沼野恭子
東京外国語大学教授・ロシア文学、比較文学、翻訳家。
主な著書に『アヴァンギャルドな女たち』(五柳書院)、『夢のありか「未来の後」のロシア文学』(作品社)などのほか、訳書多数。

ロシア万華鏡 社会・文学・芸術

著者 沼野恭子

二〇二〇年三月三一日 初版発行

発行者 小川康彦 発行所 五柳書院 〒一〇一—〇〇六四東京都千代田区神田猿楽町一—五—一 電話〇三—三二九五—三二三六
振替〇〇一二〇—四—八七四七九 http://goryu-books.com 装丁 大石一雄 印刷・製本 誠宏印刷

五柳叢書 109